自由に生きるための知性とはなにか

——リベラルアーツで未来をひらく

立命館大学教養教育センター【編】

晶文社

目次

第2部 トークセッション

オンライン企画「SERIESリベラルアーツ」全一〇回より

▼PART1 社会を生きる

目次

はじめに

この本を開いてくださったみなさんは、「大学で学ぶ」ことについて、どのようなイメージをお持ちでしょうか？

ここに、大学における教師と学生の関係性をじつに明快に表現した一節を紹介します。

　高校までの教育はあくまで、知る者が知らない者に知識とその獲得の方法を与えるという、関係の不均衡と能力の落差が前提でした。しかし大学での教育は、教師と学生が同等に立つことを目標とし、同時に最初からそれが実現されているとの仮説の枠組みで「教育」を行うため、その二者のあいだで、また大学を超えた社会に対して、知の行為者としての倫理が要求されるのです。（中略）「反証可能性」という概念で言えば、教師の言は、学生に対し、反証することが可能なように開かれていなければならないのです。いわば、大学はそこで落差をもとにした教育が不可能になる地点まで教育を行わねばならないという、教育者にとっては自らが「消え去る」ことが願いであるという不思議な場であるのです。同様に、そこで、学生の言もそのように他者に開かれていることが必要なのです。

（小林康夫、船曳建夫編『知の技法――東京大学教養学部「基礎演習」テキスト』東京大学出版会、一九九四）

これは、東京大学教養学部が一九九三年度からのカリキュラム改革に際して開設した、新規文系科目の教科書の冒頭に記された文章です。

この教科書を考案編集した小林氏は、二〇二一年に公開された記事で、「あらゆる「教科書」以前であるような根源的な「学びの意味」を、そしてそれとともに「知の歓び」を開くガイドブックであろうとした」と同書について振り返り、続いて以下のように熱っぽく述べています。

その根底にあった理念は、「知は知識ではなく行為である」ということである。知は、まずみずからを、そして世界を更新する革命的行為である！「教養」とは知識の集積ではない、日々あらたに世界を学ぼうとする君自身の「態度」のことだ！ということを、それぞれの先生方の具体的な「現場」の行為を通して教え伝えたかったのだ。

（【70年を読む③】小林康夫・船曳建夫編『知の技法』（一九九四年）ー解題：小林康夫 二〇二一年三月一六日 https://note.com/utpress/n/n422be8a6c00f）

ここで注目すべきは、大学における教師の言（言葉）は、反論をも含む学生との議論や対話を通して、もとの言よりさらなる具体性や理論的な進化を得て、学生にとっての「知＝行為」となっていくべきものである、という点です。さらに、この議論空間では、教師の言と同様に、学生の言もまた、教師や他の学生に対して開かれていなければなりません。

教師と学生が同等に立ち、各々の言はつねに反証することが可能なように他者に開かれ、落差のない地平で、対等で平等な相互応酬の議論空間が立ち現れる——これこそが〝大学〟という場です。そして、そうした空間を成立させるために必要なのが教養、すなわち「リベラルアーツ（自由に生きるための知性）」です。

「教養」とは、単なる「知識の集積」ではなく、「態度」のことであると小林氏は言います。教師も学生も「日々あらたに世界を学ぼう」と自己研鑽し、つねにアップグレードの途上にあるがゆえに、新しい考え方や概念、あるいは未知なる実体の予見が生まれます。だからこそ知は、「革命的行為」なのです。

さて、議論空間には、必ず論点や問題（課題）点が存在しますが、論点を投げかける側が必ずしも教師であるとは限りません。議論の過程で自然発生することもあります。いわば、教師はその導出に少し手を貸すことはあるでしょうが、議論における教師と学生の関係は対等です。人間同士として対等に向かい合うという関係性を実現するために「知の行為者としての倫理」が必要となります。これは、大学を超えた社会においても要求される倫理です。

こうした議論空間をさらに豊かにしていくために、立命館大学では、学生たちがはじめから、みずからの論点を創出して議論できる自由な環境を用意しました。教養教育の一貫としてのプログラム「未来共創リベラルアーツ・ゼミ」——通称「みらいゼミ」です。

みらいゼミは、学生自身が日々の生活で感じているモヤモヤや、正課の学びを通じて広がった知的関心をベースに、自由に誰とでも学ぶことができるゼミナール。学生自身がテーマ（問い）を設定し、立ち上げる学生提案型ゼミです。「準正課プログラム」という位置づけですから、正課科目のように成績をつける教員もいなければ、卒業に必要な単位も授与されません。しかしながら大学という教育機関が、あらためて教養教育の価値を見据え、大きな願いを込めて設計した、新しい教育プログラムです。

みらいゼミには、おもに三つの特徴があります。

一つめは、学生自身が自由にデザインし、ともに学ぼうとする人を主体的に集めて開く学びの場であること。重要なのは、学生みずからがテーマ（問い）を立てるという点です。「私はこう考える。あなたは？」という対話につながるフックとしての問い、他者に開かれた問いの設定がまず必要になります。

二つめは、ゼミの学生たちを支援し伴走する人たちの存在です。ゼミのテーマを共有する研究者や専門家が、段差のない平らかな地平で、学生の求めに応じてアドバイスします。と同時に、研究者や専門家もゼミの学生と対等に議論を交わす一人の学習者となります。このような役割を果たす人をみらいゼミでは「メンター」と呼んでいます。また、みらいゼミ事務局スタッフが、ゼミの立ち上げを検討している学生の悩みに寄り添い、他者と共有可能なテーマづくりの相談にのり、運営や経費の面でもサポートします。

三つめの特徴は、ゼミの参加者が対等な関係を築き、相互の変化をめざすということ。学部や年齢、テーマに関する知識量や経験値が異なっても、それぞれが固有の切実さでテーマに向き合い、他者を問い、自分もまた問われる存在であるという意味において、つねにみなが対等です。また、メンバーの発言（問いに対する仮説）は、ある特定の学問分野の共通言語や作法にとらわれず、縦横無尽に反証することが可能であるよう開かれていますから、専門知識に胡坐《あぐら》をかくことはできません。この緊張感が刺激となって、メンターを含む学習者たち全員が相互変容を迫られる環境におかれます。

互いに関わり合いながら変容していく学習者たちは、みずからが対象を認識する行為そのものの客観化と概念の緻密化を行えるようになり、その結果、何かに縛られていた自己を解き放つことができます。このように変容から（自己）陶冶《とうや》を経て、さらには自己を実現することが、すなわち、自由に生きることであると言えるのではないでしょうか。自由への扉を開いた学習者たちは、「知の歓び」を享受しつつ、大学という場、そして、社会全体へ、さらなる自由をもたらしてくれる存在となるでしょう。みらいゼミは、そうした扉を開く学びの場のひとつです。

このような特徴をもつ「みらいゼミ」の構想は、現状を変革し思い描く未来を求める社会運動のための「コミュニティ・オーガナイジング」という手法を参考にしています（参考文献：鎌田華乃子『コミュニティ・オーガナイジング――ほしい未来をみんなで創る5つのステップ』英治出版、二〇二〇）。

参加者には、冒頭に引用した「日々あらたに世界を学ぼうとする君自身の「態度」としての「教養」が求められます。そして実際に対話を通じた相互変容の中で、さらなる教養が磨かれていくことになります。

学生のみなさんが、みずからの生きる現実を認識し、どんな未来に生きたいかを考えながら、態度・行為としての「教養」を実践する現場、それがみらいゼミです。

本書は、みらいゼミを立ち上げ、みらいゼミに参加する立命館大学の学生、立命館アジア太平洋大学（APU）の学生、立命館学園附属校の高校生のみなさんのための副読本です。さらに、全国各地の高校生、大学生、社会人のみなさん、あらゆる立場の人たちに、みらいゼミのような学びの場を開いていっていただきたいという思いを込めて刊行しました。

本書の構成について

「自由に生きるための知性とはなにか」

本書のタイトルである、このシンプルでありながらも壮大な問いは、立命館創始一五〇年・学園創立一二〇周年記念シンポジウムの構想を練っていた私たちの脳裏に浮かんだ共通の問いでした。

そして二〇二〇年五月、シンポジウム「自由に生きるための知性とはなにか？」が開催されます。この大規模なアカデミックイベントは、新型コロナ感染症対策のため急遽オンラインでの実施となりましたが、国内外より一〇〇〇名以上もの参加申し込みがあり、複数の新聞社から取材を受けるなど、大きな反響がありました。先が見えず誰にも答えがわからない事態においても、人は知性を失わない。むしろ知を求める存在なのだと痛感しました。

シンポジウム後もパンデミックが収束する兆しはなく、学生たちはキャンパスに通えず、友人や教員と語らうことも難しい状況が続いていました。そのような未曾有の状況下、教養教育に関するある会議の場で、ひとりの教員がこう発言しました。「私たちが直面している社会の問題に対して、今こそ大学が知的に応答しなくてはならないのでは？」

シンポジウムでの議論や問題提起をそのままに終わらせず、二〇三〇年を見据えた未来の教養教育につなげていくための何かに取り組もうとしていた私たちは、この発言に背中を押され、二〇二〇年七月、オンライン企画「SERIES リベラルアーツ：自由に生きるための知性とはなにか」を始動します。目下の社会問題や学生たちの悩みからテーマを設定し、二年間で全一〇回の企画を行いました。

教員でも学生でもない教養教育センター事務局スタッフが企画したこれら全一〇回のトークセッションに、学内外から平均三〇〇名ほど、多いときには六〇〇名ほどが参加しました。

さらに、参加学生たちからの「テーマについてもっと深く考えてみたい」という感想や、新型コロナ感染症対策によって友人関係の構築に困難を抱えていた学生たちの声なども踏まえ、学びの場を自らデザインできる学生提案型ゼミナール「みらいゼミ」の取り組みを、一般財団法人三菱みらい育成財団の助成を受けて開始する運びとなったのです。

本書の第1部には、二〇二〇年五月のシンポジウム「自由に生きるための知性とはなにか？」の内容が収録されています。「自由とは？」「自由に生きるとは？」「そのための知性とはなにか？」といった問いを念頭に置きながら読み進めていただければうれしく思います。

そして第2部は、先述したトークセッション企画「SERIES リベラルアーツ：自由に生きるための知性とはなにか」の内容を再構成して収録しています。各回の内容や企画に至ったプロセスは、まさに学生のみなさんが「みらいゼミ」を主体的に企画・運営しようとする際のプロセスとも言えるでしょう。

最後に、みらいゼミのテーマをどのように設定したらよいのか、トークセッション企画のプロセスをもとにお話ししておきましょう。

① 自分や社会に関わることで、気になることを見つめ直します。自分の中のモヤモヤを放置せずに、新聞記事や書籍、ウェブメディアやSNSなどで調べてみます。

② SNSなどで自分のモヤモヤを発信すると、思いのほか反応があり、問いへの手掛かりが得られるかもしれません。また、リアルに会ったり、言葉を交わしたりできる身近な誰かと、気になることを話してみます。SNSでの出会いも含め、気になることを共有できる人が見つかれば、互いの情報や知識を交換し合うこともできます。

③ 関心事について、自分たちより詳しい人をリサーチします。その人の生の声を聞けるチャンスがあれば出かけていったり、著書を読んだりします。

④　①〜③を行う中で、「考えたいこと」の焦点が絞られてくるはずですから、まずは大まかな問いを立ててみましょう。

⑤　その問いを一緒に考えたい人、議論してみたい相手を具体的にイメージします。その人たちを巻き込むために、よりわかりやすい問いに落とし込み、場づくりを考えます。

いかがでしょうか？　難しいことはひとつもありません。みなさんの中にあるモヤモヤ――社会への違和感や疑問、自己や他者への関心。あらゆる動機から、「みらいゼミ」は始まります。知りたい、学びたい、深く考えたいと思う誰もが、「みらいゼミ」の主役なのです。

「自由に生きるための知性とはなにか」

本書を貫くこの大きな問いを頭の片隅に置いておけば、どこから読み始めていただいてもかまいません。「自由」をテーマにした書き下ろしコラムも収録しました。また、第二部の各トークセッションの最後には、議論をさらに掘り下げるためのあらたな問いも用意されています。トークセッションの録画にアクセスできるＱＲコードも掲載していますので、ぜひ実際にご覧になって、思考を深めていただけたら幸いです。

本書を通じて、読者のみなさん一人ひとりが、みずからを縛るものから少しでも解き放たれ、自由に生きるための未来への扉――それはとりもなおさず、私たちがともに生きられる未来への扉で

なくてはなりません——を開く一助となればと願うばかりです。

立命館大学教養教育センター

※「みらいゼミ」とは、立命館大学教養教育センターによる準正課プログラム「学びのコミュニティ・オーガナイジングによる未来共創プログラム～自由に生きるための知性を磨く～」のこと。本プログラムは、一般財団法人三菱みらい育成財団による二〇二一年度助成事業「21世紀型 教養教育プログラム」に選考され、二〇二三年度まで実施予定です。みらいゼミ副読本である本書も助成により出版されました。

⬅みらいゼミ ウェブサイト
https://www.ritsumei.ac.jp/liberalarts/mirai/

第1部

立命館創始150年・学園創立120周年記念シンポジウムより

シンポジウム

シンポジウム
01

基調講演

わたしを発見する知
リベラルアーツと当事者研究

熊谷晋一郎

自らも身体障害者であり、「自由」や「平等」が当たり前ではない世界に生きてきた熊谷晋一郎氏は、障害者運動や薬物依存者の自助グループ活動に学びつつ、当事者研究を続けてきました。リベラルアーツが「人を自由にするための学・技術」であるならば、マイノリティたちの語りや経験の中には、リベラルアーツをアップデートする視点が含まれているのではないでしょうか。

登壇者

熊谷晋一郎（くまがや・しんいちろう）

東京大学先端科学技術研究センター准教授、小児科医。脳性マヒの電動車いすユーザー。専門は小児科学、当事者研究。著書に『リハビリの夜』（医学書院、2009年）、『みんなの当事者研究』（編著、金剛出版、2017年）、『当事者研究と専門知――生き延びるための知の再配置、2018年』（編著、金剛出版）、『当事者研究をはじめよう』（編著、金剛出版、2019年）など。

推薦図書

- 上岡陽江、大嶋栄子『その後の不自由――「嵐」のあとを生きる人たち（シリーズ ケアをひらく）』医学書院、2010年
- 綾屋紗月、熊谷晋一郎『発達障害当事者研究――ゆっくりていねいにつながりたい（シリーズ ケアをひらく）』医学書院、2008年
- 熊谷晋一郎責任編集『みんなの当事者研究（臨床心理学増刊 第9号）』金剛出版、2017年
- 熊谷晋一郎責任編集『当事者研究と専門知――生き延びるための知の再配置（臨床心理学増刊 第10号）』金剛出版、2018年
- 熊谷晋一郎責任編集『当事者研究をはじめよう（臨床心理学 増刊第11号）』金剛出版、2019年

2020年5月24日開催

唯一無二の「わたし」を探求する研究

今日、中心にお話しするのは、リベラルアーツと当事者研究です。当事者研究というのは、唯一無二の「わたし」を対象とする研究実践と要約することができます。

わたしを形づくる要素には、最低でも二つあるのではないかと考えていて、一つは、わたしだけが持っているこの「からだ」。もう一つはこれまで歩んできた歴史や自分だけの「物語」です。仮に一卵性双生児のようにほとんど違わないからだを持っているとしても、物語というものは固有のものだろうと思います。当事者研究では多くの場合、このからだと物語の二つを、「わたし」を形づくる要素と見なし、それぞれを探求するスタイルをとります【図1】。

もともと当事者研究は、精神障害など周りからも自分からも理解しにくい苦労を抱えた当事者による「自分助け」と「社会変革」の方法として、二〇〇一年に日本で誕生した実践です。研究という名前がついていますが、在野の実践として始まりまし

図1　わたしを形づくる2つの要素

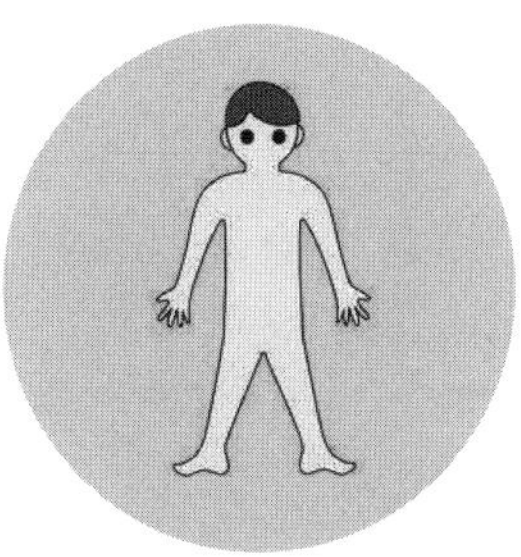

わたしだけの「からだ」

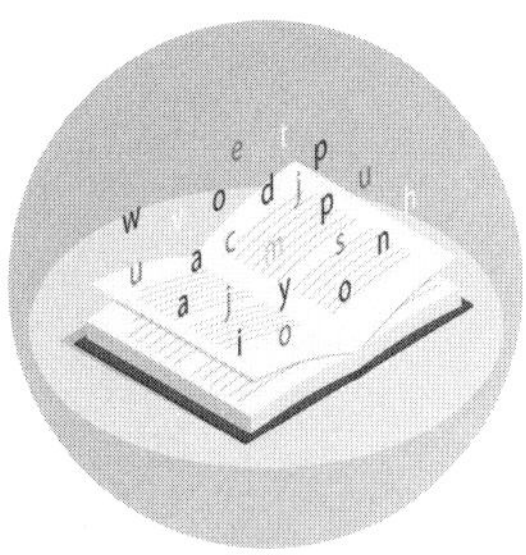

わたしだけの「物語」

た。

昨今コロナ禍の状況で、格差は広がりつつありますが、全ての人が大なり小なり苦労を抱えています。当事者研究では、苦労を抱えた本人を広く当事者とみなす特徴があります。そういう意味では、今、総当事者化が起きていると言えるかもしれません。当事者研究は、障害を持った特定の人だけに役立つ方法ではなく、もしかしたら、今聞いていただいているたくさんの方々にとってもヒントになるのではないかと思います。

リベラルアーツに関しては、さしあたり「人が自由になるために必要な知識・技術」と定義します。その上で、「わたしを知ること」と「自由になること」という二つのテーマの関係、そして「自由になること」に貢献する大学教育とはどのようなものかを考えていきたいと思います。

「しょうがい」が変わる

私は脳性マヒという生まれつきの身体障害を持っています。私が生まれた一九七〇年代は、障害を持った子どもが生まれたら

1970年代：健常者に近づかなくては社会で生きていかれない

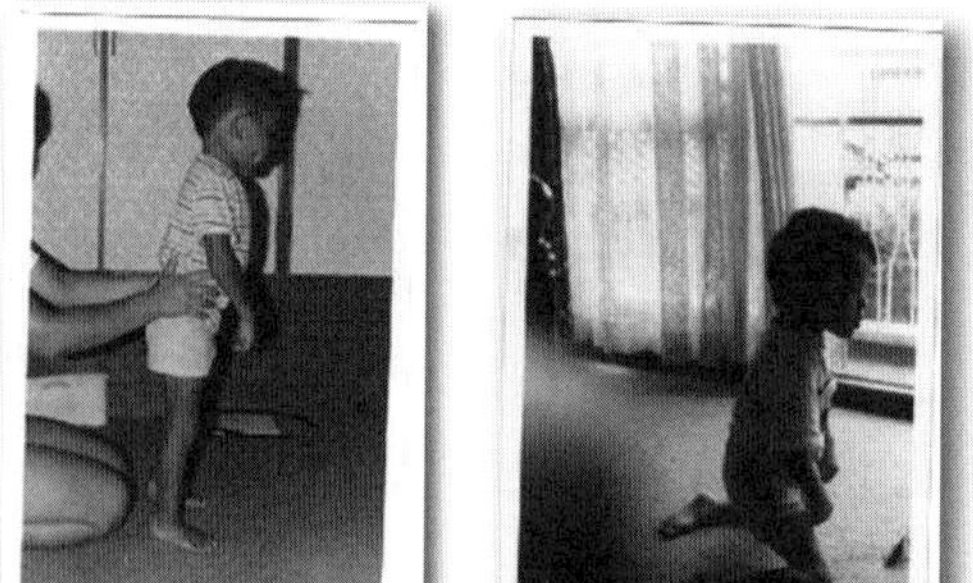

なるべく早期に発見して治療を施し、健常者と同じようにからだを動かせるようにしなければならないとされていました。そうしなければ社会で生きていけないと考えられていたからです。そういった物語や価値観を社会全体が共有している時代でした。

私自身も家族も社会に流布された物語を内面化し、毎日五、六時間はリハビリをして、健常者と同じように立てるようになるとか、膝立ちができるようになることを目指していました。いわば親や社会が共有していた物語に沿うように、私のからだを変形させ、調教し、改造することが行われていました。

しかし幸いなことに、この時代は障害者の自立生活運動[※1]が世界的に勃興していた時代でもありました。障害者の運動は、かつて「しょうがい」というものが本人の皮膚の内側に存在していると考えられてきたことに対して、「しょうがい」を皮膚の外側に存在するものだと言って対抗しました。

前者の考え方を医学モデル、もしくは個人モデルと表現し、医学モデルで捉えた障害を「インペアメント（impairments）」と言います。後者の新しい考え方を社会モデルと言います。

たとえば階段があって車いすでは入れない建物があったとします。社会モデルでは、その階段し

※1 **自立生活運動**　一九七〇年代頃に始まった重度の身体障害者による当事者運動。自立生活とは、介助者を使いながら「親の家庭や施設を出て、地域で生活すること」（安積）。米国ではマイノリティの公民権運動や消費者運動の広がりを背景に、カリフォルニア大学バークレー校に入学した身体障害のあるエド・ロバーツが、学内や地域社会のアクセシビリティを求め運動を展開し、自立生活センターを立ち上げたことに始まる。日本でも同時期、脳性マヒのある障害者を中心とする青い芝の会の運動、府中療育センター内で起こった運動を起点とし、独自の当事者運動が展開されていく。「あってはならない存在」にされているという自覚とともに、問題解決よりも社会のありようを批判・糾弾する直接行動を伴う運動として展開された（立岩）。その後、生活保障や介助派遣を求める運動へと繋がる。

かない建物の方に「しょうがい」が宿っている、もしくは階段しかない建物と車いすに乗っている人との関係の中に「しょうがい」が宿っていると捉えます。社会モデルで捉える障害概念を「ディスアビリティ(disabilities)」と言います。

この新しい物語としての社会モデルがパラダイムを変えていきます。社会モデルは、ディスアビリティを少しでも小さくすることを至上命題とします。車いすの人でも使い勝手がいいようにエレベーターを設置するなど、環境の側を変えていく。

こうした社会を変革していく可能性が、社会モデルのもとでは切り開かれていきました。

私にとっても社会モデルの考え方は、自分のからだを否定し続けてきたこれまでの状況から抜け出し、変わるべきは環境の方だったんだと皮膚の外側に目を向けるきっかけを与えてくれました。それで私はようやく、生きていけると思うようになりました。

自分の物語を描き直していく

リハビリをしてもそれほど効果がないというエビデンスが一九八〇年代になってあらわになり、社会モデルの方が合理的ではないかと世の中の捉え方も大きく変わっていきました。そうした中で、私は一八歳のときに一人暮らしを始めました。親元でリハビリに明け暮れる生活に将来性がないと感じるようになり、先輩障害者の背中を追うようにして始めたわけです。

一人暮らしは、それまでのように物語にからだを従わせるのではなく、からだの声を聞きながら自分にとって無理のないシナリオを描き出していくようなものでした。それはからだに合うように、自分の物語を描き直していくプロセスだったとも言えます。

一人暮らしを始めた私は、コップで水を飲むことにさえも自由を感じました。私はコップを両手の甲の間に挟んで持つのですが、かつてはそういう持ち方をすると、すぐさま親にピシっと手を叩かれていました。ちゃんと手のひらを使って健常者と同じようにコップを持ちなさいというわけです。だから手の甲でコップを持てるというのは、誰からも監視されていないからこそできることでした。

またトイレの問題も、私には幼い頃から重たいトピックでした。バリアフリーなトイレは少ないし、仮にあったとしても自分一人では十分に使いこなせないため、今になっても高頻度で失禁するということが起きています。

親元にいた頃、失禁は家族の中で処理しなければならない秘め事、あるいは家族で解決すべき密室的なイシューであると捉えられていました。

よく覚えているのが、小学生の頃、学校で失禁をすると、待機室にいる母親が呼び出されていたことです。私は母親に担ぎ出されてシャワーを浴びさせられると、すぐに下着を履きかえ何事もなかったかのように教室に戻されていました。Ｆ１のピットインのような感じで、なるべく授業の中断時間を短くするようにして

モノと作り上げる動き

いたんです。もちろん臭うし、同級生も教師も気付いているのですが、見て見ぬふりをすることがエチケットであるかのように、まるで私や親がいないとばかりに授業を継続していたわけです。

そういう経験を重ねていると、失禁の問題は公共化してはならないシークレットな問題、自分や家族の範囲内で処理しなければならない恥ずかしいことという意識が強く刻み込まれていくわけです。

自由が生み出したもの

一人暮らしをするようになって非常に自由だなと思った瞬間は、親の顔色をうかがうことなく自由に失禁ができるということを発見したときでした。その頃は、本当に家族以外の人がトイレの後始末をしてくれるのだろうかと不安もあったんですが、案外手伝ってくれる同級生もいました。そしてこれはちょっと悪ふざけが高じてやったことですが、通りすがりの人がどれくらいトイレを手伝ってくれるのか友人と一緒に実験をしてみたら、半分ぐらいの人がサポートしてくれるということが分かりました。それで、失禁が秘め事ではなく公共化してもいい問題だと気付きました。

こうしたことは、誰にも監視されない中で、環境との直接交渉によって、自分らしい生活スタイルや自分の物語を立ち上げていく経験でした。この経験は、私の当事者研究のスタートだったと言えます。当事者研究には監視されない自由な空間が必要です。自由な試行錯誤や実験をしていくためには、いったん規範を外し、なるべく特定の価値観に縛られないということが必要だからです。非常に印象的だったのが、自分自身のからだの輪郭というものがはっきりしていくことでした。私のからだが望むこと、できることやできないことが徐々に分かっていきました。監視する人がいなくなっただけで、自分に関しても世界に関してもクリアに見えてきたわけです。私が自由という言葉から思い浮かべるのは、こういった姿です。

また一人暮らしを通じて、自分のからだの変えられない部分をより具体的に発見していきました。それは「ニーズ」の発見でもあるわけです。

変えられないのなら助けてもらうしかない。あるいは周囲に変わってもらう、社会に変わってもらうといった主張が出てくる。この身体可塑性の限界についての知識が社会運動や社会変革を導く羅針盤になります。それが当事者研究の面白さの一つです。

「物語」にまつわる記憶

一人暮らしの経験はわたしを形づくる二つの要素のうち、特にからだに関わるものでした。もう一方の要素が物語です。からだについては、モノとの相互交渉の中、もっぱら一人で気付きを得ていくプロセスだったのですが、物語を描く作業は、状況が類似した仲間と一緒に、対話や会話を通じて進めていく共同作業です。

私の場合、身体障害の先輩たちとの対話を通じて、等身大の物語が描き出されていきました【図2】。ここで物語という言葉について説明しておきたいと思います。物語という言葉を私が使うとき、自伝的記憶[※2]の研究を参照しています。

誰もが日々、様々な経験をしています。夕焼けが美しかったとか、音がうるさかったとか、五感や内臓の感覚、運動感覚を伴うような具体的な経験を通して、様々な情報が頭の中に登録されていくわけです。これをエピソード記憶[※3]と言います。

エピソード記憶は具体的で、かつ現実をなるべく正確に記憶する特徴があります。

対して抽象度の高いレベルで保持される記憶を、概念的自己と呼びます。概念的自己は、具体的な感覚や運動を伴った記憶ではなく、他者と共有可能な形で、言語や記号により記憶されるものです。たとえば、私の人生はこうだったと表現したり、自己紹介をするときのように年表的な形で自分の歴史を他者と共有するような記憶です。

自己経験についての記憶には、このエピソード記憶と概念的自己の二つがあり、これらが自伝的記憶の二階建て構造になっていることを心理学者のコンウェイが示しました【図3】。感覚や運動を伴った具体的なエピソード記憶そのものは他者と共有不可能です。一方、概念的自己は抽象度が高いゆえに、現実対応性がやや劣ります。

図2　わたしを形づくる2つの要素

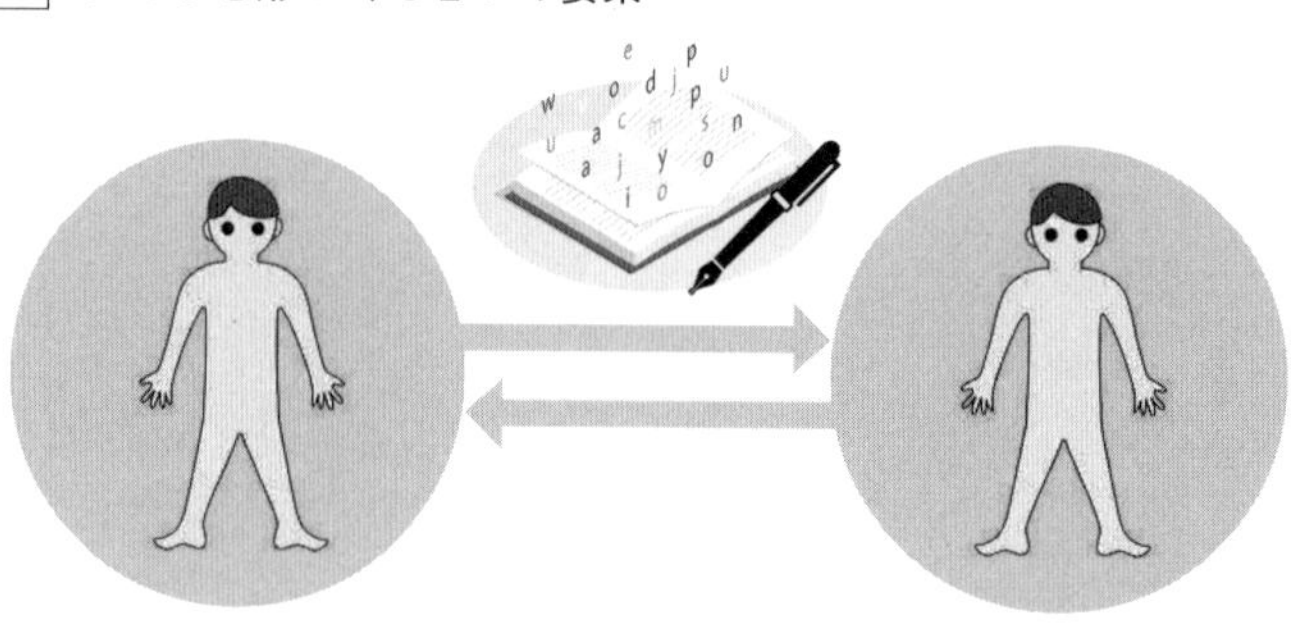

そのかわり、自分にとって都合のいい形に概念化する傾向があります。これを自己整合性と言いますが、ここに記憶捏造のルーツがあるわけです。

自伝的記憶の分裂

具体／抽象、現実対応性／自己整合性というそれぞれ矛盾する条件を備えた二階建て構造の自伝的記憶は、両者がうまく調停できているときもあれば、できていないときもあります。調停がうまくいかずリンクが外れてしまう場合があります。先行研究では、鬱《うつ》やトラウマ、摂食障害や季節性情動障害、あるいは自閉スペクトラム症などがある場合に外れることがあると言います。リンクが外れてしまえば、自伝的記憶の一階と二階をつなぐ階段が外れてしまい、抽象的なことだけしか思い出せない時間帯と、具体的なものだけしか思い出せない時間帯とが直列に分かれてしまうような症状が起きます。

※2 **自伝的記憶**（**autobiographical memory**） 自己に関する物語的、事実的知識。先行研究として Martin A. Conway "Memory and the self"（Journal of Memory and Language 53 (2005) 所収）

※3 **エピソード記憶（episodic memory）** ある特定の時間、場所で起こった、個人的に経験された出来事に対する記憶のこと。意識的に思い出せるものではないが、時間や場所に関する断片的な情報が手がかりとなり、「ある一場面が、スケッチのように自然に湧き上がる」ように立ち現れる（ラヴィーン）。

※4 **過剰一般化記憶**（**OGM: Overgeneralized autobiographical memory**）「自伝的記憶の概括化」とも訳される。具体的なある日のある場所における記憶という形ではなく、いくつかがまとまって思い出されたり、繰り返しや長期的な記憶ばかりが思い出されるような想起のあり方を指す。特に、抑鬱《よくうつ》やＰＴＳＤにおいて起こると考えられている。

抽象的な方しか思い出せない状況のことを過剰一般化記憶（ＯＧＭ）[※4]と言い、具体的な方しか思い出せない状況のことをフラッシュバックと呼んだりします。

鬱やトラウマなど、先ほど挙げた状態ではこの二つの症状が見られることがあります【図4】。

ＯＧＭでは、具体的な時間や場所が特定されないような形でしかこれまでのことを振り返れないので、ある日の出来事という形で過去を思い出せません。

そうすると、たとえば私は性格が暗いとか、私はいつも失敗する、あるいはいつも成功するといったように、自分というものを過剰に一般化することになります。

このＯＧＭは、自殺率と関係していることで注目を集めました。注目され出した当初は多くの研究者が疑いを持っていたんですが、どうやら本当らしい。そして物語を統合的に構築できるかどうかが、ウェル・ビーイング（well-being、福祉）と深く関係しているということが分かり、さらに注目されるようになりました。

図3　自伝的記憶の構造（Conway, 2005）

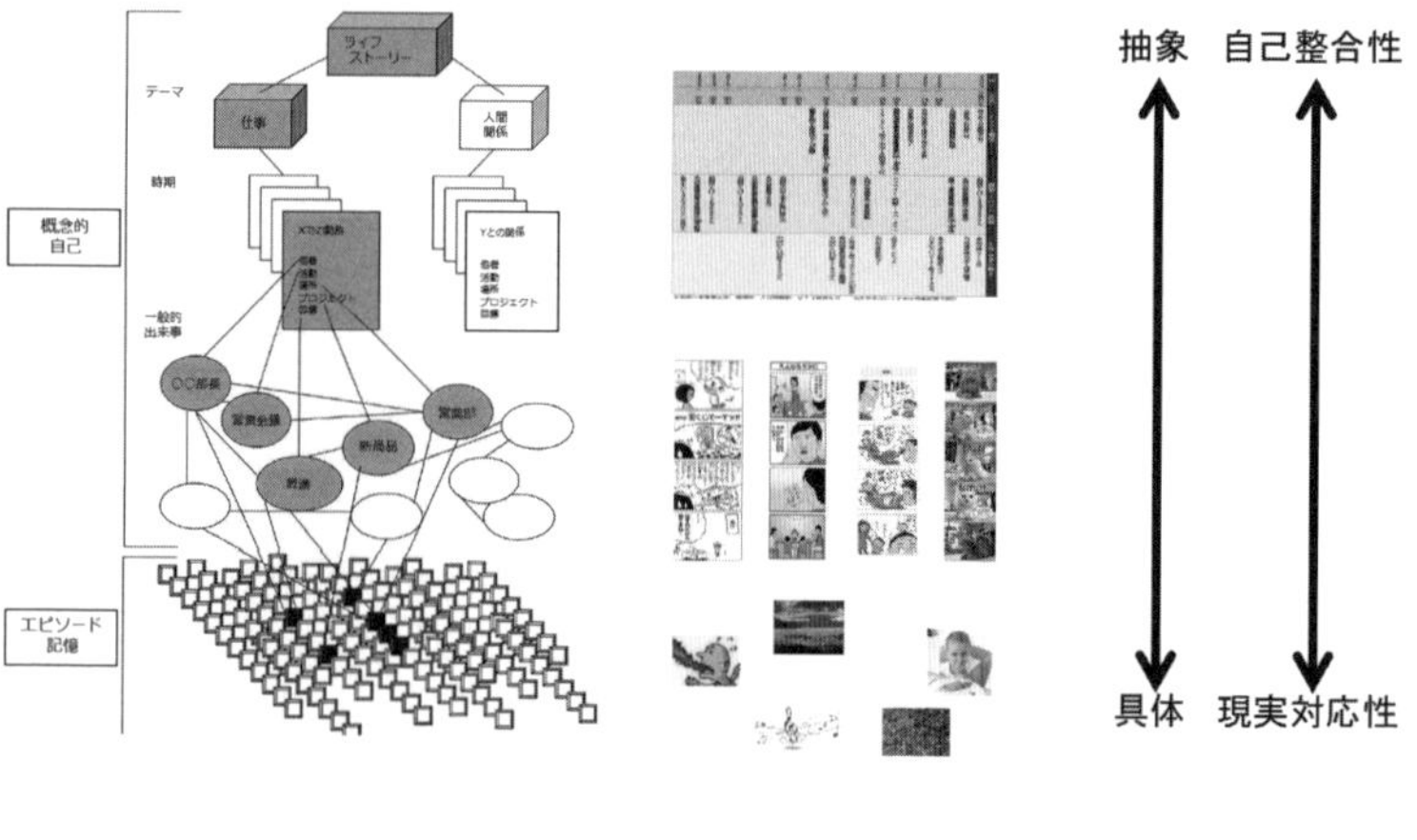

記憶の多様性――自閉スペクトラム症

少し具体的な話をします。自伝的記憶がうまく統合されない状態の一つとして、自閉スペクトラム症が報告されています。私の共同研究者で、自閉スペクトラム症当事者の綾屋紗月さんが、その日起きた出来事を夜寝る前に走馬灯のように思い出してしまう状態や、それを見せつけられることで自分の中の反省会が終わらなかった経験を話されています。障害の有無に関わらず、皆さんの中にももしかしたら経験のある方がいるかもしれません。

現実対応性は満たしているけれども自己整合性を満たしていない特殊な記憶を、トラウマ記憶[※5]と呼ぶことがあります。トラウマ記憶では、何か強烈な出来事が一つ起こると、記憶の二階建て構造が分かれてしまいます。トラウマ記憶までいかないにしても、言語化できず他者と共有できない記憶、つまり概念的自己にリ

図4 自伝的記憶が統合されにくい状態

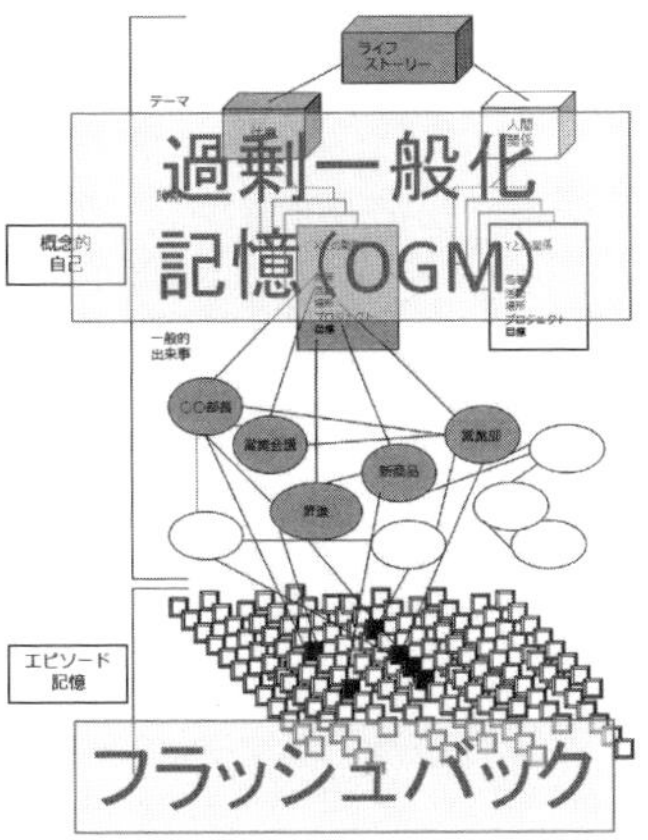

1. 大鬱病性障害(MDD)
(Brewin et al.,1998; Kuyken & Dalgleish, 1995;
Moore et al., 1988; Wiliams &Scott, 1988)
2. トラウマ症状
(Kuyken & Brewin, 1995)
3. 心的外傷後ストレス障害
(McNally et al., 1994; 1995)
4. 摂食障害
(Dalgleish et al., 2003)
5. 季節性情動障害
(Dalgleish et al., 2001)
6. 自閉スペクトラム症
(Crane et al., 2010; 2013)

ンクさせることで抽象化できないようなエピソード記憶は、フラッシュバック記憶[※6]になりえます。

当事者研究で自分のエピソード記憶とリンクする概念を他者と共有できるようになる前の綾屋さんは、言語化できないエピソード記憶がとめどなく出てくるとき、対話を通じてではなく、自分ひとりでその記憶とにらめっこして概念的自己を立ち上げようとしてきました。これを「ヒトリ反省会」と表現したのです。

なぜこういったことが起きるのかを当事者研究を通じて説明しているのですが、多くの人が「全体」に注意を向けるとき、綾屋さんは全体を構成する「部分」としての対象物に注意が向かってしまう。また多くの人が対象物に注意を向けるとき、その対象物の一つ一つを構成する「特徴」に注目してしまう。つまり、注目する粒度やカテゴリーの細かさといったものが、人とズレてしまいがちだということです。

たとえば野原一面に紫色の花が咲いているとして、周りにいる人たちはその様子を見て「紫色の花がいっぱい咲いていてきれい」と言っているのに、綾屋さんの目にはどの紫色の花のことを言っているのか分からないということが起きます。なぜなら一つ一つの花が違うように映って見え、人よりかなり細かいレベルでカテゴリー化しているからです。これでは周りと同じ言語でエピソード記憶を共有できません。こうした経験を積み重ねられてきたことで、エピソード記憶とリンクする概念的自己を、対話を通じて構築する機会に恵まれなかったということです。認知的なカテゴリー化の粒度が周囲と異なることで、周囲とは異なったエピソード記憶が蓄積する結果として、エピソード記憶と概念的自己のリンク不全という知見を説明して見せたのが、綾屋さんの当事者研究でした。

認知言語学の観点からも、発達科学の世界で有名なトマセロという研究者が説明しています。人はものを見るとき、森羅万象の中にパターンを発見しカテゴリー化していく。そして、カテゴリー化の仕方が類似する他者との間で言葉を発明していきます。一方マイノリティの場合、パターン化自体に多様性があります。そしてそのあとの世界を切り分けるカテゴリー化がマジョリティと異なっているために、多数派向けの言語によるコミュニケーションの世界に参入することが困難になるわけです［図5］。

自閉スペクトラム症と学知の親和性

綾屋さんは、植物図鑑を親に買ってもらって初めて、自分が見ていた世界が確かに実在していたことを承認されたようで、安堵感を得たと言っています。自閉スペクトラム症の方の中には、日常言語よりもむしろ専門性の高い学術的な言語の中に自分の経験を表現する言葉を見つけることが多く、学者になる方も少なからずいるということが以前から知られていました。それは、そもそも世

※5 **トラウマ記憶**（traumatic memory） 外傷性記憶。命に関わるような事故や事件、あるいは性的虐待といった心に深い傷を残す出来事は、想起すること自体が再び苦痛を再体験させることになるため、本人は想起することを拒否するようになる。簡単には物語化できない体験であることから、「通常の記憶と違い、全く記憶から排除されてしまうか、逆に極端な鮮明さで蘇ってくるもの」となる（松嶋）。

※6 **フラッシュバック記憶** 外傷性記憶の典型。元となる出来事が「心理的な意味を獲得できず、精神がそれを回避する術を見出せない状況」であるとされる。またそのままの形でその出来事が立ち戻ってくるような直写性（literality）を備えたもので、そこには何の象徴性も見られない（松嶋）。

界の見え方が、より細かいカテゴリーの目に合ったものになっていることを示唆しています。

自閉スペクトラム症だけでなく、私自身も含めて、マイノリティが大学の学知に触れ、言葉や概念、理論を知ることで初めて、これまで誰とも分かち合えなかった経験を表現できる強力な武器を手にしたということがあると思います。それはマイノリティにとって、生き延びるための一つの資源となります。ですから、大学の中に蓄積されている専門知は、もしかするとさらに社会に流通させることで、マイノリティの自伝的記憶のリンクを保たせる資源として活用できる余地があるかもしれないと考えています。

同時に、マジョリティに合うようにカスタマイズされている日常言語についても、建物をバリアフリーにしなければならないと言うのと同様に、言語もバリアフリーにしていかなければならないと思います。マイノリティの経験に合

図5　身体に根付いた世界の切り分け

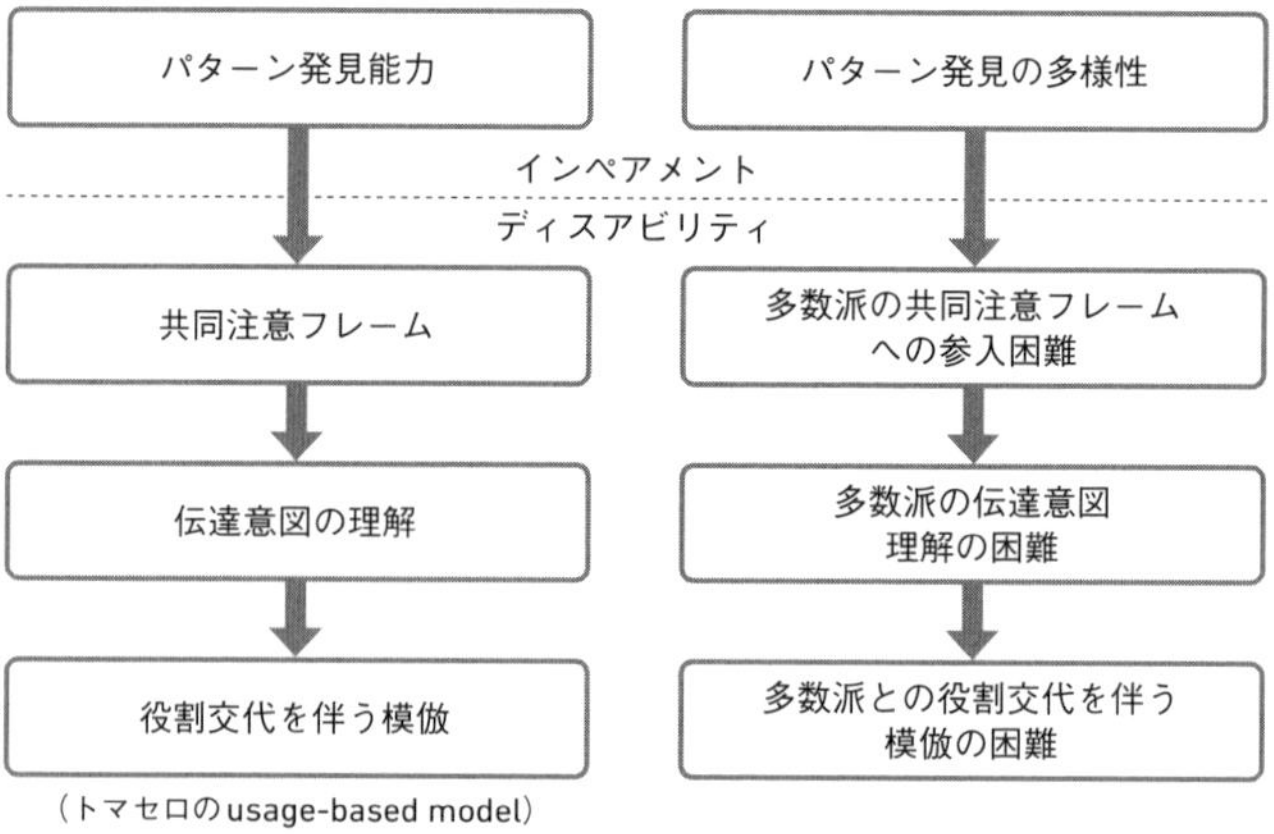

少数派独自の共同注意フレーム立ち上げによって、
自己感、共感、社会性が改善しうる可能性

った言語を流通させるためには、目の粗さやカテゴリー化の粒度といったことを意識できるような取り組みが必要で、当事者研究はまさにその一つであると言うことができます。

記憶と依存症

もう一つだけ例を紹介します。認知的多様性だけでなく、トラウマなどの外部要因がきっかけで、自伝的記憶の統合がうまくなされない状況があります。薬物依存症の女性たちの自助グループが、当事者研究として発表した『その後の不自由』という本があります。

そこで強調されているのは、依存症は困りごとの氷山の一角にすぎず、その背景にはトラウマという傷付いた過去の出来事があるということです。特に虐待や暴力、いじめといった人間関係におけるトラウマティックな出来事があり、その辛さから逃れるための自分助けとして、多くの女性が依存症になっているという事実です。

虐待のような出来事があると、身近な他者に依存したら痛い目に遭うということを学習します。そして身近な人に依存できないとなると、依存できる先は三つぐらいに限られてきます。一つは薬物やアルコールなどの「物質」、もう一つは「自分自身の能力」、最後に「カリスマや支配できる他者など縦の人間関係」です。依存症の根本問題は、互いを同じ人間同士として見てくれる身近な他者に依存できないことです。これは非常に大きな逆説です。つまり、依存症というのは依存できない病だということです。

虐待の経験でトラウマ記憶が入ってくると、過去を思い出したくなくなります。そして過去を思い出さないために、覚醒剤を使ったりダウナー系の薬を使って、覚醒度を上げたり下げたり調整をすることで過去を遮断する自分助けを行います。虐待が起きたという事実は変えられず、自分助けは理由あって行っているものです。

大事なことは、身近な人に依存できない、過去を思い出さないように生きていることの方です。依存症の方々は、自分助けとしての依存そのものが問題ではなく、依存できずに孤立しながら、具体的な過去を振り返らないように生きていることこそが介入ターゲットであることを発見したわけです【図6】。

身近な人に依存できない、過去を思い出さないという二つのことを一挙に解決する方法として、自助グループのミーティングがあります。身近な他者に過去を打ち明けるミーティングによって、過去を思い出しながら他者に依存する練習をする。その過程で、誰とも分かち合えずにフラッシュバックし続けていたトラウマ記憶が、仲

図6 虐待から依存症

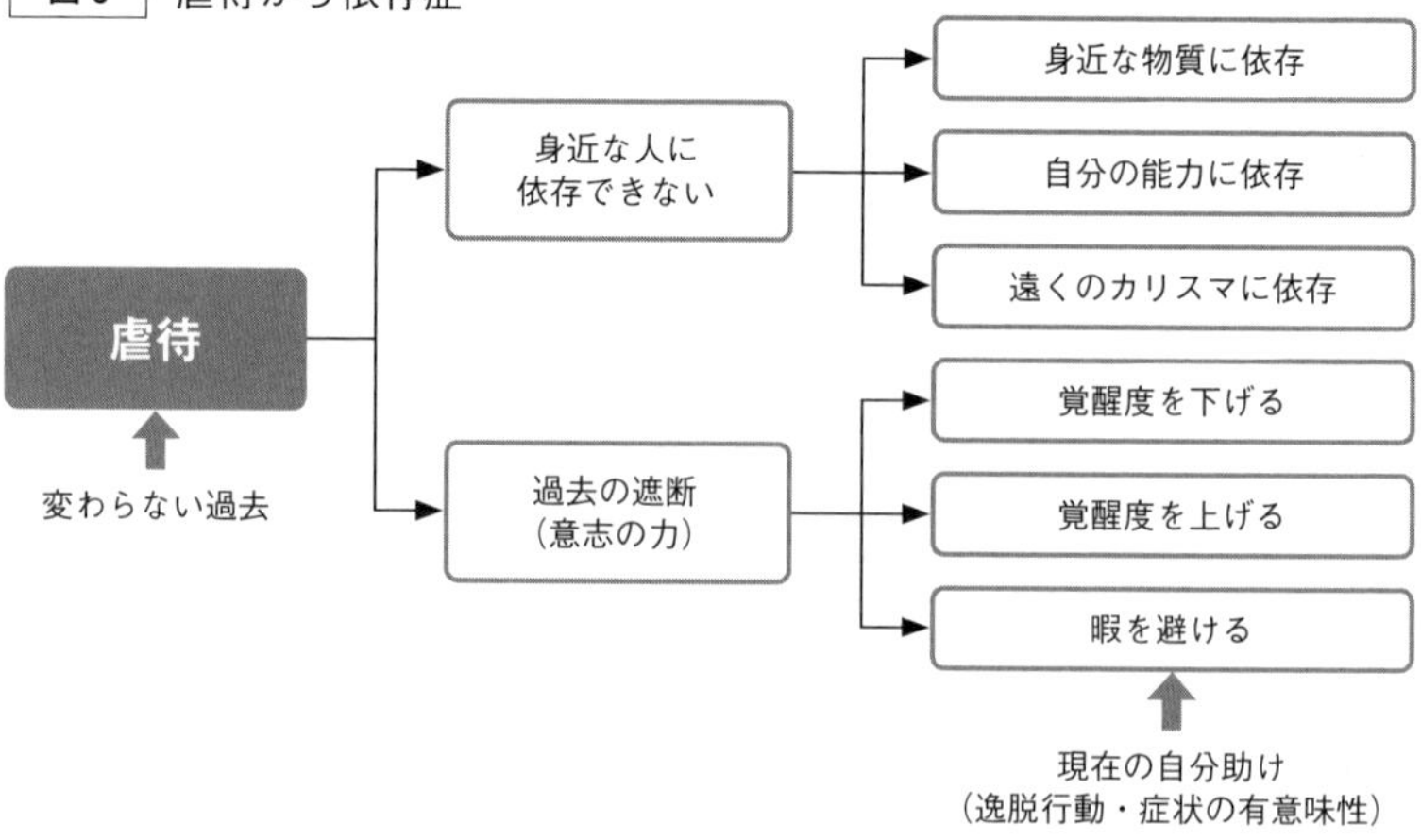

間の共有する言語とリンクし始め、概念的自己が立ち上がっていきます。このミーティングが依存症の治療にとって非常に効果が高いわけです。

潜在能力アプローチと自伝的記憶

ここまで、自閉スペクトラム症やトラウマなどによって自伝的記憶の統合が外れてしまう状態について話してきましたが、これを、自由を定義する「潜在能力アプローチ」[※7]の視点から見ていきます。

経済学者のアマルティア・センが提唱した潜在能力アプローチは、社会モデルとも相性の良い考え方で、しばしば障害の分野で参照される一つのモデルとなっています。

人々は平等な社会というものを求めます。しかし障害がある人もない人も平等に暮らせる社会というのは、果たして何を平等にした社会なのでしょうか。どの条件を等しくすれば平等な社会が実現すると言えるのか。これについては長らく様々な議論が積み重ねられてきました。

※7 **潜在能力アプローチ**（Capability approachJ） 人にはいくら財があっても、それを実質的に使えるかどうかはその人の年齢・健康状態・環境等によって異なる。さらにはそれを使おうという本人の意思が関わる。人々の多様な状況や選択のあり方を考慮に入れた「福祉の指標」として提示された概念。三〇〇万人もの餓死者を出したと言われるベンガル飢饉を経験したアマルティア・セン（インド・一九三三〜）が、従来の平等論や正義論が各人の健康状態、地域差、障害の有無といった現実的な諸条件を無視したものであることを指摘し、それを乗り越える福祉（well-being）へのアプローチとして提唱。客観的な計測可能性を備え、社会の平等・不平等の度合いを査定できるとした。厚生経済学と貧困研究の発展への貢献が認められ、アジアで初めてノーベル経済学賞を受賞。

潜在能力アプローチは、「行うことのできる」範囲や「なることのできる」範囲を平等にしていくためのものです。この範囲を平等にすることが、正義や公正が満たされた社会の条件だと考えたわけです。

それを選択しなくても差し支えがない、選択しようとすれば選択できるけれども、選択してもしなくてもいいという状態のことを「潜在的」と言い表し、潜在的には何ができ、どんな状態になれるのかといったことを見ていきます。言い換えれば、潜在能力という概念は、ある人の選択肢の幅を示したものと言うことができます。

そして潜在的にできる可能性があるということは、自由であることを表しているとも言えます。

もしリベラルアーツが自由を求める学や技術であるならば、この潜在能力を等しく

図7 善き生にとって最低限必要だと思われる潜在能力のリスト

●生命	●感情	●遊び
●身体的健康	●実践理性	●環境のコントロール
●身体的保全	●連帯	
●感覚・想像力・思考	●自然との共生	

●実践理性と連帯の2つ

「他のすべての項目を組織し、覆うものであるために特別に重要であり、それによってひとは真に人間らしくなる」

・実践理性

自己の善の構想を形成するとともにその将来を考え、人生を設計し、その生き方を反省する能力（潜在能力からの自己決定）

・連帯

他者と会話し、他者に関心をもち他者と協働できる能力

開花させて広げていき、平等な形で最大化していくことが、リベラルアーツがどうあるべきかを考えていくための一つの補助線になるのではないかと思います。

さて、センと共同研究を進めていたヌスバウムという研究者が、潜在能力アプローチに基づき、平等に全ての人に保障しなければならない一〇項目からなるリストを挙げています。その中に、自伝的記憶と深く関連する項目が二つあります。一つは「実践理性」[※8]、もう一つが「連帯」[※9]というものです。これらは、潜在能力の中でも特に重要な潜在能力と言われています**［図7］**。

自伝的記憶がうまく整理整頓できていると、人の気持ちが推測しやすくなる、あるいは未来の展望を築きやすくなるということが知られています。そのことが、実践理性と連帯という二つの項目に深く関わっているのではないかと考えられます。つまり、自伝的記憶をうまく統合していくことを目指す当事者研究の一つの方向性は、自由を定義した潜在能力アプローチの中でも、特に重要な実践理性と連帯に関わっていることが示唆されるのではないかと私は思うわけです。

※8　**実践理性**（**Practical Reason**）　アマルティア・センとの共同研究者であったマーサ・ヌスバウム（米国・一九四七〜）が、一九九〇年に人間の尊厳を守るために最低限必要なものとして提示した一〇項目のリストのうちの一つ。実践理性とは、「善の構想を形成しかつ自らの人生の計画について批判的に省察することができること」と説明される（ヌスバウム）。

※9　**連帯**（**Affiliation**）　「実践理性」等とともに挙げられたリストの中の一項目で、その中身は二つに分かれている。「A. 他者と共にそして他者に向かって生きうること、ほかの人間を認めかつ彼らに対して関心を持ちうること、さまざまな形態の社会的交流に携わりうること。他者の状況を想像することができること。B. 自尊と屈辱を受けないことの社会的基盤を持つこと。真価が他者と等しい尊厳のある存在者として扱われうること。このことは、人種、性別、性的指向、民族性、カースト、宗教、出身国による差別がないことの整備を必然的にともなう」（ヌスバウム）。

アカデミアをアップデートする当事者研究

ここまで、当事者研究を通じた自分を知ることの実践が、いかに自由に繋がりうるかという話をしてきましたが、最後に自由になることに貢献する大学教育について考えてみたいと思います。

近年、「共同創造」という一つのアジェンダが注目されています。たとえば二〇一八年に雑誌『Nature』で、"Co-production of research（研究の共同創造）"という特集が組まれました。研究の領域において、当事者が研究をリードしていくような共同創造という試みが、今世界中で盛んに行われています。その背景には、財やサービスをデザインするのに最適な人材というのは、それらを利用する人たちであるという理念があります。ここから、多様な人々の自己に関する知識を構築し、それを支えながら進化していくというアカデミアの姿を見出せないでしょうか。つまり、自分事から研究をスタートすることは、その本人に自由をもたらすだけでなく、アカデミアをもアップデートしていくことにならないかということです。

昨今、障害の有無にかかわらず、院生やポスドクのメンタル・ウェル・ビーイングの低さが世界中で大きな問題になっています。そこで注目しているのが、組織研究の中で言われている「謙虚なリーダー」というものです。変わるべきは大学の各研究室のＰＩ（主宰者）[※10]であろうと考えており、研究室など組織のリーダーに求められるのが、三つの要素で定義された「謙虚なリーダー」ではないかと考えています。

三つの要素というのは、一つに、リーダー自身が自分のことを客観的に、正確に見ることができているかどうか。周りの人に自分がどう見えているのか教えてもらいながら、客観的な自己像を構築しようとしているかということがあります。二つ目に、自分の限界を知り、他者の強みや貢献を認められるか。三つ目は、自分が分からないことやできないことは、他者に教えや助けを求められるかということです。

私たちも東京大学の中で、「インクルーシブ・アカデミア・プロジェクト」[※11]というプロジェクトを始めました。そこでFD（教員の能力開発）[※12]として、PIを対象とした当事者研究の視点による教育プログラムの開発を始めています。本当にリーダーは謙虚になり、研究室が変わっていったかを量的な尺度で計測しながら実証していくというアクションリサーチです。

謙虚なリーダーに求められている要素は、当事者研究で言われていることそのものです【図8】。で

※10 **PI（主宰者）（Principal Investigator）** 特に自然科学系の分野における研究グループの責任者を指す。日本の研究グループの責任者には各研究室の教授が就くことが多いのに対して、米国では教授に限らず准教授や助手などもPIに就くことができる。

※11 **インクルーシブ・アカデミア・プロジェクト** 二〇一九年に熊谷晋一郎が所属する東京大学先端科学技術研究センターを中心に、「〝誰ひとり取り残さない〟インクルーシブなキャンパスの実現を目指すプロジェクト」として始動。「当事者研究を通じた共同創造のプラットフォームを構築する」、「アクセシブルな大学の教育研究環境を構築する」という二つの柱のもと、「structure：ストラクチャー（制度や物理的環境）」と「culture：カルチャー（人々の価値観に基づく慣習や態度）」の両面から、大学組織や研究環境のデザインを障害者等の当事者視点から提案し、実現していくことを目指す。

※12 **FD（Faculty Development）** 大学教員の能力開発を促す取り組み。ここで想定されている能力には、研究だけでなく、教育やマネジメント、地域貢献といった多岐にわたるものが含まれる。日本では二〇〇三年に文部科学省によって、教育改革の取組を促進するための「GP（Good Practice 事業）」として始められた。

図8 謙虚さの3要素

①自己を正確に見ようとする

- 自分の限界を包み隠さず、失敗を認め、自分についての現実的なフィードバックを求めるような他者とのやり取りを通じて、強みだけでなく弱さをも含む正確な自己認識を獲得しようとし続けようとすること。
- 長期的にみると、より正確な自己認識を維持することは高いウェルビーイングをもたらし（Vaillant, 1992）、不正確な肯定的自己認識 をもっていると不適応を起こす（Ungerer et al. 1997; Colvin et al. 1995）。特にリーダーが自信過剰な場合、組織が危険な状況に置かれる。
- 自己開示は「信頼関係の向上」「関係性の満足度向上」「双方向性の自己開示」をもたらす（Ehrlich and Graeven, 1971; Collins and Miller, 1994）。

②他者の強みや貢献を認める

- 自己の価値を貶めるのではなく、他者の価値を認めることが謙虚さ（Means et al. 1990）。他者と比較や競争をしようとする構えを抜け出し、脅かされることなく他者の強みや貢献を承認できるようになること（Exline et al., 2004）。
- 先行研究によると、人は権力を持つと、他者の価値や貢献を低く見積もるようになる（Kipnis, 1972）。
- 同僚の弱点や能力の低さに対して甘くなるという意味ではなく、同僚のユニークな能力や強みを見つけ、価値をおけるようになること。複眼的な視座から、他者が持つ複雑で多様な強みや技術を見つめ、できる人／できない人など、単純化された二元論的な他者評価を行わないこと。

③ティーチャビリティ

- 他者から喜んで学び、フィードバックや新しいアイデアをもらおうとする佇まいのこと。「吸収力」（Zahra and George, 2002）や、リーダーシップ研究の中で用いられてきた「発達準備性」（Avolio et al. 2009）といった性質と重なる。
- 現代の「知識経済」において、組織のメンバーが効果的に学べることは重要（Dane and Pratt 2007）。特にリーダーにとっては、学ぶことへの渇きは最も重要な特質のひとつ（Church et al., 1998）。
- ティーチャビリティは、周囲の人々に発言権を与えることで、信頼、モチベーション、正義にかなっており理不尽ではないという感覚（sense of justice）を高める（Cropanzano et al., 2007）。

Owens, Johnson, and Mitchel (2013). Expressed Humility in Organizations. Organization Science, 24(5), 1517–1538.

すから、リーダー自身が当事者研究をすることになります。そうすれば、あらゆる組織において多様な人材が自分たちの弱さを開示し合うことができる。そのことが、組織全体としてパフォーマンスを最大化する際の重要な要素になるのではないかと思うわけです。

謙虚なリーダーが存在すると、職場が心理的に安全になるということがこれまでの先行研究で言われてきました。私は失禁を秘め事にしていましたが、そうではなく、弱さを開示できることが心理的安全性に繋がります。人々が弱さを秘め事にせず知識を交換していけるような文化があると、メンバーの創造性が向上することが知られています。多くの学生たちが卒業したあと就職していきますが、これからは企業や様々な組織に当事者研究の文化が導入され、広がっていく必要があるだろうと考えています。

◎質疑応答

Q

コロナ禍で、組織の存在意義やミッションが曖昧なまま、場当たり的な対応をすることのダメさを突きつけられました。謙虚さのないリーダーが現場を混乱させたこの数か月を経て、私はどうしていくべきか考えていますが、管理的な体質の強い職場では、「私はどう考えるか」という主体性が大切にされません。批判するだけでなく、どう働きかけていけばいいのでしょうか。

リーダーが強過ぎることも問題ですが、組織のメンバーが危機にさらされたとき（ハラスメントやアウティングなど）、リーダーが毅然と介入することが、場の安全を確保するためには必要だと思います。「弱い」リーダーではなく「謙虚な」リーダーであるところにヒントがあると思ったのですが、組織の全ての構成員の自由を保障するためにはどういうことが必要なのでしょうか。

熊谷　組織の存在意識やミッションを明確化するうえでも、共同創造の視点が重要かもしれません。組織が、誰のどのようなニーズに応答しようとしているのか、そうした宛先となる人々とのパートナーシップを通じて、組織のミッションを振り返ることになるかもしれません。声に応答することで立ち上がる謙虚な主体性の重要性を感じます。

また危機介入に関しては、あらかじめシミュレーションを行い、手続きに関する合意形成を取っておくことが重要ですが、多くのケースで、加害と被害の入り組んだ関係が存在します。一部の依存症自助グループには、被害性と加害性の両方を持つスタッフやメンバーを前提に置いた危機介入をマニュアルしているところもあり、参考になります。

ダルク虎の巻～スタッフ編

https://www.mhlw.go.jp/bunya/shougaihoken/cyousajigyou/dl/seikabutsu12-2-02.pdf

ダルク虎の巻～雇用管理編（運営者用）

https://www.mhlw.go.jp/bunya/shougaihoken/cyousajigyou/dl/seikabutsu12-2-03.pdf

（構成：木谷恵）

シンポジウム

02-1

スピーチ　リベラルアーツの現在・過去・未来

東工大リベラルアーツの挑戦

上田紀行

2016年に「リベラルアーツ研究教育院」を立ち上げた東京工業大学。同大学では約1万人の全学生にリベラルアーツが必修科目となっているといいます。なぜ理工系の大学にもリベラルアーツが必要なのか。リベラルアーツ研究教育院の元院長で現在は副学長をつとめる上田紀行氏が、東工大における研究・教育実践を紹介します。

登壇者

上田紀行（うえだ・のりゆき）

東京工業大学副学長（文理共創戦略担当）・同リベラルアーツ研究教育院教授。専門は文化人類学。特に宗教、癒し、社会変革に関する比較価値研究。著書に『生きる意味』（岩波新書、2005年）、『かけがえのない人間』（講談社現代新書、2008年）、『愛する意味』（光文社新書、2019年）など。

推薦図書

- 池上彰、上田紀行、伊藤亜紗『とがったリーダーを育てる――東工大「リベラルアーツ教育」10年の軌跡』中公新書ラクレ、2021年
- 上田紀行編『新・大学でなにを学ぶか』岩波ジュニア新書、2020年
- 川嶋直、中野民夫『えんたくん革命――1枚のダンボールがファシリテーションと対話と世界を変える』みくに出版、2018年
- 中野民夫『学び合う場のつくり方――本当の学びへのファシリテーション』岩波書店、2017年
- 池上彰『平成論――「生きづらさ」の30年を考える』NHK出版、2018年
- 上田紀行『生きる意味』岩波新書、2005年

2020年5月24日開催

東工大のリベラルアーツ

まずは東京工業大学（東工大）の教育改革、リベラルアーツの教育改革についてお話ししたいと思います。

東工大は理工系の大学ですが、昔からリベラルアーツが有名で、伊藤整、宮城音弥、川喜田二郎、永井陽之助、江藤淳といった人たちがいて非常に多彩です。私が院長になってからも二〇人ほどの教員人事を行ってきたんですが、一つの学問領域の中だけでたくさんの査読付き論文を書いて有名な人よりも、本を出したり、発信力のある人をたくさん入れようとしてきました。

さて、私たちは四年前に大きな教育改革を行い、その際に私が所属している「リベラルアーツ研究教育院」を立ち上げました。ここはリベラルアーツの教育や研究を行うところで、全教員一一〇〇人のうち六〇人がリベラルアーツ教育を担当する教員となっています。

教育においては「志」という語を掲げて、自分はどんな人間か、より良い社会とは何か、将来何をなしていきたいか、こうした答えのない問いに向き合って、ものごとを批判的・創造的に捉えられる力を養うことを目指してきました。全てに答えがあって、その答えを早く見つけようとしたり、先生が求める答えを忖度するような学生を育てていく教育ではなく、答えはないという前提で、何をやっていくのかということを考えてきたわけです。

学部生のリベラルアーツ

東工大のリベラルアーツ教育の大きな特徴の一つに、規模感があると思います。大学1年から博士後期課程まで、約一万人いる全ての学生にリベラルアーツが必修科目となっています。その中で学生たちは、それぞれ主体的に学びのストーリーをつくっていく。他の人から物語を代入されるのではなく、自分自身で物語をつくっていくことを目指す。そのために「教え合い」・「学び合い」という、学生同士の関係性を水平的にも垂直的にもつくっていくような仕組みがあります。

その一つが「コア学習科目」というものです。学部一年から博士課程まで継続する、東工大リベラルアーツ教育の柱となるものです。

まず学部一年で、「東工大立志プロジェクト」という科目を全員が履修します。今後四年間の教養教育を各自のゴールに向かって学び進めていくために、自己発見と動機付けを行う科目として位置付けているものです。二種類の授業形態があって、一つは一〇〇〇人以上いる学生を六〇〇人ずつ二クラスに分けて大講義をするもの。もう一つは、三〇人一クラスを四一クラスつくって、四人一組とかでディスカッションをするもの。ちなみに一回目の授業は、東工大の特命教授である池上彰さんがやることになっていて、マスコミやどんな偉い先生の言うことも鵜呑みにするなとか、社会的正義とは何かというようなことをやります。

今は遠隔授業をやっていますが、今週は水俣病センター相思社の永野三智さんに、「当事者とは誰か」という題で講演をしていただきます。だから、今週は当事者とは何かということを一年生みんなが考えています。その次は隠岐さんに、文系・理系ということでお話しいただくことになっています。

以前、永井均さんを講師に迎えて哲学の講義をしてもらったとき、非常に難しい話だったので、さすがにみんな分からないのではないかと思っていたんです。だって、一瞬前の自分と今の自分は同じか？　というようなことを考える授業ですよ。ところがその授業が終わった後、ばーっとみんなが壇上に上がって質問攻めにするんです。誰が質問しに行ったかというと、理学院の数学科とか物理学科の学生。相対性理論なんかにドンピシャな内容だったみたいで、永井さんも「東工大の方がうちの大学よりウケがいいな」とか言って帰られました。

ものすごく分かる学生もいれば分からない学生もいる。そしてこの授業には、ファシリテーターとして修士二年の院生たちが参加していたりする。様々な学生を組み合わせてお互いに教え合うわけです。

次に学部三年で「教養卒論」が必修となります。自分がこれから研究室に所属して進めていく研究が世界にどのように貢献するのか、あるいは研究の核心部分は何かということを、だいたい五〇〇〇～一万字で全員が書きます。担任教員もいますが、「リーダーシップ道場」という科目を履修した修士一年のうち、特定の要件を満たした学生たちがピアレビュアーとして入ります。

博士課程のリベラルアーツ

博士課程にもリベラルアーツ科目があって、ＳＤＧｓ[※1]に関わるテーマを与えます。博士には、留学生が三割、社会人が二割ほどいて、全部英語で、また全ての専攻の学生をミックスして行います。だから生命理工をやっている人もいればロボットやＡＩ、情報コンピューターのことをやっている人もいる。みんな混ざり合って、違う分野の人たちが語り合うところが重要なんですね。博士といえば、ラボに閉じこもりがちだと思うんですけど、それをぶっ壊して、四人とか五人一組になって議論をする。

たとえば一昨年は「貧困」、昨年は「平和と公正」というテーマで、二ヶ月かかって発表内容を仕上げました。内容はどんなものであってもいい。社会システムについてでもいいし、製品を作るというのでもいい。最後に専門家も呼んで、ポスターセッションをやって、みんなで相互に討議をしてグランプリを決めます。

こうした水平的にも垂直的にも繋がる仕組みを生み出して、その交流の中で学んでいく全学システムを構築したわけなんです。

教育改革がなぜ必要だったのか

なぜ東工大でリベラルアーツ改革が必要だったかと言うと、どの大学にも共通している部分と、理工系大学ならではの部分の二つがあると思います。

どの大学にも共通している点は、ここ二〇年ぐらいの間で、学生も社会情勢も大きく変化してきたことがあります。私が東工大に赴任した一九九六年、もう二〇年以上前になるんですが、その頃は講義をすれば毎回学生が質問に来て、「今日とこの前の授業とで言っていることが違うじゃないか」「どっちが法則でどっちが例外なんだ」といったことを指摘してくる頭のいい学生が大勢いて驚いたんです。

ところがその後の二〇年間で、質問の量はどんどん減っていきました。あまり疑問を持たないのか、疑問があっても質問しないのか。一方で評価のことを気にする学生や、何か役に立つことだけをやりたいという学生が増えました。これは、どの大学でも、文系・理系問わず共通している傾向

※1 **SDGs: Sustainable Development Goals** 「持続可能な開発目標」として、二〇一五年の国連サミットで採択された一七の目標と一六九のターゲットからなる具体的な行動指針。貧困や飢饉の撲滅、ジェンダーの平等など、経済、社会、環境の三つの側面において二〇三〇年までの一五年間に達成すべき内容が掲げられている。しかしながら二〇二〇年七月に国連は、COVID-19が「世界の最も貧しい人々と最も脆弱な立場に置かれた人々に最も深刻な影響を及ぼし、そのことがＳＤＧｓの達成をさらに困難なものにしている」と報告し、目標達成に向けた取り組みが順調に進んでいないことが指摘された。

だと思います。

そこには大学受験も関係しています。大学は受験科目をどんどん少なくしていきました。受験生は受験科目だけを勉強していくのが一番効率がいい。私も還暦を過ぎていますが、私が大学に入った頃は、理工系であっても哲学や歴史の本を読んでいないと少しばかにされるところがあった。けれども今は、そういうことは皆目ない。数学と物理と化学だけをやって東工大に入るのが一番効率的だと指導する進学校もあります。昔からある名門というか、老舗の高校はリベラルアーツ的と言えるんですが、新設校で実績を伸ばそうとしている学校では、文系と理系を早めに分けて、徹底的に受験に特化した教育をやっていますよね。成果を出すために学ぶという部分が非常に大きくなりました。

だから学生たちも、成績のことを非常に気にするようになった。たとえばレポート課題を出すと、一〇〇人の学生のうち必ず三、四人は、「評価軸はどこですか」と聞きにきます。評価軸なんて恥ずかしいことは、私の世代では絶対に聞かなかったと思います。だけど最初から聞いてくるわけです。評価軸なんか教えてしまったら、もう一〇〇人全員が評価軸を狙った同じようなレポートを出してきますよ。

交換可能な存在＝「奴隷」を育てる教育でいいのか

そもそもリベラルアーツとは、「自由になる技」という意味です。ギリシャ・ローマ時代には、「自由市民」と「奴隷」という二種類に人々は分かれていました。自由市民は、自分たちにとって善とは何か、この社会はどういうふうにしていくべきかを示していくリーダー的存在で、労働はしなかった。労働は奴隷がしていたんですね。そして奴隷たちは、自分の頭や知性、感性を使わなくても、誰かが言ったことをそのままやっていれば良かったんです。

評価軸を気にして全く同じようなレポートを書いてくる学生たちは、果たして自由市民と言えるのか、奴隷ではないのかということなんですね。

熊谷さんの話の中で、監視社会という言葉が出ましたが、学生たちは誰かに監視されてやっているのではなく、監視システムそのものが各自の中に入り込んでいる。ミシェル・フーコーのいうパノプティコン※2で、ずっと監視員に見られている刑務所のような、まさに近代のイデオロギーが内面化されている状態。いい点数を取らなければいけないとか、効率的に生きていかなければならないとか、自分の中に不自由さを抱え込んでしまっている。

あなたの内発的にやりたいことは何なの？　あなたは人から良いと思われたり、評価してもらう

※2　**パノプティコン (panopticon)**　ジェレミー・ベンサム（英国、一七四八年～一八三二年）が一八世紀末に構想した「一望監視装置」。円環状の建物の中央に監視塔があり、その周囲に囚人の独房が配置された構造で、監視員からは囚人を一望できるが、囚人からは監視員の姿が見えない仕掛けになっている。いつ監視されているか分からないことから、囚人は常に監視員から見られていると思い込み、強制されずとも自ら規律に従うようになる。ミシェル・フーコー（フランス、一九二六～一九八四）はこれを権力論の文脈で読み解き、民主国家のたとえに用いた。民主国家においては学校や企業、施設などにおいて、人々はルールを守ることを当然視し、ルールから外れた者を病者や犯罪者として排除するようになる。こうした社会では絶対的な権力や恐怖がなくても、人々はお互いに監視し合い、無意識のうちにルールに従うようになる。こうした民主国家における権力を「生の権力」と呼んだ。

ために生きているの？ って。それだとまさに交換可能な存在として、ＡＩに負けてしまうわけです。確かに与えられた初期条件の中でいい点数を取ることができたら、その人は優等生と言われるかもしれないけど、ＡＩに負けてしまうような人をわざわざ育てるのかということ。これが第一の点ですね。

科学技術の力を正しく知るために

教育改革が必要になった第二の点は、理工系大学ならではのものです。今、科学技術がどれだけ世界に影響を与えているか、われわれの幸せや不幸せというものにどれほど影響を与えているかということに関わります。

原発が爆発したとき、もっと巨大な爆発が起こっていれば、私は東京に居続けることができませんでした。逆に、コロナウイルスのワクチンが開発されれば、それによって亡くなる人が減ってみんなが良くなっていく。あるいは遺伝子を操作することによって、難病と言われるものも解決していくかもしれません。

良いことも悪いことも含めて、科学技術者はこれほどまでに大きな力を持っているんです。だから科学技術者が、人間とは何か、幸せとは何か、あるいは熊谷さんが言ったような自分の弱みや強みとは何なのかということを何も知らず、大きな力を行使してしまっていいのかということなんです。東日本大震災のときも今も、問われ続けていることだと思います。

ですから、理工系の大学だからといってリベラルアーツをしないというわけにはいかない。そして、リベラルアーツが人間を自由にする技というんだったら、科学技術もリベラルアーツなんですよ。科学技術が人間を自由にするのかしないのかをむしろ考えていかなければならない。リベラルアーツは文系だけの学問ではないんです。こうした考えで、全学を上げてリベラルアーツをやっています。

（構成：木谷恵）

◎上田先生への感想・意見

エジプトの工学系大学でリベラルアーツを導入するプロジェクトに取り組んでいます。近年の学生の傾向として、「役立つこと」、「評価されること」に関心が集中するというお話がありましたが、エジプトでも上田先生が挙げられていたような傾向、課題は存在するという印象を持っています。こうした傾向が強まる中、東京工業大学の実践で、非常にチャレンジングだったり、なかなか理解を得られなくて苦労したような経験を聞いてみたいと思いました。

自分自身の関心と志に基づき、他者との触れ合いを通じた自由な学びは大変重要だと思います。しかしながら一方で、最近の学生は、ロジカルシンキングの技量という点で格

差が大きく、その原因の一つに、高校教育における「数学体験」（苦労しても数学の学習に主体的に取り組む）の欠如が影響していると思われてなりません。とくに私立文系学部での経験から切実にそう感じています。

医学系大学で教員をしています。専門は医療人類学です。医療系の学生に、東南アジアのフィールドでの老いの話をしたり、宗教と死生観の話をしたり、伝統医療や悪魔祓いの話をしていると、そのときは異文化の考え方に興味を持ってもらえるのですが、しばらくすると「エビデンスは？」という考え方に戻ってしまいます。決してエビデンスを追及する医学的な考えを否定するわけではないのですが、答えのない問いに対して、人類学がどのような視点から現象・事象を捉えているのか知りたいと思いました。

三〇代のサラリーマンです。私は自分に自信を持てず、でも社会的に評価されたくて、あらゆる資格試験に挑戦してきました。でも資格を取って上司にアピールしても「君は結局何がしたいの？」と問われます。自問自答する中で答えは見つからず、本当は思考を停止して資格試験挑戦という楽な道を選んでいただけなのかもしれないと思いました。ただ一方で、会社などで能力がないと評価されたとき、仕事と収入を失うのではないか？と不安になります。労働者階級の宿命というか、常に評価される弱い立場であるという現実と、それでも自由になりたいという願望のなかで、これからの限られた時間をどう使っていくのかと考えます。

自分を深く掘り下げ、軸を定めていくといったことを、これまでなおざりにしていたかもしれません。今後は資格を追いかけるのをお休みし、古典の名著をひもとこうかと思いました。

シンポジウム

02-2

スピーチ　リベラルアーツの現在・過去・未来

文系と理系の歴史から考える、リベラルアーツのこれから

隠岐さや香

日常会話でもよく話題にのぼる「文系」と「理系」の区別。この区別にはどのような意義と経緯があるのでしょうか。このテーマを真正面からとりあげ話題を呼んだ『文系と理系はなぜ分かれたのか』（星海社新書）著者の隠岐さや香氏が、文系・理系問題の本質と同書刊行後に得られた知見、そして今後の課題について語ります。

登壇者

隠岐さや香（おき・さやか）

東京大学大学院教育学研究科教授。専門は科学史、科学技術論。著書に『文系と理系はなぜ分かれたのか』（星海社新書、2018年）、『科学アカデミーと「有用な科学」——フォントネルの夢からコンドルセのユートピアへ』（名古屋大学出版会、2011年、第33回サントリー学芸賞受賞）など。

推薦図書

●隠岐さや香『文系と理系はなぜ分かれたのか』星海社新書、2018年

●エドワード・W・サイード『知識人とは何か』平凡社ライブラリー、1998年

●クリストフ・シャルル、ジャック・ヴェルジュ『大学の歴史』文庫クセジュ、2009年

●J・S・ミル『大学教育について』竹内一誠訳、岩波文庫、2011年

●嶺重慎、広瀬浩二郎、村田淳編『知のスイッチ——「障害」からはじまるリベラルアーツ』岩波書店、2019年

2020年5月24日開催

今、リベラルアーツが必要とされている

これまでの熊谷先生、上田先生の発表がなんだかもう本当に刺激的で、いろいろなことを考えさせられています。上田先生からリベラルアーツは文系だけのものではなく理系のものでもあるというお話がありましたけど、そもそもそういう話が出てきてしまう背景を考えていきたいと思います。

まず最初に、なぜリベラルアーツに関心が集まっているのかということから考えてみます。こう問うのは、最近少し驚いたことがあったからです。二〇一八年に『文系と理系はなぜ分かれたのか』というタイトルの本を出版したんですが、そのとき、三つの世界の方々との接点が生じました。それで、みんな同じことを考えているなと思ったんです。

一つは障害学に関わる方々で、『知のスイッチ――「障害」からはじまるリベラルアーツ』というタイトルの本を送っていただきました。この本の内容は、熊谷先生の話に近いものです。

それから二つ目に、ビジネス・産業界に関わるような人たちがリベラルアーツにすごく関心を持っていました。それも管理職に手が届くような世代の方々が、非常に関心を持っているということでした。

三つ目は、上田先生のお話にあった、理工系研究者の卵や、理工系のこれから社会に出て行く人たちへの教養教育の問題、それも専門を選んだ後の教養教育の問題を考えている方々です。

三つの違うように見える領域の人たちが、リベラルアーツというキーワードのもとに結集してい

るように思えた。そこで気付いたのが、世界はだんだん複雑になり、不確実さを増している感覚がまずあって、その中で多くの人がとにかく対話をしていけるようにしたいと思っているのではないか。ある種の倫理的なアプローチが必要とされているのではないかということでした。少し繋がりが見えにくいかもしれませんが、このことを念頭に置いて話していきたいと思います。

教養教育の歴史

実は、何を教養教育とするかはずっと論争の的でした。たとえば「実用主義」か「教養教育(liberal education)」かという問題。要は、何かに特化した能力を持った職人のような人を育てるのか、それとも幅広い知識を持った人を育てるのかという対立軸。これは一九世紀になされていた議論です。

それから博識か、もしくは雄弁か。「百科全書的知識」か「修辞学」[※1]かということです。前者はすごく物知りな人を指し、後者は話すのが上手な人です。みんなが知っていなければならない知識をきちんと教えるべきか、あるいは自分の考えを述べられる人を育てるべきかが対立します。

そしてここからが話のテーマに関わるのですが、「自然科学」か「人文学」かの対立があります。これは、自然科学の内容をなるべく教養教育として教えるか、もしくは人文学を教えるかということです。人文学という言い方には特殊な意味があって、とくに一九世紀の西洋では、古代ギリシャ・ローマの古典を読めて、きちんとした形で議論できる人がイメージされています。いわゆる文系という言葉よりは少し狭い意味になるのですが、いずれにせよ、おおよそ文系か理系のどちらを重視するかを問うような対立があったと捉えられます。

文系・理系問題とは

二〇世紀以降、とくに二一世紀になって争点化されたのが、誰にとっての教育か、誰が包摂される知識かという点です。たとえば、マジョリティ、マイノリティ、ジェンダー、文化、宗教に関わる問題ですね。そして、文系・理系をどうするかも大事な問題です。というのも、文系・理系問題と、誰が包摂される知識かは、結びついている部分があるからです。

そもそもこの文系・理系の分け方について、今日は一つ言いたいことがあります。本を書いたときにはあまり意識していなかった論点なんですが、文・理で分けたとき、その分け方にはあまり意味がないとか、それは数学だけの問題で、数学のできる人が理系で、そうでない人が文系だと言われがちです。でも、もっと根源的な分類の原理が実は過去から存在していて、そこに一本筋が通っているのではないかと最近考えるようになりました。

その原理というのは、自然と人間を区別するものの見方です。とくに西洋の世界やキリスト教で

※1 **修辞学** 「レトリック」とも言われる。もともと弁論術を指す語で、アリストテレス（前三八四年〜前三二二年）が体系化。人を説得することを目的とし、法廷や集会などの場で用いられ、適切な表現や配列についての理論が展開された。

は、長い間、自然と人間を分ける見方が存在してきました。その分け方自体が問題という側面もありますが、いずれにせよ、PHYSICAL（モノ、自然）と言ったときの自然は、モノとして客体化されます。それと主体としての人間の精神とは、非常に強く二分されます。この分類が、文系・理系の分け方に影響しています。たとえば自然諸科学のことを“Physical science”と言いますし、今の文系にあたる人文社会科学のことを“Moral science”と呼んでいたことがあるわけです。

「知」に対する二つのアプローチ

モノを探求することと人間を探求することを全く同じ方法ではやれないという感覚があったのではないか。つまり、学問にはどうしても複数の方向性がある。たとえば、一方では、神様のように自然やモノを正確に把握したいと考えている。もう一方で、神様がこうしろと言ったとか、聖書にこう書いてあるからこう生きなければならないといった、熊谷先生がおっしゃったような、押し付けられた大きな物語では生きたくないと考えている。

前者はおおよそ自然科学が取る方法論ですよね。人間はバイアスの源泉だから、きちんと正確に自然を把握するためには、たとえば望遠鏡などの観測機器を使わなければいけない。そして個別性には意味がなくて、大量に観測して一般化することが大事である。いわば抽象化が非常に大事にされる学問です。

後者は、物語的というか、人間は価値の源泉であって、だからこそ一人一人の人間の経験には意味があると考える。AさんとBさんは取り換え不可能ということですね。その人のエピソード的なものに意味がある。たとえば歴史の研究では個々のエピソードが大事なので、無闇に大量観察しても意味がないわけです。また、価値ということでいえば秩序の創造という営みもあります。人間は主体的に生きて、世界の秩序を作り変えることができるわけです。実際に人間は平等であるという理念のもとに秩序をつくってきたのが近代社会です。

モノに対する知へのアプローチと、人間としての知へのアプローチをどうしても分けたくなるような感覚があるのではないか。それが今の文系と理系の分類に繋がっていると思っています。

文系・理系の分かれ道――ジェンダー化と階層化

残念ながら、最近は文系が不利な立場に立たされています。上田先生の話があった後にこの話をするとやや違和感を持たれるかもしれませんが、自分のエピソードを語ることがすごく軽視されたり、文系学部はいらないのではないかと言われたりする社会に生きている。

このようなことをあえて言うのは、二〇世紀後半に、いろいろな分野がジェンダー化した、あるいは階層化したということがあるからです。どういうことかを説明するため、とくに研究が多いジェンダーの問題からまず紹介します。

二〇世紀半ばに共学となった大学が増えましたが、女性やマイノリティの進学が増えた分野と伸び悩んだ分野に分かれたということが観察されています。たとえば理工系分野、とくに数物系は顕著らしいのですが、今でも女性や非白人、セクシュアルマイノリティがやや少ない傾向にあると言われています。

もともと大学に女性はいなかったわけですが、女性が進学し始めた当初は、意外とどの分野にも均等に女性が分布していた。少ない中でも数学を専攻する女性が意外といたんですね。しかし二〇世紀後半に入って、徐々にその割合が減っていきました。近年どのような人たちが理工系にいかなくなるか、とくに女性はどうなったかを調べた研究によって、才能が必要といわれる分野ほど、マイノリティや女性が自信を持てず進学を控える傾向にあることが分かってきました。

「他者」と出会うリベラルアーツ

二〇世紀後半以降のリベラルアーツの変化は、やはり他者と出会ったことにあると思います。つまり、なんだかんだ言って二〇世紀後半には、マイノリティや女性が大学の世界に参入していったわけです。そこで誰にとっての教育かが問い直されました。

たとえばアメリカのキャンパスを中心に、なぜ古典教養として死んだ白人男性の本ばかり読まされるのかという批判が起きました。今でもヨーロッパのキャンパスでは話し合われ続けていて、ひょっとしたら日本でも東アジアでも何か起きているかもしれません。

いずれにせよ、人文学がそもそも問い直しを受けています。たとえばマイノリティ、先住民や植民地支配の問題、女性差別や障害者差別の問題など、これまでの古い人間観から排除されてきた人たちを包摂していくような動きがあります。その上で、人々の中にある根源的な違い、経験の多様性を前提に、異なるもの同士をどう対話させるか、繋いでいくかが課題になっていると理解しています。

今、学術の分野では「共創」が目指されていて、たとえばシティズン・サイエンスといった取り組みがあります。有名なものは理系の例ですが、放射線レベルを市民が生活者の目線から測定するなど、大学や行政の専門家とは違う視点から市民が研究を行っていく事例があります。このように専門家と市民の垣根が低くなっている状況があるのです。ただし、まだ研究評価上の位置付けは難しいという現実はあります。

リベラルアーツ教育の課題

最後に、リベラルアーツ教育のこれからの課題を提起させていただきます。

やはり対話と、対話のために必要な倫理的な姿勢への教育が求められていると感じています。ソフィスト[※2]のように話すことだけがうまい、真理や正義には関心がなくて、ただ相手を打ち負かすよ

※2　**ソフィスト（sophist）**　民主制が発達していた前五世紀頃のギリシアに登場した、職業的教師のこと。アテナイの青年たちに弁論術や修辞学などを教えることで人気を博した。後にプラトン（前四二七年〜前三四七年）らにより「詭弁家」と批判され、弁論術に長けてはいるが、社会を堕落させる不道徳家と位置付けられることが多い。しかしながら一方で、その実践と理論は後世に大きな影響を残しており、再評価もされている。

うな演説ができる人間を生まないためにはどうすればいいのか。

それから、おそらく熊谷先生の話の中で答えが出ているかもしれませんが、自由なはずの対話が人を傷付けることがあると思います。つまり、対話が課題を生んでしまう。とくに競争の激しい場面で生じる「競争と共創のジレンマ」といった問題があります。対話をしましょうと言ってやって来る人たちが、ときに非常に危険な人たちであったりするからです。対話の押し付けや、対話の場が危険になることを避けるためにはどうしたらいいのか。

以前にあった事例ですが、理工系の研究者の人たちが人文社会系の研究者の人たちに、一緒に研究をやりましょう、対話をしましょうと言ってやって来たけれど、どうも人文社会系の研究者の側にはむこうの研究のために奉仕させられているように感じられる状況になっていた。こうした安全に話せないと感じるような場が存在するときにどうすればいいのか。つまり、支配的な人や分野、組織が誰かを搾取する構造を生まないためにはどうすればいいのかという問題が依然として残っています。熊谷先生の話にあった、たとえば自助グループの対話であるとか、攻撃的にならないための場の設定・設計といった解決策がすでにあるのかと思いますが、このような問いを最後に投げたいと思います。

（構成：木谷恵）

◎隠岐先生への感想・意見

現在、大学院で芸術学を専攻しており、東欧の映画作家を分析・研究しています。芸術学という学問領域は、芸術作品そのもの、あるいはその制作過程、技法などについて考えるという点で、自然科学と人文学の混合体として思考を深めるものだと考えています。日本ではまだまだ芸術教育（とくに近現代芸術）が浸透していないと感じています。それはある種、解答を求める自然科学的な態度の方が強く根付いているからではないかと思いました。

人文科学の成果は、啓蒙・教育という形で社会に還元されるものと考えていますが、昨今、日本の古典文学を高校の必修科目で教えることの是非が問われており、小中などの義務教育の中でリベラルアーツ教育を行うことの難しさを感じています。

今、ネットには無秩序な世界（他人から攻撃される、無法地帯）が広がっており、統制が必要になっていると感じています。しかしながら統制は監視社会的に行うのではなく、倫理や道徳といった個々の態度に期待すべきなのかどうか、そのあたりを詳しく聞きたいと思いました。

多様性を尊重すると言うならば、「苦手な・嫌いな」あの人に対して、私はいかに向き合えばいいのかという側面を無視できないはずです。ここを無視すると、外面では誰とでも対話を行い誰をも包摂しながら、誰からも見えないところでは徹底的に排除するという「包摂と排除の複層性」というものが見えなくなると考えます。これこそが、自由に向かうための他者との対話が、実のところ対話にならないという難しい点だと思います。

シンポジウム

02-3

スピーチ　リベラルアーツの現在・過去・未来

アジア発、〝未来の共通言語〟となる知とは

山下範久

大きな構造変化が知の領域に生じている中で、私たちは「教養」をどのように捉えなおしたらよいのでしょうか。また、アジア世界の一員である日本の大学は教養をどのように再定義できるでしょうか。立命館大学グローバル教養学部の創設にも関わった山下範久氏が、歴史社会学・歴史理論の観点から説き起こします。

登壇者

山下範久（やました・のりひさ）

立命館大学グローバル教養学部教授。専門は歴史社会学・社会理論。著書に『教養としての世界史の学び方』（編著、東洋経済新報社、2019年）、『現代帝国論――現代史の中のグローバリゼーション』（日本放送出版協会、2008年）、訳書に『知の不確実性――「史的社会科学」への誘い』（イマニュエル・ウォーラーステイン著、山下範久監訳、藤原書店、2015年）など。

推薦図書

- 山下範久編『教養としての世界史の学び方』東洋経済新報社、2019年
- リュック・ボルタンスキー、エヴ・シャペロ『資本主義の新たな精神』上下、三浦直希ほか訳、ナカニシヤ出版、2013年
- デイヴィッド・クリスチャン『オリジン・ストーリー――138億年全史』柴田裕之訳、筑摩書房、2019年
- ブルーノ・ラトゥール『地球に降り立つ――新気候体制を生き抜くための政治』川村久美子訳、新評論、2019年
- クロード・レヴィ=ストロース『人種と歴史／人種と文化』渡辺公三ほか訳、みすず書房、2019年

2020年5月24日開催

私からは大きく二つの話をしたいと思います。一つは、私自身の専門である歴史社会学・社会理論の立場から、大きな「知」の構造変化の中で教養をどう捉えるのかという話。もう一つはアジアの中で、日本の大学から教養というものをどう再定義し、再発信していくかということです。

二〇一九年度、立命館大学にグローバル教養学部が誕生しました。私も立ち上げに関わり、教学設計を探索する中で、こうしたことを考える機会をいただきました。それらを踏まえてお話させていただきます。

専門知をめぐる民主主義と資本主義

教養について考えるとき、セットになる概念として「専門知」というものがあると思います。一般に教養と専門知というのは相関関係、あるいは表裏の関係にあります。

われわれの近代社会は、ある意味、この専門知の積み重ねの上に成り立っている社会でした。けれども近代社会に対する批判、あるいは近代社会で非常に堅固に見えていたものがより流動的になってきているという意識の中で、専門知に対する信頼みたいなものが崩れているかもしれない。そこまで言わなくても、なんらかの再定位、再定義が必要になってきている。こうした再帰的、あるいは液状的と言える近代の裏返しとして、教養に対する関心の高まりがあるのではないかと思います。

専門知に対する再定位の問題意識には、大きく分けて二つの問題系があると思います。一つは正当性の問題、もう一つは有用性の問題です。

正当性の問題とは、非常に乱暴な要約ですが、「専門知と民主主義」の関係のことです。専門知とは、専門家が担う知のこと。専門家がいるということはその周りに非専門家がいるわけですが、両者の関係は必ずしも対称・対等なものではない。専門知を持っている側が持たない側を啓蒙していく、与えていくことになるからです。どうしても垂直的な関係ができてしまう。その際に、民主主義との調整や接合が必要になるわけです。専門知による専門知に基づいた社会設計や統治が広がる中で、より民主化されていく社会との調停をどうしていくかという問題です。

もう一つは有用性の問題です。これも非常に乱暴に言ってしまうと、「専門知と資本主義」の関係のことです。今日、ますます研究の専門分化は進んでいます。知には自立したダイナミズムがあるわけですが、しかしながら実際に知というものは人々の頭の中だけで生まれるのではなく、様々なものと関係している。端的に言えば、お金も必要になってくる。資本主義のダイナミズムの中で、専門知というものが評価され、選別され、方向性を決められるという、専門知と資本主義の関係についてはやはり再考が求められているのではないか。

専門知の再定義が求められていることの裏面として、今、教養の問題というものがせり出してきている状況にあるのではないかと思います。

学び続ける力

教養というものを論ずるとき、広く知れわたったキャッチフレーズに「学び続ける力」というものがあります。広く人々に好まれ使われているだけあって、私が乱暴に整理した二つの専門知を巡る問題に答える良い言葉使いになっていると思います。

先に有用性の系から言えば、学び続けることで基本的なスキルを更新する。学び続ける力を持っている人間は、高いエンプロイアビリティ（Employability）※1を保ち続けることができる。「人生一〇〇年時代」というフレーズがありますが、資本主義による調整や選別や方向付けの中で生き残っていくために、教養に支えられた「学び続ける力」が必要だと語られることがあります。

正当性の系について言えば、さっきのことと重なりつつ違ったニュアンスとして、「他者への開かれ」として「学び続ける力」が必要だと言われたりする。

ここで「学び続ける」とは、これまでと同じ自分が量的に拡大し続けることを言うわけではなく、

※1　**エンプロイアビリティ（Employability）**　近年の雇用システムの変化を背景に、「幅広い企業で高く評価され、雇われ続ける能力」として注目されている概念（平野、江夏）。これまでの日本の終身雇用制においては、ＯＪＴ（職場内訓練）に見られるように、特定の職場だけで能力を発揮することが求められていたが、近年激しく変化する社会状況を背景に、社内外で広く評価される専門性を身につけたプロフェッショナルとしての人材が求められるようになっている。そうした中で被雇用者は、自らキャリアデザインやライフプランを考え、能力向上を図っていくことが求められ、雇用者側にも能力向上の支援・機会提供が求められるようになっている。

これまでとは違う自分になっていくことを言うわけです。そのきっかけとして、常に他者との交流があり、「開かれ」があり、その裏返しとして自己との出会いがある。これが学び続けることの本質だと考えると、それはより多くの、より多様な存在を包摂していく社会をつくっていく上で必要なものとなる。社会の担い手たる主体となるためには、学び続ける力、他者へ開かれる作法を身に付けていくことが必要だということです。

さらに抽象化した言い方になりますが、それは「変容する自己の経験」と言えるかもしれません。あるいは、グローバル教養学部の中で使っている表現でもあるのですが、"learning（学び）"と"unlearning（学びほぐし）"を往復する、あるいは「学びほぐし」自体が「学び」と言えるかもしれません。つまり、常に在る自分というのは、何らかの学びの結果としてあるわけですが、それをいったん学びほぐすことで、さらに開かれる、違うベースを持った存在に変わっていくということですね。われわれが科目を設計し、その中のコンテンツを考えるときにも、学びと学びほぐし両方のきっかけをどのように配置するか、常に教員メンバー間で議論しながら運営しているところです。

リベラルアーツが抱えるジレンマ

ただ私は、開かれていこうとすることと教養とをあわせて考えるとき、ややジレンマを感じます。教養という言葉には、ある種の歴史的な保守性があるからです。

もともと教養とは、古典を適切に参照・引用する力において表明されてきたもので、社会のエリートとなるために要求されるものです。なぜ古典が大事かと言えば、時の試練に耐えた知恵だからです。そして古典というものは、エリートの共通言語、つまり共通善に奉仕するために必要な言語だと言えます。

エリートの共通言語というものは、当然それを知っている者と知らない者との間に垣根をつくるので、階級障壁を構成する文化資本として、悪い意味で役立ってしまうこともあるわけです。だから教養を「他者への開かれ」であるとか、「変容する自己」であると論じることには、ややジレンマがある。実際、一九世紀における啓蒙やリベラリズムの立場に立つ人たちは、古典的な教養に対しては否定的だったわけです。むしろ科学や技術の方が人を自由にすると考えていた。

従って、このジレンマに自覚的であるならば、教養を論じるときには新しい言語を編み出す必要がある。より包摂的で、より力動的な共通善に向けたものを、教養のミッションに埋め込む必要があるんだろうと思います。

リベラルアーツ3・0

私たちは、グローバル教養学部の教学に、「リベラルアーツ3・0」というスローガンを掲げました。教養には保守性があると言いましたが、教養、あるいはリベラルアーツというカタカナ語にはなおさら、ヨーロッパ中心主義的な根っこがあるわけです。

古くは「自由七科[※2]」にさかのぼるのですが、一九世紀においても、ヨーロッパのエリート教育の基礎として古典教育があった。これが「リベラルアーツ１・０」で、間違いなくヨーロッパ中心主義的です。二〇世紀に入って主にイギリス圏で「PPE(Philosophy, Politics and Economics)」[※3]というリベラルアーツのカリキュラムが登場しました。古典教育にかわる欧米エリートの共通言語になっていった、いわば近代化したリベラルアーツですが、これもやはり最初のP、Philosophy（哲学）は西洋哲学一本です。それだけを取ってもヨーロッパ中心主義的なわけです。

対してわれわれは、「リベラルアーツ３・０」をぶつけていこうとしています。いわばPPEを脱ヨーロッパ中心主義化（de-eurocentricize）するということが目標になります。

尊敬する学部の同僚に教えていただいた、ジャワハラル・ネルー大学のNivedita Menonという政治理論の研究者が書いた"The University as Utopia: Critical Thinking and the Work of Social Transformation"[※4]という論文からひとつ印象的なフレーズを引用します。

"contemporanizing and reassembling plural traditions in the process of making universality"（普遍性を得るプロセスにおいて、多様で多元的な伝統を現代的文脈に置き直して、組み立て直す）

私たちは、多元的な伝統というものが、人類史の縦軸・横軸のどこに位置するのかということに常に自覚的でなければならないということを表しています。ローカリティに注目することが大事なんだと。現代においてリベラルアーツをより開かれた社会に向けて発信するためには、どうしても踏まえておかなければならないことだと思います。

関係の網の目

最後になりますが、学び手の視点から捉え返すとどうなるか。よく言われることですが、自律的な学習者をいかに育てていくかということがあります。「自律的な」学習者を「育てる」ということ自体、考えようによっては形容矛盾に思われるかもしれません。それは学習者を個としてのみ捉え、学ぶ意欲をただ個の内側から出てくるものとしか見ないからです。実際には学習者は、己を取り巻く様々な人やモノとの関係の網の目の中で、学びの機会に開かれ、学びに関心を見出し、学びの意欲に駆り立てられます。自律的な学習者としての強度は、むしろ学習者を学習者たらしめている関係の束の厚みと豊かさに支えられているのです。

関係の網の目がより包摂的で力動的であれば、「変容する自己」というものを経験することができ

※2　**自由七科**　ギリシア・ローマ時代からルネサンス期までの、一般教養を目的とした諸学科。その後、ヨーロッパの大学の文化系カリキュラムの基本となった。二部に分かれており、文法・修辞学・論理学（弁証法）の三科及び、算術・幾何・天文学・音楽の四科からなる。「自由学芸」とも言う。

※3　**PPE（Philosophy, Politics and Economics）**　英国オックスフォード大学で一九二〇年に開設された「哲学・政治学・経済学」学位のコース。歴代の英国首相や世界中の政治家、首相などを多数輩出していることで知られる。オックスフォード大学には哲学だけを学ぶコースがなく、このコースで三年間、政治学や経済学とともに哲学を学ぶ。

※4　Nivedita Menon, "The University as Utopia: Critical Thinking and the Work of Social Transformation", *Critical Times*, 2019, 2(1).

る。逆に、関係の網の目が固定的であれば、「変容する自己」を実現することができない。だから、多様な背景を持ち、多様な条件に置かれているあらゆる学び手をエンパワーしていかなければならない。そうすることが未来の共通言語をつくる、つまり知の生成基盤になると私は考えています。グローバル教養学部の教学の理念としても大切にしていきたいと思っています。

（構成：木谷恵）

◎山下先生への感想・意見

有用性とリベラルアーツの関係については、熊谷先生のお話に重なるところがあると感じました。つまり、有用性と知の関係を問い直し、新たな物語（関係性）を生み出していくことこそがリベラルアーツであると思いました。

専門知と民主主義の話の中で、専門家と非専門家における認識の齟齬というお話があったと思います。私は理工系大学出身の技術者です。専門知識を聞きかじり程度でも身に付けた人（≒専門家）とそうでない人（≒非専門家）との間に「谷」を感じることがあります（たとえば、原発事故時の「安全」の認識）。共通言語化していく中で、数式や数値を理解してもらえなければ、この「谷」を超えることは難しい場合もあると感じています。いわゆる人文科学的なものに含まれてこなかった理系分野の基礎的な共通言語（たとえば、有効数字など）を「リベラルアーツ3・0」の中ではどのように考えているのか知りたいと思いました。

私は美大生で、最近「公共性」というものが気になっています。誰かに受け入れられやすい（見た目が感覚的に美しい・題材が理解しやすい）ものばかりが評価され、大学でも良い成績がつくように思えます。そして、そうした教育を受けた学生が卒業していってしまうことが恐ろしく感じます。「公共性」とは何か、誰がどのように決めていくのか。私は美術や芸術が好きなので、とくに、個人の中にある「自由」を表現として公共の場に出すことについて考えています。

シンポジウム

03 パネルディスカッション

「能力主義」を超えるリベラルアーツ

熊谷晋一郎×上田紀行×隠岐さや香×山下範久（モデレーター 松原洋子）

あるべき未来を語るとき、私たちは無意識に「より高み」を目指します。それを「能力主義」と呼ぶのだとすれば、この社会はもはや能力主義に覆い尽くされているようにも思えます。しかし、私たちの前に立ちはだかる数々の問題は、そのやり方に綻びが出ていることを示しているのではないでしょうか。その自覚から出発して、４人の研究者がこれからのリベラルアーツについて語り合います。

登壇者

熊谷晋一郎（くまがや・しんいちろう）

上田紀行（うえだ・のりゆき）

隠岐さや香（おき・さやか）

山下範久（やました・のりひさ）

モデレーター 松原洋子（まつばら・ようこ）

立命館大学 副学長・同大学院先端総合学術研究科教授。専門は科学史、生命倫理学、科学技術社会論。著書に『優生学と人間社会——生命科学の世紀はどこへ向かうのか』（講談社現代新書、2000年）、『生命の臨界——争点としての生命』（編著、人文書院、2005年）、『シリーズ生命倫理学 11 遺伝子と医療』（丸善出版、2013年）など。

2020年5月24日開催

松原　ここまで上田先生、隠岐先生、そして山下先生に、それぞれ別の角度からリベラルアーツや知のあり方について非常に刺激的なお話をいただきました。ここからは熊谷先生にも加わっていただき、四人の先生方とパネルディスカッションをしていきたいと思います。

はじめに熊谷先生から、三人の先生方のお話を聞かれて、コメントやご質問があったらいただきたいと思います。

高等教育とマイノリティ

熊谷　上田先生のご発表を聞き、ここまで洗練された本格的なリベラルアーツの姿が、他ならぬSTEM領域[※1]で進んでいることに衝撃を受けました。そして、多くを学びたいと感じました。

私の発表の中で「インクルーシブ・アカデミア・プロジェクト」というプロジェクトを紹介したのですが、これはキャンパスづくりにおいて、研究プロセスを民主化するという目的で、多様な背景を持った当事者が集えるようにやっているものです。たとえば実験室をバリアフリーにするということは当然やるとして、それ以上に、文化そのものを変えていくことを目指しています。とくに

※1　**STEM領域**　STEMはscience、technology、engineering、mathematicsの頭文字で、国際競争力を高めることを目的に、科学技術分野の人材育成を目的として一九九〇年代の米国で推進された教育政策。日本においても文部科学省がartを加えたSTEAM教育として、「各教科での学習を実社会での課題解決に生かしていくための教科横断的な教育」と位置付ける。

今集中的に考えていることは、理工系が持っている文化をどんなふうにダイバーシティ（diversity、多様性）やインクルージョン（inclusion、包摂）にかなったものへと変換していくかということです。

それから隠岐先生のご発表で、非常に広い見通しの中で、偶然にも当事者研究とリベラルアーツが関連しているということを再確認することができました。今、世界は不確実さを増していて、その中で高等教育はマイノリティという「他者」と出会っている。そうしたことが背景にあって、リベラルアーツが高等教育の主題となっているという説明になるほどなと思いました。同時に、相手を打ち負かすだけのソフィストにならないような対話空間のデザインであるとか、支配的な人が発生するような、自由ではない対話についても考えていかなければならないということですね。

正しい答えを私が知っているという意味ではないのですが、当事者グループの中に、非常に豊富な蓄積があると思いました。「共創」という言葉が出ましたが、マイノリティが入ってくることがきっかけとなって、もともとマイノリティ側に蓄積されてきたノウハウを、大学の側に流し込むにはどうしたらいいのか。

アカデミアに対する当事者コミュニティ

熊谷　以前、障害を持った人たちが大学で活躍するようなプロジェクトを推進している研究室を訪問したことがあります。そこで印象的だったのが、マイノリティが単身でマジョリティの支配する大学に入っていくのは、やはり多勢に無勢と言いますか、燃え尽きるか巻き込まれるかしかないと表現されていたことです。

「燃え尽き」というのは、障害者の当事者としての価値観と大学が構築してきた価値観とが衝突してしまい、それに耐え切れなくなった障害者が鬱になったり、ドロップアウトするといった状況です。「巻き込まれ」というのは、障害者が自らの当事者性を失って、既存の研究者になるという意味でおっしゃっていました。つまり、障害者が当事者研究者ではなく、ただの研究者になって生き延びるということです。

私もどうしたら対話のテーブルがフェアなものになるのかということに非常に関心を寄せていますが、やはりマイノリティ当事者が、単身で巨大なアカデミアと協働するのではなく、当事者の側にも巨大な当事者コミュニティの蓄積があることを前提に、そのコミュニティと既存のアカデミアのコミュニティとが協働するという枠組みを確認するべきだと思います。そうでないと、燃え尽きや巻き込まれになってしまう。ただ気を付けなければならないのは、当事者のコミュニティにも巨大な蓄積や活動の継承といった系譜があるので、当事者団体もある側面から見れば保守的であり、内部の多様性を包摂しきれないということもあるという点です。

精神医学の揺らぎ

熊谷　山下先生からは、専門知の正当性と有用性が問い直されているというお話がありました。昨今、精神医学の領域で共同創造がトピックになってきていることの説明も、全く同じようにできるのではないかと思いました。なぜかと言うと、精神医学という知の体系、専門知の正当性が、ここ三〇年ほどでかなり揺るがされているからです。

正当性に関わることでは、精神科医はこれまで、幻覚や妄想といった症状の消失を回復と定義してきました。ところが当事者の視点からすると、それは必ずしも回復とはいえない。症状が出続けていたとしても、地域の中で尊厳ある暮らしを営むことができているなら、それを回復と言うんだと。一九八〇年代から繰り広げられたリカバリー運動[※2]という当事者運動の中で言われていたことが、ここ三〇年である意味では正当性を持ち始めたという経緯があります。

有用性に関しても、むしろ現場の支援者や当事者から言われるようになってきています。たとえば、精神医学の研究でRandomized Controlled Trial(ランダム化比較試験[※3])という、現実を非常に純化した形で比較対照研究するといった大規模研究があるんですが、現場でそんなピュアなケースはほとんどないので、普及と実装を見越した研究デザインが求められつつあります。

回復の再定義と普及実装科学へのニーズのそれぞれが、共同創造を突き動かすパワーとして働いていたということです。

能力の高低と人間の尊厳

熊谷　資本主義との関係という面も、私がお話しした自伝的記憶の構築と、OECD(経済協力開発機構）が出したキー・コンピテンシー※4という、現代社会で必要とされる能力をリスト化したものとの関連性が気になっています。また、自分というものを把握して自由になっていくというシナリオの話も、現代的な資本主義と相性がいいものかと思います。

結局、センやヌスバウムの潜在能力アプローチも、「能力」という言葉を使っている限り、下手をすると能力主義的な秩序との親和性が高くなるわけです。そこにはどこか、見落としている論点があるのではないか。潜在能力を拡張することは、自由へと繋がる良いことと言えるんですが、能力の高低と人間の尊厳、命の価値というものは、全く無関係なものです。人間の命が価値の源泉であ

※2 **リカバリー運動**　米国では一九八〇年から九〇年代にかけて、精神障害者が長期の隔離収容や服薬による副作用によって人権を奪われ、自己決定がないがしろにされてきたことに対し、精神障害があっても支援を受けながら地域で暮らしていくことが可能であることを、自叙伝や体験談を元に訴えていった一連の運動。リカバリーという言葉は当事者から発せられたものであったが、徐々に精神医療や精神保健領域にも広がっていった。昨今「医学モデル」から「リカバリーモデル」への転換が意識され、「治療」や「リハビリテーション」と対比的な概念として捉えられるようになっている。（宮本）

※3 **Randomized Controlled Trial: RCT（ランダム化比較試験）**　医療などの自然科学分野で用いられてきた、治療効果を客観的に評価するための臨床試験法の一つ。昨今、開発経済学の分野でも積極的に取り入れられ、「フィールド実験」と呼ばれている。因果関係を測定することが目的で、たとえば「ある教科書を使ったクラスと使わなかったクラスとで学習効果にどれほど差が出ているか」を調査するために、母集団をランダムに処置群と対照群とに分け、効果を測定する試験。

※4 **キー・コンピテンシー（key competencies）**　一九九七年から二〇〇三年にかけて、OECD（経済協力開発機構）の「コンピテンシーの定義と選択」プロジェクト（Definition and Selection of Competencies：DeSeCo）が提起した概念で、グローバル化した現代において必要とされる資質・能力を定義したもの。個人の人生における成功と持続可能な社会の発展を目指すため、個人が身につけるべき三つの核となる能力が掲げられている（①相互作用的に道具を用いる力、②自律的に活動する力、③異質な集団で交流する力）。日本においても生涯学習の文脈でこれらの能力観が取り入れられ、「生きる力」や「人間力」などと並んで、ポスト産業社会における人材育成キーワードの一つと捉えられている。

って、その逆ではない。また、能力によってどうこう評価されるものでもないということを、コロナ禍でますます強調しなければならなくなっています。そういった大事な論点を思い出させていただきました。

Recovery is Discovery

松原 私たちは大学の教員として、大学という場で、知性や能力というキーワードを気にしながら活動しているわけですが、今のお話の中で、そもそも知性や能力とは何かといったような問いを改めて考えさせられています。

今回のシンポジウムのテーマは「自由に生きるための知性とはなにか?」ということでした。先生方の問題提起、議論を聞いて、ここで語りたい、聞いてみたいということをそれぞれからぜひお話しいただきたいと思います。

上田 スピーチの最後に山下先生がおっしゃった、教養というものが強者のための論理になっていないかという話と、熊谷先生や隠岐先生の能力についての話は、非常に通底していると思いました。社会学者のピエール・ブルデューがハビトゥス[※5]という言葉で説明しているんですが、たとえば欧米社会では、美術館に行ったりオペラを見に行ったりする人々と、そういったところには行かずサッカーを見に行く人々とでは、文化空間が異なっていると言います。さらに習慣や思考の違いは再生産される。教養は、階級性を維持していくことに使われてきた部分がすごくあると思うんです。日本でもかつての旧制高等学校時代には、一高、二高で教養をやって、そこから帝国大学に入り、エリートになるというサクセスストーリーがあった。

しかしながら今は、サクセスよりもレジリエンス（resilience、回復力）[※6]が重要だと言われてきていますよね。つまり、サクセスストーリーとして成功したって、誰だって病気になるし、これだけの経済発展を遂げても、いつ地震が来て津波が来るか分からない。たとえば今回のようにコロナウイルスが来たとき、レジリエンスというのは現状を立て直していく力のことで、それが重要だということです。

熊谷さんの他の講演で聞いたことなんですが、「Recovery is Discovery（回復するということは発見すること）」という言葉があります。Recoveryというのは一般に、障害や病気から立て直して、障害・病気がない状態に戻っていくということを指すんですが、その過程でDiscoveryできるかどうかが重要だと言うんです。つまり、単一の決められた社会秩序の中に、ただ回復して戻っていくのが回復なのではなく、新たな人生の意味や世界の存立の意味といった、別の領域を発見していくこ

※5 **ハビトゥス（habitus）** ピエール・ブルデュー（フランス、一九三〇年～二〇〇二年）による行動理論の中核をなす概念。人の知覚や行動様式は、生まれ育った環境の中で習得し学習される。これらは知識としてではなく、身体化されたものとなり、人は無意識に身体化されたそれらの様式に従って、知覚し、評価し、行動していくことになる。

※6 **レジリエンス（resilience）** 「外的な衝撃に耐え、それ自身の機能や構造を失わない力」と訳される（枝廣）。地球環境の悪化、頻発する災害、また社会の様々なストレス要因が、個人や地域に甚大な影響をもたらしていることを背景に、広く注目されるようになった概念。根本的な課題解決が困難であったとしても、被害を最小化し逆境を乗り越える力として、昨今、国や地域、個人単位で備えておくことが重要であると言われている。

とが重要なんだと。

仏教とリベラルアーツ

上田　私は日本仏教をもう一回盛り立てていこうという運動をしているんですが、仏教では一切皆《いっさいかい》苦《く》と言って、全ては苦からできているという教えがあります。すごく暗い教えのように思われるんですが、そうではありません。苦集滅道《くじゅうめつどう》※7という四諦説《したいせつ》※8では、苦には必ず原因があるとします。お釈迦様が最初に悟ったことの一つは、苦の原因がなくなったときのことをイメージしながら行動を起こすということでした。

苦があるからこそ縁が生まれていく。これを縁起《えんぎ》の法則《ほうそく》と言いますが、誰かが苦しんでいるとき、みんなその人を放っておけなくなる。そしてその人は周りの人を巻き込んでいくことによって繋がりが生まれ、ご縁が出てくるということなんですね。ここに、不安に駆り立てられているわれわれの存在が、より創発的な存在に変わっていくという一つのパラダイムチェンジがあるのではないか。

ヨーロッパ的な旧態依然とした教養というものが、ある種、階級制の中でそれを誇示して自分がエリートになっていこうとするものだとすれば、今われわれが目指しているリベラルアーツというものは、まさに仏教のようなものです。煩悩から自分を解き放つ。だから、最高のリベラルアーツというものをわれわれは日本文化や東洋文化の中にすでに持っているわけです。

能力主義の呪縛

松原　今、ウィズコロナという言葉をよく聞きます。これは感染拡大防止と経済活動を両立しましょうというメッセージとして出てくることが多いと思いますが、新型コロナウイルスというのは、撲滅したり、克服したり、打ち勝つといったものではなく、耐えるとか凌《しの》ぐ、忍ぶようなところがあって、われわれはそれを受け入れなくてはいけないのではないかといったことを思いながら聞いていました。

リカバリーやディスカバリー、それからレジリエンス。これらは、何か高みを目指すとか、正しい答えを出すために正しい問いを立てるというようなこととは違う知性のあり方、大学で言えば教養教育のあり方や専門知を再定義することに結びついてくるのかと思いました。隠岐先生、いかがでしょうか。

※7　**苦集滅道（くじゅうめつどう）**　四諦説に同じ。
※8　**四諦説（したいせつ）**　「諦」は真実の意。仏教で説かれる、煩悩を乗り越え涅槃に達するための四つの真実（苦・集・滅・道）。一切は苦であるという真実（苦諦）、苦の原因は欲望を引き起こす煩悩であるという真実（集諦）、煩悩を滅すれば悟りに達するという真実（滅諦）、悟りに到る修行があるという真実（道諦）。ここには涅槃を実現した悟りの世界と、煩悩にまみれた迷いの世界があることが示され、この迷いと悟りの構造を、原因と結果の形で示した説教が四諦説。

隠岐　非常に示唆的な論点をいただきました。上田先生のサクセスからレジリエンスという価値観の転換の話、そして松原先生の才能や知性の定義がますます変わっていくのではないかというお話を伺って、心に残ったある話を思い出しました。

「脆弱性《ぜいじゃくせい》」と訳される vulnerability という言葉があります。この脆弱性というものが、ある種の才能だという話を聞いたことがあります。つまり、普通に考えると単に弱い人という意味になるし、またレジリエンスという意味でも同じく弱い人となるかもしれないのですが、いわば坑道のカナリアのように、非常によく問題を感知するわけです。たとえば、ほんのちょっとした言葉で傷付くようなことがあるかもしれない。でもその場合にも、傷付きの中には何かがあるわけです。ただ問題は、現実的な場面で傷付きやすい個人は立ち直ることが難しく、結局黙ってしまうことになるということなんですが……。それでもこういった経験を学問の中に落とし込むことができれば、何かすごいものが出てくるのではないかと思うことがあります。

一方でやはり難しいと思うのは、今のような「すごいもの」という言葉遣い自体が、能力主義的な語りになっていることです。私自身、限界を感じるのはここです。これまで科学史を研究してきて、ニュートンは何をしたかとか、他とは違う業績について真っ先に考えるくせがついています。そのために、どうしても能力や才能を中心にした話し方になってしまいます。

ただ、科学史という狭い世界から見ていても、能力と見なされてこなかったものが能力になるということが明らかにあるんです。たとえば計算能力は、中世では単なる事務仕事でした。一七世紀の書物に、王様は計算なんて人にやらせればいいと考えていたとある。ところが明らかに下々の仕事だったり職人的な手仕事と考えられていたものが、ノーベル賞の対象となるような学問の知識に落とし込まれることが起きました。学問をする人が多くなればなるほど分野も増えていくし、専門性というものも形を変えていくかもしれないと思っています。

現在の課題は、プロの専門家と一般の協力者みたいな形で、どうしても両者の間に非対称的な力関係が残ることだと思います。当事者研究にしても、市民が参加する市民科学にしてもそうです。私たちの世代は、共創をどう成り立たせるかといった教育を受けてこなかったので、まだ準備ができていないこともあると思います。

コロナウイルスで生活が変わった人、変わらなかった人

隠岐　コロナウイルスについて、ずっとお話を聞いていて思ったのは、競争というものをどう考えるかが鍵になるのではないかということです。

コロナウイルスによって何かが変わると感じることは私にもあるのですが、ただ、そう感じる人というのは、わりと競争のために生きてきた、すなわち高みを目指すことを無意識のうちにやってきた人ではないかと思うんです。つまり、コロナウイルスで生活が変わった人というのは、変わり得るような生活をしていた人なんですよね。たとえば家にいなかった人が、赤ちゃんとずっと一緒にいるようになったとか。一方で、自分の意思では簡単に外には行けない体の人や、売店の店員さんなんかは、それほど生活が変わっていない。それどころか、いつもと変わらないはずが、悪くさ

えなっているということがあるわけですね。

変わったと思っている人は、やはり競争をしていた人だろうと思います。コロナは従来の競争とは違うゲームを強いてきたからです。競争が定める価値の儚さ、頼りなさに、そうした人々が気づいてくれるといいのですが。さもないと、おそらく対話も、リベラルアーツのアップデートというような話も、うまくいかないのではないかと思います。

世界は拡大と縮小を繰り返す

松原　大学は今、これまで当たり前のようにやってきたことが突然できなくなって、オンライン授業に変わったりしているわけですが、私たちは大学で何をしてきたのか、そして今後何をすべきなのかということを突き付けられているように思います。ですから、今、隠岐先生が言われたコロナウイルスで変わった人というのは、ずっと高みを目指していたり競争をしていた人ということでしたが、まさに大学こそ、これまで当然のように思ってきたことを変えざるを得ないときに来ているのではないか。そういう状況だと思うんですね。

そこで山下先生に、まさに現代の象徴でもあり、この新型コロナウイルスで一番ダメージを受け、またその要因にもなったグローバリズムについて話を伺いたいと思います。グローバル教養学部の教育内容は、グローバリズムとすごく密接に絡んでいると思うのですが、その観点から、今思っておられることをお聞かせください。

山下　すごく大きな問いです。もちろん、非常に長いスパンで見たとき、グローバル化は常に良いことばかりではなく、悪いグローバル化というのも含んでいると思います。病気の蔓延や悪いもののグローバル化というのは、決して今回が初めてのことではなく、これまで何度もあったことだと思います。今日コロナ禍に際会して、これだけ大きな変化にさらされているのだから、世界がガラッと変わってくれないと割に合わないという気持ちもあると思うのですが、これまでも世界は拡大と縮小を繰り返しながら進んできたわけです。ですから、歴史の中に新しい一コマが加わったというふうにまずは受けとめています。意外と過去に参照できる事例もあるし、拡大と縮小の循環の中で起こっていることだと捉える冷静さは持っておきたいと思っています。

実際、たとえばオンライン授業といったＩＣＴを活用した高等教育というのは、COVID-19の前から言われていたわけです。そういった意味では、すでに起こりつつあった変化をある面で加速したにすぎないとも言える。むしろCOVID-19が触媒的な働きをしていると考えた方がいいのではないかと思っています。

能力は「場」に宿る

山下　ひょっとすると不協和なことを言うかもしれないのですが、先生方のお話を伺って、二点ほど申し上げたいことがあります。

一点目は能力主義のことです。今回のような知性や教養といったテーマで大学に関わる人が集まって語れば、どうしても能力主義の重力というか、罠というか、そういったものに絡め取られる危険が出てくると思うんです。私が正当性の系と有用性の系にそれぞれ分けて議論しましょうと持ちかけたのは、まさに能力主義を避けたいからです。

ただ能力主義に関わるか関わらないかで、良い教養と悪い教養とを判別するといったことでは、どうもうまくいかないいんじゃないかという気がするんです。正当性の話と有用性の話はどうしても分け切れない部分があります。だから、新しい社会をどう作っていくのか、どうレジリエンスを再構築していくのかということを考えるときも、非常に難しい点として残ります。

それでも一つ尺度になると思うのは、能力というのは「個」に宿るのではなく「場」に宿る、「関係」に宿るという原則です。これがすごく大事なんだと思います。

個別性に降りていく

山下　二点目は、熊谷先生の話を聞いて思ったことなのですが、個別性・個別事例の重要性についてです。精神医学で、ランダム化比較試験が役に立たないと批判されていると聞いてすごく驚きました。経済学では最近、ランダム化比較試験でノーベル賞を取ったぐらいなので、むしろ役に立つと評価されているわけです。同じ手法でも場が違えばこれほど違うのかと。いずれにせよ、個別性に降りていかないと役に立たないような知の次元があるということだと思うんです。

私の話では、アジアからということを重視してヨーロッパ中心主義に対する批判をしました。ただ日本は、ヨーロッパ帝国主義を模倣した植民地主義、帝国主義の歴史を持つので、その立場からすると、ヨーロッパ中心主義を簡単に批判するのはかなり危険なことだと思っています。単純にヨーロッパではなく別のものにすげ替えればいいのかというと、そうではないと思うわけです。

グローバル教養学部は、オーストラリア国立大学とのデュアル・ディグリー・プログラム[※9]で構成されています。そこではまず、日本の中にある大学として、われわれ自身のポジショナリティ(立場性)をしっかり踏まえようという意味で、「アジアから」ということを言っています。単にヨーロッパに代わってアジアということではなく、まず自分自身の発話の位置として、ローカリティ(地域性)やポジショナリティ(立場性)というものにしっかり自覚的でいようということが大きなポイントです。そういった意味で、個別性に降りていっているわけです。

熊谷先生のお話の中で、COVID-19によってわれわれ全員が「総当事者化」しているという話がありました。総当事者化という言葉は非常に突き刺さるものがありました。地域性とか立場性に対するセンシティビティ(sensitivity、感受性)の問題も、総当事者化と言ったときにも、われわれは、お互いが別の当事者であるということにどれだけ敏感になれるかということが重要だと思います。それが個別性の意味です。

※9 **デュアル・ディグリー** 「二つ」の「学位」の意味。立命館大学グローバル教養学部では、オーストラリア国立大学コーラル・ベル・スクール(アジア太平洋学)と立命館大学(グローバル教養学)の双方において学位を取得することが可能なプログラムが設計されている。

このことと能力が場に宿るということがどう接続するのか。そのロジックの立て方が非常に難しいと感じていて、これが今日あぶり出された論点かと思います。

能力の社会モデル化

熊谷 能力が場に宿るという話をしたいと思っていた矢先に山下先生がおっしゃったので、ちょっと膝を打つ思いをしました。

私の講演の中で、障害を社会モデル化するという話をしましたが、ディスアビリティ(disability、障害)を個々の皮膚の内側にあるものではなく、環境との相互作用で生じるものだと見なしたのが一九八〇年前後の大きなパラダイムシフトだったわけです。当然その延長線上に、アビリティ(ability、能力)も社会モデル化すると言ってしまって全く差し支えないと思います。そういう意味では、潜在能力も含めた能力というものを社会モデル化して考えることには大いに賛同します。

このことは、上田先生のレジリエンスの概念にもおそらく言えることかと思います。個人の属性のように、「あの人はレジリエントな人だ」と言うことがあります。でもそう言ってしまうと、隠岐先生が強調されたように、vulnerability(脆弱性)が能力だという話になって、どこか矛盾することになってしまう。

そうではなくて、vulnerable(傷付きやすい)な状況に置かれている人がいると捉える。レジリエンスという言葉も、その人が置かれている組織やコミュニティや社会環境の状態を指す言葉として、たとえばレジリエントな組織とかレジリエントなコミュニティといったように使う。

レジリエントな社会というのは、そこにいる人々の脆弱性に敏感な組織のことを指します。スピード感を持って、多様性や脆弱性を察知して、機動性高く動き出せるような組織のことをレジリエントな組織、つまり復元力を持った組織と言うのだと私は理解しています。

レジリエントな社会とは

熊谷　こうした論点は、今コロナウイルスの中で非常に大きなトピックになっています。先日、国連事務総長が、障害を持った人に対する医療の提供に関して、声明[※10]を発表しました。その中で明確にうたわれているのが、感染症対策においては、より脆弱な人を特定し、優先的に医療資源を投資していくことが原則であるということです。優先的に脆弱性の高い人をチェックして、機動性高く医療資源を配分していく組織のことを、レジリエントな組織、レジリエントなコミュニティ、あるいは機敏なコミュニティと定義付けています。さらに声明では、コロナウイルスというものは私たちが住む社会がどれほど機敏であるかを測る試金石だとも言っていて、非常に印象的でした。
ところが感染症対策の原則、基本がある一方で、別の基準が密輸入されることもあって、それを

※10　**障害を持った人に対する医療の提供に関する声明**　United Nations "Policy Brief: A Disability-Inclusive Response to COVID-19" (https://unsdg.un.org/sites/default/files/2020-05/Policy-Brief-A-Disability-Inclusive-Response-to-COVID-19.pdf) (May, 2020)

指摘した文章[※11]があります。たとえば高齢者には一律に人工呼吸器をつけないとか、障害者にはどこかで一律に医療を打ち切るとか、脆弱性の原則に反する資源配分が行われることがあって、優生思想的なロジックがこっそり入り込んでいるというわけです。

苦労を取り戻す

熊谷　あともう一点、上田先生に「Recovery is Discovery」に触れていただいたのが大変嬉しかったので、一言コメントしたいと思います。

当事者にとって何が回復なのかということが、長きにわたって論争されてきました。当事者も一枚岩ではないので、私にとっての回復とあなたにとっての回復は必ずしも一致しないということがあるからです。当事者研究で回復をどう定義しようかという中で、この言葉が生まれてきた経緯があります。主眼にあったのは、楽になりたいとか、今の苦痛を取り除きたいということとは違う回復像を強調することでした。

たとえば専門家に見立ててもらい、適切な薬を使って症状が取り除かれ、楽になるとする。しかしこれを回復のイメージにするのではなく、辛さや苦労が何のメッセージを伝えてくれているのか、その意味を探り発見することが回復だと考える。

上田先生が言われた一切皆苦であるとか、苦しみが人の繋がりに変わっていくというのも、当事者研究の強調点と重なるかもしれません。これまで専門家に治され、苦労を奪われてきてしまったことに対して、「苦労を取り戻す」という表現を当事者研究ではよく使います。

薬を大量に処方され、症状を取り除かれてしまっていた。苦しくはなくなるけれど、一日中ベッドで横になっているような日々だった。それが地域コミュニティに出ていって様々な苦労に直面して、苦労の意味を自分で考えていくような生活に変わっていった。八〇年〜九〇年代に、それまでとは違った生活を選び始めた当事者が精神障害の領域に広がり、リカバリー運動と呼ばれるものになりました。自ら奪われてきた苦労を取り戻して、研究的に苦労の意味を探るというような人生を選んだわけです。

快楽を最大化し、苦労を取り除くという功利主義的な回復像ではなく、苦労の意味を探る回復のイメージ、そしてその意味を発見することが回復のプロセスだということです。

他者を目的化するリベラルアーツ教育

上田　大学でも、学生の就職だけを目的とするような、功利的な部分を強調せざるを得ない雰囲気があります。しかしながら、一人の人間の中にも利己的なところもあれば利他的なところもあると思うんです。苦しんでいる人がいたら寄り添っていきたいという部分があるはずなんです。カント

※11　**指摘した文章**　Ari Ne'eman "I Will Not Apologize for My Needs" (The New York Times, March 23, 2020) (https://www.nytimes.com/2020/03/23/opinion/coronavirus-ventilators-triage-disability.html)

の言う、人間を手段としてではなく目的として尊重するんだということ、また東洋思想にも同じように人はかけがえのないものという部分がある。そうしたことに立ち戻っていくことが重要なんです。能力についても隠岐さんが言われたように、能力にはやはり差があるし、競争もあるのですが、複数の能力というものがあると思います。[※12]

東工大でもよく聞くのですが、たとえば数学が得意で自信があったんだけれども、大学に入ると自分よりできる人がたくさんいて非常にショックを受けると言います。そして、自分はできない人間だって自信をなくしてしまう。みんな村社会の中で順位付けされて勉強してきたから、それが否定されると他の部分の能力があるにもかかわらず、全否定されたような気持ちになる。

もしクラスで一番になりたいとか、順位を上げたいということだけなら、一番の人間を蹴落としたくなるじゃないですか。だけど、たとえば世界の貧困をどうしても救いたいという志があって、自分の能力だけでは足りないと思うのなら、自分より数学のできる人には「おれの分も頑張ってよ」と言いつつ、自分は別にできることをやればいい。能力は一人一人違うし、資質という生まれながらに違うこともあるわけです。それをあたかも平等であるかのような、虚構の世界の中で競い合って、その結果を取り合って生きている。

そもそも最初からスタートポイントも能力も違うわけです。それぞれが違うジャンルの中で共存し合って、他者を手段としてではなく目的とすれば、その人がそこに在るということに気付いていく。多数の多様な能力という、一元化された、手段的なものではないところを目指していくのが、これからのリベラルアーツ教育じゃないかと思います。

◎質疑応答　自由とはなにか？

松原　参加者の方から次のような質問をいただきました。「自由という言葉の定義をどう考えますか。身体の自由、言論の自由、思想の自由。自由は文化や宗教、場面によって解釈が異なってくると思います。そしてまた、自由がネガティヴに作用する場面もあると思います。そもそも、自由という言葉を一つに定義しようとすること自体が不毛なのでしょうか」

上田　自由とは、「何者にも所有されていない」ことだと思います。たとえば、ギリシャ・ローマ時代の奴隷は売り買いの対象で、本当に誰かに所有されていました。仏教であれば、煩悩に所有されていると考えます。お金が欲しい、名誉が欲しい、これらは欲望に所有されている状態です。何者かによって乗っ取られ所有されている状態から抜け出していこうとすること、それが自由だと思います。一方で、人間にとって完全な自由というものはあり得ないように思います。つまり、仏教で「悟り」と言っても、悟っているのはお釈迦様ぐらいなわけです。ただ、自分が何者かによって所有

※12　**人間は手段ではなく目的である**　イマヌエル・カント（ドイツ、一七二四年～一八〇四年）による『実践理性批判』の中で「定言命法」として触れられているもの。人々が自由でありながら他者と共存していくためには、他者に服従するのではなく、自ら定めた法（定言命法）に従わなければならない。定言命法の中身は、「あなたの人格や他のあらゆる人の人格のうちにある人間性を、いつも同時に目的として扱い、決してたんに手段としてのみ扱わないように行為せよ」と表現される（有福、牧野）。

されているとか、何者かが自分の自由を阻害しているということに気が付けるのは、自由というものがあるからこそだと思います。

隠岐　自由を考えるにあたって私が重視するのは、自分の物語を語れるかどうかということです。なぜなら、他人に所有されていないから話せる、あるいは安全な状況だから発言できるということがあるからです。しかしながら、ジェンダーや国籍、人種に関わることについて自分の物語を話すと、それは違うと他人から指摘されることがあります。そして指摘してきた人に反論をすると、その人は自分の自由が侵害されたという反応をします。他人の語る物語を邪魔したくせに、邪魔をしないでほしいと言うと、今度は自由を侵害されたと怒りだすのです。これがＳＮＳでの誹謗中傷で起きていることです。いわば、他人の物語を攻撃して反論されずにいる自由を主張する人たちがいるわけです。私はそういうものを自由とは考えたくないです。彼らは人が安心して自分の物語を語る機会を奪っている簒奪者です。ＳＮＳの誹謗中傷においては、自由という言葉がそうした簒奪者により濫用されていると感じます。

山下　所有の対象にならないとか、専制や隷属から解放されていることも自由の一つの要件です。また他者から適切な承認があることも自由の要件だと思います。

ただ、あたかも超歴史的に最初からある普遍的な価値として自由を捉えていないか、立ち止まって考えてみる必要があると思います。自由という価値自体が近代的な人間と結びついたもので、その価値の揺らぎが教養への関心に繋がっていると考えるからです。

私たち人間はモノと区別された人間であるというだけでなくて、実際にはモノとしての側面もあるわけです。場面によっては人間であり、場面によってはモノでもある。そのような存在であることへの気付きの高まりを、再定義された自由、あるいはメタ自由として話すべきではないかと思います。

熊谷 私も、自由とは何かと考えるとよく分からなくなってしまいます。ただ、不自由な経験というのはたくさん思い出します。不自由が集積している状態を障害と呼ぶのだとすれば、自由というテーマを考えるときも、障害の経験から逆照射することができると思います。つまり、不自由の側から自由というものを考えることが一つの切り口になるだろうと思うわけです。

私の話では、アマルティア・センの潜在能力アプローチを引用して、選択肢の幅の広さで自由というものを表現しようと考えていました。深掘りしていくと、潜在能力の一〇個のリストの中で、特別なものとして位置付けられている「実践理性」と「連帯」というリストに目が止まりました。実践理性と連帯以外のものは社会資源に関わっていて、それらが十分に提供されることで選択肢の幅が保障されるとしています。

ところが実践理性と連帯に関しては、社会資源ではなく「物語る」という、自伝的記憶に関わることと繋がっていることが分かりました。「語る」という行為を保障するための言葉や安全な場といった資源は、特別な位置に置かれているということです。語り得ないという不自由さから逆照射したとき、語る自由の重要性が見えてきます。それが、私のコアメッセージです。

（構成：木谷恵）

注の引用・参照文献、ウェブサイト

安積純子、立岩真也、岡原正幸、尾中文哉『生の技法――家と施設を出て暮らす障害者の社会学』藤原書店、一九九五年
芦田宏直『シラバス論――大学の時代と時間、あるいは〈知識〉の死と再生について』晶文社、二〇一九年
アマルティア・セン、後藤玲子『福祉と正義』東京大学出版会、二〇〇八年
アマルティア・セン『福祉の経済学――財と潜在能力』鈴村興太郎訳、岩波書店、一九八八年
有福孝岳、牧野英二編『カントを学ぶ人のために』世界思想社、二〇一二年
伊藤邦武編『哲学の歴史　第8巻』中央公論新社、二〇〇七年
内山勝利編『哲学の歴史　第1巻』中央公論新社、二〇〇八年
枝廣淳子『レジリエンスとは何か――何があっても折れないこころ、暮らし、地域、社会をつくる』東洋経済新報社、二〇一五年
加藤晴久『ブルデュー闘う知識人』講談社選書メチエ、二〇一五年
川本隆史『現代倫理学の冒険――社会理論のネットワーキングへ』創文社、一九九五年

児玉善仁ほか編『大学事典』平凡社、二〇一八年
思想の科学研究会編『新版　哲学・論理用語辞典』三一書房、二〇一二年
新村出編『広辞苑　第七版』岩波書店、二〇一八年
菅野盾樹編『レトリック論を学ぶ人のために』世界思想社、二〇〇七年
田中英樹『精神障害者支援の思想と戦略――QOLからHOLへ』金剛出版、二〇一八年
松嶋健「トラウマと時間性――死者とともにある〈いま〉」田中雅一、松嶋健編『トラウマ研究1――トラウマを生きる』京都大学学術出版会、二〇一八年
中山元『フーコー入門』ちくま新書、一九九六年
中山元『自由の哲学者カント――カント哲学入門「連続講義」』光文社、二〇一三年
マーサ・C・ヌスバウム『正義のフロンティア――障碍者・外国人・動物という境界を越えて』神島裕子訳、法政大学出版局、二〇一二年
平野光俊、江夏幾多郎『人事管理――人と企業、ともに活きるために』有斐閣、二〇一八年
G・R・ファンデンボス監修『APA心理学大辞典』繁桝算男、四本裕子訳、培風館、二〇一三年
松本昇、望月聡「抑うつと自伝的記憶の概括化――レビューと今後の展望」『心理学評論』第五五巻第四号、二〇一二年
松本昇、髙橋佳史「抑うつ傾向者における自伝的記憶の概括化――問題は生成検索か直接検索か?」『日本心理学会大会発表論文集第八二回大会』二〇一八年
水野弘元ほか編『仏典解題事典　第二版』春秋社、一九八七年

宮地尚子『トラウマ』岩波新書、二〇一三年
宮本有紀「リカバリーと精神科地域ケア」石原孝二、河野哲也、向谷地生良編『シリーズ精神医学の哲学3　精神医学と当事者』東京大学出版会、二〇一六年
ピーター・A・ラヴィーン『トラウマと記憶——脳・身体に刻まれた過去からの回復』花丘ちぐさ訳、春秋社、二〇一七年
児玉聡「オックスフォード哲学者奇行」明石書店（https://webmedia.akashi.co.jp/posts/2944）
Inclusive Design Laboratory Project（https://idl.tk.rcast.u-tokyo.ac.jp）
国際連合広報センター（https://www.unic.or.jp）
国立教育政策研究所（https://www.nier.go.jp）
文部科学省（https://www.mext.go.jp）
立命館大学グローバル教養学部（http://www.ritsumei.ac.jp/gla/）

※第1部は立命館大学教養養育センターが二〇二〇年五月二四日に開催した立命館創始一五〇年・学園創立一二〇周年記念シンポジウム「自由に生きるための知性とはなにか?」を再構成したものです。

第2部 トークセッション

オンライン企画「SERIESリベラルアーツ」全10回より

トークセッション
PART1
社会を生きる

01

差別ってなんだろう?

——#BlackLivesMatter を通して考える

差別とはなにか、反差別とはなにか。自分とは違う/遠い世界のことだと思う話題も、実はわたしたちの近くにあり、隣り合わせに生きているのだということを感じてほしいと思います。

登壇者

坂下史子（さかした・ふみこ）

立命館大学文学部教授。専門はアメリカ研究、アフリカ系アメリカ人の歴史と文化。著書に『よくわかるアメリカの歴史』（共編著、ミネルヴァ書房、2021年）、『私たちが声を上げるとき――アメリカを変えた10の問い』（共著、集英社新書、2022年）。

南川文里（みなみかわ・ふみのり）

同志社大学大学院グローバル・スタディーズ研究科教授。専門は社会学・アメリカ研究。近年の研究テーマは、アメリカ多文化主義の形成と変容。著書に、『アメリカ多文化社会論〔新版〕――「多からなる一」の系譜と現在』（法律文化社、2022年）など。

2020年7月24日開催

NHKへの要望書

坂下　本年五月二五日、アメリカのミネソタ州ミネアポリスで黒人男性のジョージ・フロイドさんが白人警官に膝で首を押さえつけられて亡くなりました。この事件を受けて、世界各地で"Black Lives Matter（ブラック・ライヴズ・マター）"を掲げた抗議デモが広がっています。日本でも多くのマスコミが取り上げました。その中でNHKが二〇二〇年六月七日に抗議デモについて解説した番組内容とその後の対応に対して、南川先生と私を含む有志のアメリカ研究者一三名は抗議の意を表した要望書を提出しました（NHK『これでわかった！世界のいま』（二〇二〇年六月七日放送回）の番組内容とSNSでの投稿に関する要望書 https://jpusconcernedschol.wixsite.com/home）。

まずはこのNHKへの要望書の件について、お話ししたいと思います。

実は抗議をしたのは今回が初めてではありませんでした。二〇一五年、『産経新聞』に、ある評論家の方が南アフリカのアパルトヘイト政策を肯定するコラムを書いたことがありました。そのときにもFacebook上にあるアメリカ研究者のコミュニティの中で、「抗議文を出すべきではないか」と議論したのですが、結果的に抗議文は出さず、代わりに教科書の出版を行いました。日本を問い直すためのアメリカ史というコンセプトで、『「ヘイト」の時代のアメリカ史——人種・民族・国籍を考える』（兼子歩、貴堂嘉之編、彩流社）という本を、二〇一七年に出版しています。

このような形で専門家・研究者としての発信はすでにやってきていたわけですが、今回は教科書ではなく、かなり早い段階で実際に要望書を取りまとめてＮＨＫに郵送し、抗議を行いました。詳細は、南川先生から話していただこうと思います。

南川　ありがとうございます。南川です。ジョージ・フロイドさんが亡くなった事件をきっかけにして、日本のメディアがブラック・ライヴズ・マター運動、さらに抗議デモが「暴徒化」するプロセスなどについて、様々な報道を行いました。その中の一つがＮＨＫの情報番組、『これでわかった！世界のいま』という番組の、二〇二〇年六月七日に放送された回です。

それまでも私は、Facebookのアメリカ研究者コミュニティでブラック・ライヴズ・マター運動について意見交換をしてきたのですが、そこに問題のある番組が放送されたらしい、という話が入ってきました。

ＮＨＫが放送したのは、「筋肉ムキムキ」の黒人男性が非常に怒っている映像です。これは明らかに黒人に対するステレオタイプに基づいて作られていて、偏見を広げる恐れがありました。さらに番組内容を確認したところ、番組内での解説にも大きな問題があったことがわかりました。これは、アメリカ研究者として意思表示をすべきではないかと話し、有志で要望書を作ることにしました。

要望書のポイントを四つだけまとめてお話をしたいと思います。一つ目のポイントは、先に述べたように、今回の動画が黒人に対するステレオタイプや偏見を強化するものであったこと。

それから二つ目に、ＮＨＫにおけるこの番組内でのデモの説明が、デモの現状を明らかに反映していなかったこと。番組内では、黒人やデモ参加者がみな「暴徒化」して、略奪を行っているかのように語られ、白人警官の暴力行為が黒人への恐怖心によるものであると説明されていました。たしかに当時、暴徒や略奪は問題になっていましたが、実際にはデモの大半が平和的な行進であったこと、黒人だけでなく、様々な参加者がいたこと、警察側の暴力も見られたことなどが、十分に伝えられていませんでした。

三つ目が、人種主義や差別に対する理解の問題です。番組の中では、「あくまで差別は心の問題だ」と説明されているのですが、ブラック・ライヴズ・マター運動が訴えていたのは、差別は「心の問題」だけではなく、制度の問題でもあることでした。

最後にＮＨＫのチェック体制をめぐる問題です。なぜ内容にも問題がある番組が放送され、ＳＮＳで拡散されてしまったのか。

そうした点を問題として、ＮＨＫの側に説明と今後の対応を求める要望書を二日間で作成して送りました。

坂下　要望書を提出したあとどうなったか。郵送したのが六月一二日金曜日の夕方でした。一四日の日曜日には、『せかいま』の冒頭で四分ぐらいかけて責任者である国際部長が謝罪を行いましたが、実はまだこの段階では要望書はＮＨＫに届いていないんです。要望書が正式に届く前に、要望書を出した先生が知人のＮＨＫ記者に「こういうものを送りましたから、ご参考までに」とメール添付で送ったものが、局内でシェアされたようです。すぐにそれに対する対応として、番組内での謝罪がありました。

後日、NHKからの回答書が文書で届きました。こちらの回答書も先ほどのURLのサイトに載っていますので、詳しい内容を知りたい方は、ぜひご覧ください。それから参考として、先月行われた「緊急リレートーク：ブラック・ライブズ・マター運動の背景と課題」という、ライブトークイベントが今、YouTubeで録画として公開されています（https://youtu.be/OBZ07SUfCBU）。この中でもNHKに要望書を送った経緯について詳しく説明されていますので、関心のある方はご覧になってみてください。

ブラック・ライヴズ・マターとは

坂下　それでは私の方から、ブラック・ライヴズ・マターについて紹介していきます。

まずはハッシュタグのついた#BlackLivesMatterについて。この言葉の生みの親は、アリシア・ガーザさん、パトリース・カラーズさん、オパール・トメティさんという三人の黒人女性です。このフレーズがSNS上で登場したのが二〇一三年の夏でした。

二〇一二年にフロリダ州で高校生のトレイヴォン・マーティンさんが自警団の男性に射殺された事件があったのですが、翌年の夏に、加害者の男性に無罪評決が出たのです。そのニュースを聞いて、ガーザさんが、SNS上で"Black Lives Matter（黒人の命は大切だ）"とつぶやきます。それを見た友人のカラーズさんがこのハッシュタグをシェアしたところ、#BlackLivesMatterが一気に拡散しました。

この #BlackLivesMatter が実際の抗議運動と初めて結び付いたのが二〇一四年です。最初のBLM（= Black Lives Matter）抗議デモが、ミズーリ州ファーガソンで起こります。このときも警察によって高校生のマイケル・ブラウンさんが射殺される事件が起きました。また同時期に同じような警官などによる黒人の殺害事件も起こっています。

彼女たちはこのファーガソンのデモにも参加し、その後ブラック・ライヴズ・マター・グローバル・ネットワーク（BLMGN）と呼ばれるグループを立ち上げました。現在このグループには約四〇の支部があります（https://blacklivesmatter.com/）。同時期に様々なBLM系団体が登場し、オンライン上で反差別のための地道な組織化を続けるとともに、オフラインでも連帯して活動していきます。

BLMGN のウェブサイトでは彼女たちのグループの歴史や立場が掲示されており、たとえば「女性・性的マイノリティなど周縁化された人々を中心に置く」ことを重視しています。ここには、過去の黒人解放運動である公民権運動やブラックパワー運動が、これまで特に異性愛者のシス男性を中心としてきたことの反省が反映されています。同じような立場で「#BlackLivesMatter はすべての Black lives を支える中で生まれた」とも言っています。これは、抗議デモなどが起こる際、黒人男性・少年が犠牲となる事件が契機となりがちだということを念頭に置いて書かれているメッセージです。さらに「global Black family の一員」と主張し、グローバルな視点も持ち合わせています。

これらのメッセージは彼女たちのサイトの「Herstory」というページに書かれています。この Herstory という言葉も大事ですね。歴史は History と言いますが、History は His と Story がくっついてできている言葉ととらえられるので、彼女たちは Herstory、つまり「彼女の物語」という単語をわざわざ使っているわけです。

ブラック・ライヴズ・マターの意味について、Herstory のページには次のように書いてあります。「ブラック・ライヴズ・マターとは、黒人の命が体系的意図的に標的にされる世界における、思想的、政治的介入の試みである。それは黒人の人々の人間性を肯定することであり、この社会への私達の貢献や命取りの抑圧に直面しても、私たちが生き延びることを断言することである」。つまり、繰り返しになりますが、「ブラック」はすべての黒人を含んでいて、「ライヴズ」の方も、命だけではなく生きること全体を指しています。

そして今回のブラック・ライヴズ・マター運動ですが、二〇一四年に起きた最初の抗議デモに比べて、規模も、参加している人たちの多様性も、期間も、全く異なります。直接のきっかけとなったのはジョージ・フロイドさんの事件ですが、事件の前後にも同じように複数の黒人が、警察暴力、あるいはそれ以外の人種暴力によって亡くなる事件が起こっています。

『ニューヨーク・タイムズ』紙の記事によると、最初の事件の翌日から二週間の間に全米二〇〇〇か所以上で抗議デモが起こったそうです。今回の抗議デモが「第二の公民権運動」と呼ばれることもありますが、公民権運動のときにキング牧師のような有名な指導者がいたのと比べると、中心的なリーダーがいないところも、今回の運動の特徴です。

規模の大きさも重要です。ほぼ全世界の様々な地域でブラック・ライヴズ・マターの抗議デモが起こっていますし、日本でも東京や大阪、京都、沖縄、名古屋などでデモが起きました。世代、性別、人種も多様な運動が長期間続いているところも、六年前とは大きく異なる点かと思います。ただ運動が訴えているメッセージは最初から同じで、制度的人種差別の撤廃です。差別の構造を変えるという訴えに対しての共感が、世界的な広がりを見せたことの一つではないかと考えられます。

そして二〇一四年とは異なるもう一つの特徴というのが、まだ一、二か月ぐらいしか経っていない時点で、すでに様々な変化が起こっている、あるいは変化の兆しが見えている点です。たとえば、アメリカのディズニー・テーマパークでは、「スプラッシュ・マウンテン」というアトラクションが、奴隷制の時代の話がモチーフになっているという理由で変更されることが発表されました。また、奴隷制時代の黒人のイメージをモチーフにした商品名・キャラクターも廃止されました。それから、南北戦争の時代に奴隷制を擁護するために戦った南軍側の英雄の銅像が倒される・撤去される動きや、南軍旗の使用を軍隊やスポーツの場面で禁止する動きもありましたし、南軍旗が入っているミシシッピ州旗のデザイン変更もすでに決まっています。さらにはアメリカの辞書の中で、“racism（レイシズム）”という単語に「制度的な差別」という意味が加わったり、アメリカの主要な新聞社が「黒人（ブラック）」を表すときに、小文字のbではなく大文字のBを使うことを決めたりしています。

また、奴隷制を擁護していた人や人種差別主義者の名前がついている建物や学校、通りの名前を変更する動きも出ています。たとえば、アラバマ州セルマにあるエドモンド・ペタス橋という人種差別主義者の名前がついた橋を、ジョン・ルイス橋に変更しようというオンライン署名が集まっています。ジョン・ルイスさんは今年（二〇二〇年）八〇歳で亡くなったアメリカの連邦下院議員で、キング牧師らと一緒に公民権運動を引っ張っていた人物です。エドモンド・ペタス橋は彼らがデモをしていた場所でした。これらの変化は、ブラック・ライヴズ・マターが訴える、制度的人種差別の撤廃というメッセージを受けての反応です。

制度的人種差別の歴史

坂下　ここからは制度的人種差別の歴史を簡単に振り返ってみたいと思います。この画像は二〇二〇年六月に発売された『ニューヨーカー』というアメリカの雑誌の表紙です。ジョージ・フロイドさんの顔と体が描かれていて、体が制度的人種差別の歴史でできているイラストです。首の方からお腹の下の方にかけて、上から下に時代が下がって行く感じですね。

まず、首から肩の辺りまで、警察暴力で最近亡くなった犠牲者の方々の顔が描かれています。そして向かって右の肩から腕には、公民権運動の時代の指導者の顔や、抗議デモの様子が描かれています。真ん中のパトカーは、「ロス暴動」と呼ばれた一九九二年の抗議デモのきっかけになった、その前年の警察による黒人男性ロドニー・キングさんの集団暴行事件の様子です。それから肘のあたりに、リンチという黒人を特にターゲットにした人種暴力に抗議する看板の絵もありますね。その横で手を挙げているのは一九二一年、人種隔離の時代に、オクラホマ州の黒人居住区が白人住民によって放火されて焼け落ち、黒人住民が暴行され多数亡くなった「タルサ人種虐殺」事件の絵になります。そしてパトカーの右下に十字架が燃えていますが、これはKKKと呼ばれる白人至上主義団体の脅迫行為を表しています。その隣の囚人服を着た男性は囚人貸し出し、あるいは当時の刑務所制度を表しています。それから右下には奴隷制時代の、鞭打ちの傷が残る男性の背中と、一番下に奴隷貿易で連れてこられた人々の絵が載っています。

結局これは下から上に見ていくと、奴隷制から囚人貸し出し制度、人種隔離制度、リンチ、警察暴力、さらにこの絵の中にはありませんが刑事司法制度と言ったような、四〇〇年続く制度的人種差別の歴史、暴力や搾取や監視や統制の歴史が描かれているわけです。それがフロイドさんの体を作っている。つまりフロイドさんの事件は、これらの歴史の結果として起こったのだということを表した絵なんです。

中でも、現在の警察や刑事司法制度と奴隷制の繋がりを知ることが大切です。たとえばアメリカの警察は、かつて奴隷制の時代に、奴隷の身分から逃れようとして逃げた人たちを捕まえていたパトロール隊が起源です。あるいは現在の刑事司法制度で、囚人となった人たちがタダ働きさせられる囚人雇用制度というのは、奴隷制廃止直後に出てきた囚人貸し出し制度に起源があります。なので、今の問題が長い歴史の中で連続している点に、注意を払うことが重要になるかと思います。

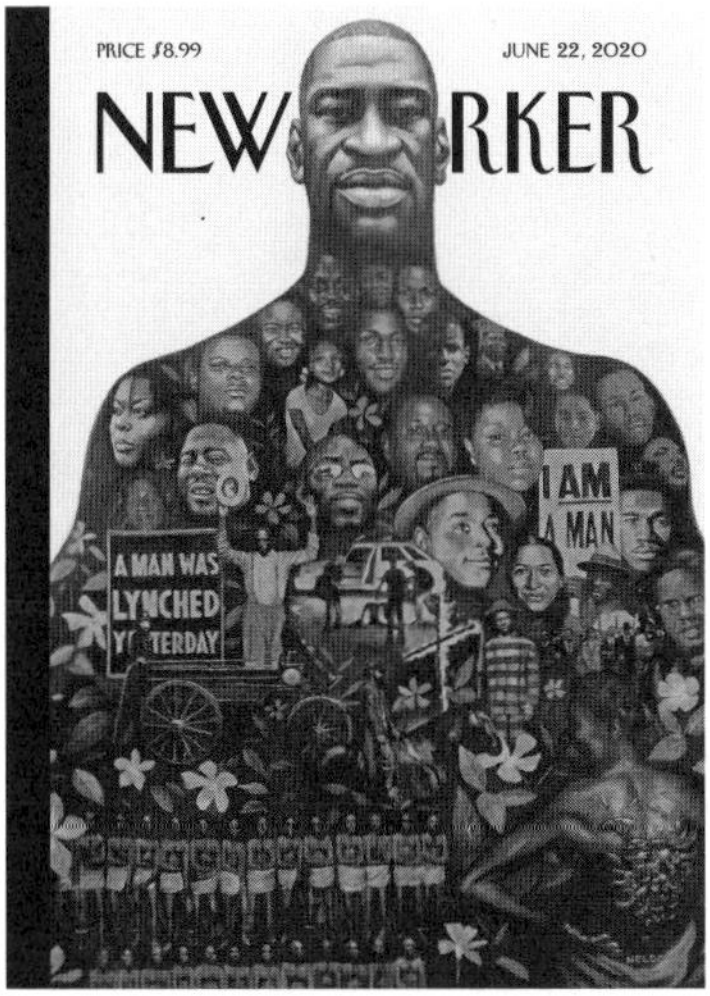

『ニューヨーカー』2020年6月22日号

ステレオタイプの変遷と制度的人種差別の関係

坂下　最後に、この制度的人種差別とステレオタイプの関係を見ておきたいと思います。一言で言うと、奴隷制の時代にできたステレオタイプが今も続いているのです。

奴隷制の時代には黒人に対する、動物的、筋肉ムキムキ、精力絶倫、淫ら――といったステレオタイプがありました。これは黒人男女が重労働や出産に向いていることをアピールするために作られたものです。特に一八〇八年に奴隷貿易が禁止されて労働力を外から連れて来られなくなると、白人農園主は国内で労働力を増やすため、力仕事に向いている体格の良い男性に、複数の黒人女性と性的関係を持つことを強要したり、あるいは白人農園主自身が黒人女性をレイプして子供を産ませたりしました。後に第三代大統領となるトマス・ジェファソンも、アメリカという国ができてすぐに「黒人は白人より劣るので解放は難しい」と書いていますが、これは彼自身が奴隷を多く所有する大農園主だったので、奴隷制を維持するステレオタイプを使って、労働搾取を正当化したと考えられます。

一八三〇年代には、今度は「従順な奴隷」像が登場します。当時は北部で奴隷制廃止の動きが盛んになっていたため、奴隷制を擁護するような主従関係を美化するステレオタイプが作られていきます。白人男性の芸人が顔を黒く塗って歌い踊るミンストレル・ショーという大衆芸能では、奴隷制時代の南部社会を舞台とした寸劇が多く作られ、怠け者で陽気で子どもっぽい黒人キャラクターがたくさん登場して、主人の下で幸せに暮らす様子が、コメディのように演じられました。これも奴隷制を擁護するための文化的な装置です。日本のテレビ番組でも時々登場するブラックフェイスが問題なのは、そのルーツが奴隷制を維持・強化したステレオタイプに端を発しているからです。

人種隔離とリンチの時代になると、今度は犯罪者・脅威としての黒人像が登場してきます。これは、奴隷制が廃止されて政治的・経済的・社会的に進出し始めた黒人が、白人社会にとって脅威と映ったからです。当時の新聞には、黒人男性がレイプ犯の性犯罪者として処刑される記事が多数載っています。たとえばテネシー州メンフィスで三人の黒人男性が殺されたときの記事も、このレイプ犯のイメージが強調されてリンチが正当化されました。しかし実際には彼らは性犯罪を犯しておらず、白人の商店とライバル関係にあった商店の経営者だったとわかっています。つまり、性犯罪者というステレオタイプは、奴隷制廃止後に経済的に進出してくる黒人を抑えつけて、白人優位の社会を維持強化するために作られたものだったんですね。その後の大量収監の時代にも、犯罪者・脅威のステレオタイプが作られ続けていて、黒人の不当逮捕を正当化し、刑務所で囚人を働かせるシステムを支え続けています。

このように、今も私たちが目にする黒人のステレオタイプは、四〇〇年にわたる制度的な人種差別を正当化して、その仕組みを支え続けてきた大きな要因です。なのでブラックフェイスや（黒人のステレオタイプを反映した）アニメ動画を、やっぱり問題視しないといけないのです。

差別と人種主義

南川　私からはブラック・ライヴズ・マター運動が「差別」という問題をどのように考えているのか、その上で私たち自身の問題として、どのように受け止めたらいいのかをお話しします。

まず、「差別」という言葉について見てみましょう。日本語の辞書『広辞苑』で調べてみると、「差をつけて取りあつかうこと。わけへだて。正当な理由なく劣ったものとして不当に扱うこと」という意味があり、さらに用例として、「差別意識」という使い方があります。この定義をふまえると「差別」を構成するのは、不当に扱うという「行為」の問題と、「劣ったもの」と見なすような「意識」の問題があります。

一方で、今回のブラック・ライヴズ・マター運動の主張を見てみると、「差別（discrimination）」よりも、「レイシズム（racism）」という言葉が頻繁に使用されているように思います。多くのメディアは、「racism」を「人種差別」と訳し、先ほど挙げた「差別」という言葉と明確な区別していないことが多いように思います。しかし、今日の講演では、日本語における「差別」の問題と区別をして、「人種主義」と訳して使いたいと思います。では、ブラック・ライヴズ・マター運動にとって、「人種主義」とは何なのでしょうか。

人種主義という言葉にとって重要なのは、先ほど挙げたような行為・意識だけではなく、肌の色などの身体的な特徴の違いにもとづいた不平等が組み込まれた「社会のあり方」を指しているという点です。

この人種主義という「社会のあり方」を作っているものとして、今日は四つを紹介したいと思います。

まず一つめが、偏見やステレオタイプです。黒人に対する偏見やステレオタイプは、人種間の不平等を正当化するためにも使われてきました。

二つめが、排除・隔離です。公民権運動以前に存在してきた人種隔離制度や南アフリカで行われてきたアパルトヘイトなどが含まれます。これは、法や慣習にもとづいて特定の人種的背景を共有する人たちを排除したり、その自由を制限したりするものです。

三つめが、ヘイトスピーチ、暴力、大量虐殺（ジェノサイド）です。これは、相手への人種的背景に対する敵意や憎悪にもとづいて行われる言葉による攻撃、物理的・身体的な攻撃を指します。

以上の三つの人種主義は、一般的な「人種差別」の文脈で語られることが多く、いずれも深刻な問題であることは言うまでもありません。しかし、今回のブラック・ライヴズ・マター運動は、上記のわかりやすい人種差別だけでなく、四つめにあたる制度的人種主義（institutional racism）を問題視しています。これは、構造的人種主義（structural racism）、体系的人種主義（systemic racism）とも表現されています。一から三は、目に見える、明示的な人種差別ですが、制度的人種主義はそれとは違い、差別的な言動が見られなくても、人種間の格差や不平等を支えるような仕組みを指しています。

今日は、制度的人種主義とは何なのかを考えてみましょう。

まず制度的人種主義という言葉は、一九六〇年代のアメリカで登場した言葉です。公民権運動の成果の一つとして、一九六四年に公民権法が成立して、法律上の差別が禁止されました。ところが、公民権運動が成立した後も、黒人をはじめとするマイノリティが格差、貧困、差別に苦しんでいる現実が続いていました。そのような中、「ブラックパワー（Black power）」と呼ばれる有名なスローガンが登場します。ブラックパワー運動のリーダーだったストークリー・カーマイケルは、既存の人種統合を目指す運動を批判し、黒人コミュニティの自立と尊厳の獲得を訴えました。カーマイケルが、政治学者のチャールズ・ハミルトンと共同で書いた『ブラック・パワー』（長田衛編訳、合同出版）という本があります。この本の中でこの制度的人種主義という言葉が使われました。

『ブラック・パワー』という本の中で、カーマイケルとハミルトンは、白人テロリストが黒人教会を爆破して五人の子どもが亡くなった事件を挙げ、これを、個人による人種主義と説明しています。もちろん、多くの人は、とんでもないことだと思うでしょう。しかし、カーマイケルらは、同じアラバマ州バーミンガムで、毎年五〇〇人の黒人の赤ちゃんが、適切な食事やシェルターや医療施設の欠如によって命を落としており、数千の黒人が貧困や差別によって身体的、精神的、知的に傷つけられている状況があると述べます。はっきりとした原因や加害者が見えるわけではないけれども、五人よりもはるかに多くの人たちが命を落とし、苦しんでいる。カーマイケルらは、これを「制度的人種主義」の問題であると主張します。

ここでカーマイケルとハミルトンが、「五」や「五〇〇」といった「数字」を挙げていること、そして「制度」というキーワードを用いていることを覚えておいて下さい。

数字で見るアメリカの格差

南川　実際、アメリカにおける人種をめぐる格差の問題は、様々な「数字」で見ることができます。最初に、所得（実質世帯所得の中間値）について考えてみましょう。二〇一八年のデータによれば、白人の世帯年収の中間値が七万ドル、（講演時のレートで）七五〇万円ぐらいです。一方で黒人の場合は、四万一〇〇〇ドル、四四〇万円ぐらい。現代においても、白人と黒人の間の所得の格差が三〇〇万円以上ある。そして、この差は、一九六〇年代からほとんど変わっていません。半世紀にわたって、人種間の所得格差がずっと維持されてきたことがわかります。

続いて教育についてはどうでしょうか。白人、黒人、ヒスパニックの各グループにおいて、一九七一年から二〇一七年にかけて大学を卒業する人たちの割合は高くなっています。しかし、二〇一七年の大学卒業者の割合を見てみると、白人の場合は四二パーセントであるのに対して、黒人の場合は二二パーセントにとどまっています。ここでも、状況は良くなっても格差は依然として残っていることがわかります。

次は、居住です。たとえば、ニューヨーク市の各地区に、どのような人種の人びとが住んでいるかを見てみると、地域ごとに状況が明らかに違います。白人が住んでいる地域の多くは、マンハッタンの高級住宅街やブルックリンの再開発が進む地区です。一方で、黒人は、ハーレム地区やブルックリンのブラウンズヴィル地区やイースト・フラットブッシュ地区など「治安が悪い」とされたり、医療や教育施設が不十分とされたりする地域に集中しています。このような居住上の隔離は、現在でも継続しています。

では、刑務所に入っている収監者の割合を見てみましょう。二〇一八年の司法省統計によれば、白人の場合、人口一〇万人あたり二六八人が収監されているのに対して、黒人の場合は一五〇一人と、その収監率は約五倍以上です。収監者の人口における人種別の割合を見てみると、収監者全体の三三パーセントは黒人、白人がだいたい三割ですが、アメリカ全人口でみれば、黒人は一二パーセント、白人は六三パーセントですから、人口全体における人種別の割合と、刑務所における人種別の割合に明らかに違いがあるわけです。

最後に、新型コロナウイルスによる感染状況も、人種別の傾向が見てとれます。疾病予防対策センター（CDC）の統計によれば、二〇二〇年六月の段階で、白人一〇万人あたりの入院患者は四〇人であるのに対し、黒人の場合は一七八人です。黒人は白人の四・五倍ぐらいのリスクがあるとわかります。

なぜ格差が維持されるのか

南川　なぜこのような状況が続いているのでしょうか。公民権法によって人種差別は禁止されたはずなのに、人種間の格差が続いていることをどうやったら説明できるのでしょうか。そこで必要なのが、制度的人種主義という考え方です。

差別が続く要因、不平等が続く要因というのは、二つ挙げられます。一つは、先ほどの（人種主義の四つの要素の）一から三で挙げたような、法律上の差別、意識的な差別、そしてステレオタイプなど、あからさまな人種差別です。人種にもとづいて、雇用や昇進を見送られたり、不動産の取引を断られたりする状況があります。公民権法は、このようなあからさまな差別を違法としましたが、それでも日常的に、差別的な扱いは存在しています。

それから、黒人を潜在的な「犯罪者」や「脅威」と見なすステレオタイプは、警察による暴力や大量を収監が導くもので、たいへん深刻な問題です。

しかしそれだけではなく、実は別の不平等を作るメカニズムとして注目されているのが制度的人種主義です。例えば、居住環境や教育環境は、その人が住んでいる地域の納税額にもとづく予算の配分によって決まります。要するにたくさん税金を納めている地域にはいい学校ができて、住環境もきれいに整備されますが、そうではない地域は逆の状況になります。

そして大学進学のためには、共通試験で高いスコアを取る必要があります。ところが、もともと充実した教育環境で育ってきた白人の子どもと、勉強に集中しにくい環境で育ったマイノリティの子どもの間では、やはり試験のスコアに差が出てしまいます。それは、大学の進学率の格差につながっています。

安定して高い所得の仕事をえるためには、高い学歴と職業経験が必要です。そのため、大学の進学率の差が、人種間の雇用格差を生み出してしまいます。さらに、給料や仕事の安定性は、家を借りるための審査や住居を購入するためのローン審査に影響します。さらに警察は、犯罪が多発する地区を重点的に捜査するので、そのような地域に住む人びとが逮捕される確率、収監率が高くなります。

以上のような進学、雇用、居住、警察捜査の基準のそれぞれは、合理的なものだと多くの人は思うでしょう。しかし、その合理的な選択が連鎖し、その結果が蓄積することで、不利な立場にいたマイノリティの状況はますます不利になり、人種間の不平等が維持されてしまいます。このように、個々の判断には差別的な意図がなくても、人種的不平等を維持させたり、悪化させたりするメカニズムのことを、制度的人種主義といいます。

「反差別」と「見えない差別」

南川　最後に、ブラック・ライヴズ・マターの運動から考える「反差別」について、考えてみましょう。差別は「心の問題」だけではなく、「歴史」や「制度」の問題として存在してきました。歴史のなかで不平等という条件がどのように作られたのか、中立で合理的にみえる制度が、どのようにマイノリティを排除するように機能してきたのか、私たちは考える必要があります。

今お話ししたのは、実は人種だけの問題ではありません。制度の中で常に不利に置かれてしまう人として、女性、貧困層、障害者なども挙げられます。ブラック・ライヴズ・マターの声は、現在の社会構造のもとで不利な状況に追い込まれ、犠牲になっている人たちがいる、そのことに気づきなさいと呼びかけています。「ブラック」とは、差別の歴史を背負っている「黒人」を指すのと同時に、社会構造のもとで犠牲になっている人たちを含む表現です。ブラック・ライヴズ・マターのメッセージは、様々な不平等の構造を変革する運動として考えられます。

今回のブラック・ライヴズ・マター運動の中で非常に印象的だったのが、「「差別的ではない」ことよりも、「反差別」であることが重要だ」というメッセージです。制度のメカニズムから考えれば、「差別的ではない」だけでは、今の構造を変えるには不十分です。必要なのは、差別的な状況を変えるために考え、行動する「反差別」ということになります。

ここまで議論してきたように、差別にも「目に見える」わかりやすい差別と、社会の構造の中に深く入り込んだ「見えない差別」があります。「見えない差別」を浮かび上がらせるためのヒントになるのが、「数字」です。差別的な意図がなくても、あきらかに不平等な状況が「数字」として表れたとき、それを作り出す過程は、「歴史」や「制度」に着目しないと見えてきません。「数字」は、今の社会の中で苦しんでいる人たちの姿が見えるようにするレンズなのです。

「数字値」から見える制度の問題を考える例として、大学教員の男女比に目を向けてみましょう。二〇二〇年四月の段階で、立命館大学の教員は全体で一四一六人いるんですが、そのうち女性は三二人で二三・五パーセントです。教授に絞ると、六五五名中、女性は一一八名で一八・〇パーセントなんです。この数字をどう思いますか。人口比では一対一と考えられる男女比をもとにすれば、この結果には、なんらかの社会的な力が働いていると言えます。この社会的な力には、大学進学・大学院進学における男女格差、結婚や出産などのライフコースが研究者としてのキャリアに与えるジェンダー的な相違、そして研究者コミュニティにおける女性研究者に対する偏見やステレオタイプなどが含まれると考えられます。このような身の回りにある「当たり前だと思ってたけど、よく考えると変では？」という「数字」に目を向けて、その背景にどんな「歴史」があり、そして今どういう「制度」がこの「数字」を作り出しているのか、そこに注目をすることで、目に見えない社会の働きが見えてくる場合があると思います。

モデル・マイノリティ／抗議デモの暴力

南川 それではここで、質疑応答に移りたいと思います。アジア系アメリカ人に関する質問が二件ありました。

Q

コロナ禍の中でアジア系に対する差別問題になっているが、なぜアジア人差別に対する抗議はブラック・ライヴズ・マターのような大きな運動にならないのでしょうか？

Q

黒人がアジア人に対して差別しているというようなこともよく伝えられていますが、それはどう考えたらいいんでしょうか？

南川 まずアジア人差別に対する抗議も、ブラック・ライヴズ・マター運動の一部と言えます。ブラック・ライヴズ・マターの抗議運動には、たくさんのアジア系の人びとが参加しています。彼らは、黒人差別に対する異議の声を上げると同時に、アジア人に対する差別に対しても、抗議の声を上げています。つまり、アジア系差別への抗議とブラック・ライヴズ・マター運動とを分けなくてもいいのではないかというのが一つの答えです。

その上で、黒人によるアジア人に対する差別は、歴史と制度から考えていく必要があると思います。

所得でいうと、白人よりもアジア系の方が高く、アジア系は経済的に最も「成功」した集団であるといえます。そのため、アジア系は、しばしば「モデル・マイノリティ」、すなわち模範的なマイノリティと呼ばれます。ただ、この「モデル・マイノリティ」という考え方は、白人、黒人、アジア系が絡まり合うアメリカの人種関係のなかで、独自の機能を持っています。白人側がアジア系の成功を持ち上げ、「アジア系は差別を克服して、こんな成功しているのに、黒人にはなぜできないのか」と、黒人を非難する材料に用いることがあります。そうすると、黒人側もアジア系に対してあまり良いイメージを持たない。アジア系と黒人に対立関係があるとすれば、それは、白人を中心とするアメリカ社会の人種関係の歴史の中で作られたものです。

もう一つ重要なのは、「モデル・マイノリティ」のイメージ自体が、アジア系の中にある差別と格差を覆い隠しているということです。

アメリカの移民政策に、高い学歴や高度な技能やお金をたくさん持っている人たちを優先的に受け入れる枠組みがあり、現在アメリカに移住するアジア系の多くは、その枠組みで移住しています。だから、実は成功しているアジア系の中には、もともと非常に恵まれた状況にあった人たちが多く含まれています。一方で、アジア系の中でも、難民として移住した人びとなど、現在も貧困に苦しむ人たちがたくさんいます。このアジア系の格差を覆い隠す言葉として、「モデル・マイノリティ」という言葉が使われています。

黒人とアジア系の対立は、単なる二集団のあいだの問題だけでなく、複雑な人種関係の中で考えていかなくてはいけません。そしてこの構造によって有利な立場を維持しているのは誰なのかも、考えてもらいたいと思います。

Q 抗議デモにおける暴力をどう考えるか。銅像の撤去や破壊はやりすぎでは？

坂下 抗議デモにおける暴力について、デモ開始当初は、多数のメディアが問題のある報道をしていました。略奪とか暴動と見られるようなシーンを強調し、抗議デモがあたかも暴力的なものであるかのように報道していたわけですね。これは抗議デモの参加者が暴力を振るったわけではなくて、略奪をけしかけるような反ＢＬＭのグループがあったんだということも、今では一部報道で出ているかと思います。

それから、銅像の撤去がやりすぎかどうかについては、そのことを判断する前に、今までに当たり前に存在していた、これらの銅像や旗、建物の名前、商品のロゴ、テーマパークのアトラクションが、そもそも誰目線の歴史だったのかを、考えてほしいです。それらはすべて奴隷制の時代の制度的な人種差別、あるいはその後の時代の人種隔離制度の中で作られたイメージやステレオタイプが影響しているものです。そういう制度を維持強化してきた人ばかりが歴史上の英雄として銅像になったり、建物の名前として残っていたりすると考えると、ちょっと見え方が変わるのではないでしょうか。

要望書を一緒に提出した東大の矢口祐人先生は、銅像の問題に関して「景観の中に差別の力学が染み込んでいる」と言っています。不平等な扱いを受けていない人にとってみたら何とも思わないものが、黒人にとっては苦痛以外の何物でもないわけです。歩いていたら橋に人種差別主義者の名前がついているし、自分たちをあざ笑うかのようなステレオタイプがキャラクターとして商品になっているし、ディズニーランドには奴隷制時代がモチーフのアトラクションがある。暮らし全般で苦しい経験をしている人たちがいるということを踏まえてから、像の撤去や名前の変更が必要かどうかを考えるのが大事だと思います。

Q

今回のブラック・ライヴズ・マターの運動から、国内、国外の人種差別をどう是正するかということについて、どんなことができるか。

南川　制度的人種差別への対策として挙げられるのは、一九六〇年代に制度的人種主義が問題になったときに行われた、アファーマティブ・アクションと言われる政策です。アファーマティブ・アクションとは、雇用や入試などの機会に際して、一般的な基準に加えて、人種も考慮するような取り組みを指します。これまで不利な状況に置かれてきた人たちについて、その背景も考慮しながら最終的な判断をしていこうという動きが、アメリカの様々な企業や大学で行われるようになりました。しかし、アメリカでもアファーマティブ・アクションに対する反発があって、結局なかなかうまく機能しないまま、現在に至っています。ただ、今回また新たに制度的人種主義の問題に焦点が当てられることによって、人種をめぐる政策のあり方も見なおされる可能性はあるでしょう。

それからもう一つ、そういう制度を変えるためのアプローチと同時に、みなが今当たり前だと思っているような状況を変えることが必要です。現在、私たちの身のまわりに見られる「数字」から、本当に公平といえるのかどうかを疑って考え、問い直す。そういう視点が必要になるのではないかと思います。

「反差別」と大学で学ぶこと

Q 差別をなくすことはできるのでしょうか？　差別をなくすためにできることは何でしょうか？

坂下　これはやっぱり自分で考えてほしいと言いたいですね。たとえば、今回の講座で新しく知ったこともあると思うんです。新たな知識や視点をインプットしてもう一回、この事前にいただいた質問をご自身で考えてもらえたらいいなと思います。

南川 私は差別がない状態ってどういう状態なんだろうっていうことを考えてもらいたいです。例えばよく「日本は差別がない社会だよね」という話を耳にすることがありますが、それは本当にそうなのか考えてもらいたいし、実際には全くそうではないと思います。では、なぜ、一部の人たちは日本に「差別がない」と言うのかというと、差別が見えにくいからではないかと思います。

例えばアメリカには、先ほど挙げたような（人種グループ別の）格差の公式な統計（数字）がありますが、日本にはこうした統計がありません。だからマイノリティが所得や教育の面で苦しい生活を強いられていても、それを社会の構造的な問題として正確に把握することが難しい。むしろ、それを「日本社会側の問題ではなくて、能力や努力が足りないからではないか」と解釈されてしまうことすらあります。だから日本でも、制度的な差別の現状を可視化する必要があると思います。目に見えないということは、存在しないことを意味しているわけではありません。見えないものを見えるようにする努力をすることから始めるべきではないかと思います。

Q 今日本で問題になっているヘイトスピーチ、それによる被害を考えずにして、「反差別」でないことは考えられないのでは？

Q 「反差別」っていうのはどの程度の「反差別」が必要なのでしょうか？

南川 前者の質問は、ヘイトスピーチが日本の人種主義の大問題であって、それにブラック・ライヴズ・マターを通して、どのようなアプローチができるのか。そんな質問ですね。

坂下　世界中でブラック・ライヴズ・マターの抗議運動が大きな広がりを見せたのは、もちろんそれぞれの国の人たちがアメリカの運動との連帯、協力を表明した部分はあるんですけれども、それに加えて、それぞれの国の制度的な差別にも目を向けていたからだと言えます。

銅像撤去の話で言えば、他のヨーロッパの国々でも、奴隷貿易に関わった人の銅像が川に落とされたりしているんですね。自分たちの国の歴史の中で、制度的差別をどう撤廃するかを考えるような、そういう広がりを、今回の運動は持っています。なので、日本でも抗議デモが起きたように、ブラック・ライヴズ・マターのメッセージを受け止めて、日本の制度的差別を考えていく動きはできているんじゃないでしょうか。

南川　ヘイトスピーチを考えずに「反差別」ではありえないのではないかというのは、まさにその通りだと思います。ヘイトスピーチを含む明らかに人種主義的、差別的な言動に対抗していくことは当然必要です。ただ一方で、今のブラック・ライヴズ・マターが問題にしているのは、ヘイトスピーチという言動だけでなく、その背景にあるもっと大きな社会の仕組みの部分にも、特定の人たちを不利な状況に追い込む構造が存在しているということでした。

「反差別」には、前者のような差別的言動に対する「反差別」は当然含むものとしつつ、後者のようなものを問題と考え、それを変えるためにアプローチする社会の動かし方を考えた方がいいのではないか、ということです。

また「「反差別」とはどの程度の「反差別」が必要か」という質問もいただいています。差別（レイシズム）が特定の人たちを不利な状況に追い込んでいく社会の仕組みであるとすれば、その仕組みに抵抗しようとする動き全てを「反差別」と呼ぶことができます。それは政策や政治的な運動を通して達成されるものであると同時に、差別を支えている思想を、根底から問うて社会の基盤を揺るがす営みを含むのです。

Q BLMや反差別の観点から、大学で学ぶことをどのように考えたらいいでしょうか？

坂下 今日の話は、ブラック・ライヴズ・マターの一連の問題を皆さんに理解してもらうために、私の方は歴史研究、南川先生は社会学の専門の立場から、それぞれ説明しました。なので、皆さんはそれぞれの学問分野を少しずつ、つまみ食いした感じだと思います。

大学で学ぶことの一番の醍醐味は、答えの出ない問題をずっとモヤモヤ考え続けて、ずっと考えて考えて、でも結局答えが出なかった、という経験をすることだと、私は思っています。それはいつ解けるかわからない暗号を解読する作業に似ています。大学ではいろんな専門を教えている先生方がいらっしゃるので、様々な授業を受ける中で、少しずつ暗号が解けていくはずです。たとえ最終的に解けなくても、時間をかけて悩んだり考えたりするプロセス自体が、知を深めていくための大事なポイントだと思います。なので今回のブラック・ライヴズ・マターについては、今日説明した内容以外の側面を、皆さんがそれぞれに学んで足していって、全体像をつかんでいってもらえると嬉しいです。

南川　私からは「反差別」という観点から大学で学ぶことについてお話しします。「反差別」のために何をすればいいのか、絶対的な正解は、おそらくわかりません。古今東西の歴史の中でも、「反差別」についてはいろんな人たちがいろんな取り組みをしてきている。ですから、まずは、様々な取り組みについて、先人たちがこの問題についてどのように考えてきたのか、学ぶ機会を持つことが大事なのではないでしょうか。

「反差別」については、特定の学問だけが対応しているものではありません。あらゆる学問に関わる人たちがチャレンジしなくてはならない、大げさかもしれませんが、人類社会の課題です。

今日、「反差別」を考える上で「数字」「制度」「歴史」が大事だと話しましたが、例えばこの「数字」は、より精度が高い計算を導く方法を考えなくてはいけません。「制度」の問題であれば、人間社会の中でどう機能していくのかを考えていかなければいけないし、「歴史」の視点で言えば、今あるこの状況がどう作られてきたかを考えないと、何も見えてこないのです。

当然一人の人間がこれらの課題全部に対応することができるわけではなく、それぞれの学問分野の中で緻密な議論を重ね、お互いに新しい視点を提供し続ける作業が必要になります。だから「反差別」とは、物事をとらえ、考えるときの立脚点であり、教養教育の一つの柱となるべき課題です。

今日これを聞いていただいている方が、これから大学などで自分の専門を勉強することと思います。それぞれの分野で、この社会がどういう仕組みなのか、どういう問題があるのかを考え、それぞれの専門の視点から考えてほしいと思います。皆さんがこれから何年かの間で、どんなことを考え、なにを成し遂げるのか、楽しみにしています。

（構成：高島鈴）

※本章は立命館大学教養養育センターが二〇二〇年七月二四日に開催した「SERIESリベラルアーツ：自由に生きるための知性とはなにか［Session 01］差別ってなんだろう？——#BlackLivesMatterを通して考える」（ゲスト：坂下史子、南川文里）を再構成したものです。

？ もっと考えてみよう

1 日本社会におけるレイシズム（人種主義）にはどのようなものがあるだろうか。

2 日本社会における制度的人種主義の具体例を挙げてみよう。

3「差別がない」社会とは、どのような社会といえるだろうか。その条件を挙げてみよう。

4 日本で「反差別」の取り組みとして、どのようなことが行われてきただろうか。

5「反差別」のために今後、どのような取り組みが必要だろうか。

⬅イベントの模様を動画で観る
https://youtu.be/TUnY1wjcFsY

トークセッション
PART1
社会を生きる

02

なぜ人はあいまいさを嫌うのか

――コントロールしたい欲望を解き放つ

私たちが抱く「あいまいで不確実なことは嫌だ」「可能な限りコントロールしたい」といった気持ちはどこからやってくるのでしょうか。逆に、「不確実であること／あいまいであること」と付き合っていく方法はあるのでしょうか。

登壇者

小川さやか（おがわ・さやか）

立命館大学先端総合学術研究科教授。専門は文化人類学。研究テーマは、タンザニアの商人たちのユニークな商慣行や商売の実践。主な著書に『都市を生きぬくための狡知——タンザニアの零細商人マチンガの民族誌』（世界思想社、2011年）、『チョンキンマンションのボスは知っている——アングラ経済の人類学』（春秋社、2019年）など。

美馬達哉（みま・たつや）

立命館大学先端総合学術研究科教授／脳神経内科医師。脳神経内科の臨床と同時に、社会学の手法で、医療や生に関わる人文学的研究を行う。近年は救急現場での患者選別（トリアージ）を調べている。著書に、『生を治める術としての近代医療——フーコー『監獄の誕生』を読み直す』（現代書館、2015年）、『感染症社会——アフターコロナの生政治』（人文書院、2020年）など。

2020年10月18日開催

あいまいさを飼い慣らす・好む・利用する

美馬　今回のテーマは「なぜ人はあいまいさを嫌うのか」です。私の方では「あいまいさを飼い慣らす・好む・利用する」という視点から考えていきたいと思います。

最初に自己紹介をすると、私は脳神経内科という認知症やパーキンソン病という病気の臨床と並行して、社会学を研究しています。神経内科は脳の病気を調べる医学分野。その関係で、脳の中では、リスクや確率をどう計算しているかを研究したこともありました。いまは、社会学の見方でリスク社会の研究をしています。

あいまいさをコントロールする、減らすということは人間にとって、あるいは学問にとって非常に大事なことです。例えば、アリストテレスは『形而上学』という学問に関する基本的な考え方を記した本の中で、「偶然的な物事に関しては学問は存在しない。あいまいなものはそもそも学問ではない」というようなことを言っています。この考えは近代までつながっていて、『プロテスタンティズムの倫理と資本主義の精神』を書いた社会学者、マックス・ヴェーバーは「未来に起こることを計算し、予測・管理してきたのが近代社会である」ということを言っています。

こういう議論を見てみると、結局、「あいまいさは敵だ」「コントロールしないといけないんだ」という考えが、私たちが生きる社会の価値観として、西洋では古くからあることが分かります。

さて、そもそも「あいまいさ」とは何でしょうか。理解を進めるために、「確率」と「ばらつき」

という概念を導入してみます。

確率とばらつきの違いは、台風の進路予想で考えると分かりやすいです。台風が日本列島に進んでいる時に、「台風は必ず来る」とすれば、その確率は一〇〇パーセントですね。しかし、「どこに来るか」にはばらつきがある。それを表すのが予報円です。つまり、確率とばらつきは、あいまいさの別々の面をあらわしています。ですから、確率が計算できても、それだけでは、あいまいさは消え去らないのです。

台風に限らず、「いろいろなあいまいさを計算して支配しましょう」ということが、近代・現代の合理性の思想です。しかし、台風のような気象現象はまだ計算できますが、新型コロナウイルスのパンデミックは果たして計算して予測できたでしょうか。できなかったから困っているわけですね。あるいは一〇年前、東京電力の原発事故が予測できたかというと、「地震で全部の電源がなくなることは想定しなかった」「津波も一緒に来るとは」とか、なかなか予測ができませんでした。経済についても、グローバリゼーションによって経済的な結びつきの範囲が大きくなったことで、いろいろな場所でのできごとが相互に影響し、予測が難しくなりました。そうなると、予測ができたとしても、確実とはいえず、何が正しい予測かという議論にも決着はつきません。ゲノム編集された家畜や作物もそうですね。ゲノムを変えることで何が起きるかは、実は完全には分からないわけです。

つまり、科学の進歩で計算可能なものは増えているけれども、実は、私たちに一番影響を与える事柄はなかなか計算できていないのです。最近よく耳にする言葉に「人新世」という言葉がありますね。人間がつくったものとか二酸化炭素のような廃棄物、つまり人間の技術が地球の気候や生態系に影響を与える時代を指した言葉です。私は、予測の困難さの根っこには、自然を支配するための人間の技術の影響が、地球環境を通じて人間自身に戻ってきている「人新世」の性質があると考えています。例えば、原発は自分たちでつくったものですが、コントロールできなくなっています。あるいは、グローバリゼーションは経済的なつながりでみんなを豊かにするためのものだったけれども、いろいろな弊害が出てきています。対象の外から何かを観察し、計算することはできるのですが、人間が何かをして、その影響が自分に戻ってくる再帰性のことになると、簡単には計算ができません。そもそも、こういうブーメランのような性質のループは原理的に計算できないかもしれない、とも考えられています。

このことについては、ドイツの社会学者であるウルリッヒ・ベックが一九八〇年代、科学技術の意図せざる結果、要するに、科学技術が思い通りに働かない、あるいは失敗した時に予想外の影響が出てしまう社会のことを「リスク社会」という言葉で表しました。リスクをどう分配するか、あるいはどうコントロールするかを問題化する必要のある時代になった、という見立てです。東日本大震災と原発事故を経験した二一世紀の日本では、肌感覚としてもリスク社会という言葉はリアルですね。

合理的に有用な「財」を生産し、分配するという社会から、リスクのように、あいまいでコントロールできないものがたくさんあり、それを誰がどう見抜き、どう分配するのかという点が重視される社会に変わりつつある。これが今日のテーマである「あいまいさ」とつながってきます。

ここまでの話だと、みなさんは、あいまいさやリスクは良くないものと思ってしまうかもしれません。が、「本当にそうだろうか」と疑ってみることが学問の始まりです。あいまいさは本当に嫌われてるのか。もし嫌われているとしても、嫌われているからこそ大事なのではないか、という視点です。日常常識を疑うそういう問いが、大学院での研究のタネになります。アルジュン・アパドゥライ『不確実性の人類学――デリバティブの論理に抗する分人主義』（中川理、中空萌訳、以文社）のように、不確実性を人類学的に研究することも行われています。

ここでちょっと、あいまいさに関するクイズです。一〇〇万円をもらえる宝くじがあるとして、その当選確率が変わることになりました。選択肢は四つ。「どう変わるのが一番うれしいか」を考えてみてください。

①は「〇パーセントが五パーセントに上がる」。誰も当選しなかったのが、二〇人に一人ぐらいの確率で当たるようになる。②は「五パーセントが一〇パーセントに上がる」。確率は二倍です。③は「五〇パーセントだったものが五五パーセントになる」。五分五分よりちょっと勝率が上がります。④が「九五パーセントから一〇〇パーセントになる」。ほとんどの人がもらってるのに自分だけもらえない、ということがなくなって、全員がもらえるようになる。どれが一番うれしいですか？

さて、みなさんの投票結果を見ていきましょう。数学的な種明かしをすると、一〇〇万円当たる確率は、全ての選択肢で五パーセント上昇しますから、期待値が五万円上がるという点では同じです。しかし、投票結果にはばらつきがありますね。①「〇から五に上がる」が二割、④「九五から一〇〇に上がる」が六割、②と③は一割から一割五分ぐらいですね。

実はこのクイズは、ノーベル経済学賞を取った行動経済学という新しい学問分野の研究成果の一つです。四つの選択肢の中でも①と④は特別です。①には「可能性効果」という難しい言葉が付いていて、「確実なゼロ」が「あいまいに一〇〇万円」になる。これは好かれる傾向があります。一方、④は「確実性効果」と言って「あいまいな一〇〇万円」が「確実な一〇〇万円」になる。こちらも票が集まりやすい。つまり、確実な〇からちょっとでも確率が上がるあいまいさの場合は好まれ、あいまいなものが確実になることの場合もまた好まれるわけです。あいまいさが好まれるか、嫌われるかは不変ではなく、状況によって大きく変わるのです。

実は、これは人間だけではありません。ハトもあいまいさを好むという実験も紹介しましょう。ハトがつつくと餌が出てくる仕掛けの箱を用意します。ただし、餌が出る確率はさまざまです。箱を一〇回つついたら、一回ぐらいもらえたり、二回に一回もらえたり、毎回もらえたりなど、餌の出る確率を変えてみます。実験結果を見てみると、実は、毎回餌がもらえる時はあまりつつかなくなる。反対に、一〇パーセントの確率でも回数は大きく減りました。一番つつくのは、七割ぐらい出るときでした。つまり、擬人化していうと、毎回餌をもらえるような確実な状況だとやる気を失って、あいまいなものだとちょっとやる気が出て、確率があまりに低いと心が折れてやめてしまう、ということですね。

これと同じ仕組みを使ってるのがTwitterやInstagramの「いいね」機能だと言われています。「いいね」は、確実にはもらえないから価値がある。あいまいな確率で「いいね」をもらっていくと、どんどん中毒的になってしまうという仕組みです。実は人間もハトも同じで、報酬をもらえる確率がそこそこに高いと延々とやってしまうのです。ゲームや推理小説で好まれるスリルやサスペンスも「あいまいさ」ですね。ただし、それも最後にはコントロールされる、ということが大事で、ハトだって、結局は餌が出るからつつき続けるわけです。人間でも動物でも、あいまいさの方がときには魅力的ということをわかってもらえましたか。

さて、次に、あいまいさやリスクが必ずしも嫌われていないことを、別の例で考えてみましょう。とあるR大学のキャッチフレーズを例にします。その大学は、「挑戦をもっと自由に」とか「いま世界と社会は大きく急激に変わってきて、先を見据えることが極めて難しい局面を迎えています」と掲げています。要するに、「リスクにチャレンジすることが大事」と言っているのです。あいまいさを減らすために「急激に変わる社会を変わらないようにしよう」ではありませんね。「あいまいさを受け入れて乗り切れ」という話は、日本では二一世紀に入ってから特に強くなってきています。リスクを取って技術革新を生み出すことが経済発展の原動力だという考え方が社会に広がってきたわけです。

ただ、ここで立ち止まって考えておきたいことは「リスクを取る」ことが平等なのか、という点です。例えば、原発事故。放射線は全ての人に平等に影響を与えるように思えますが、実は、背後には地域発展の格差があります。東京電力の原発建設地がなぜ福島にあったのか。地震・津波のリスクもある中で、なぜ福島にあったのかというと、地域の経済格差があったわけです。原発のリスクはどこかの地域の住民に集中します。あるいは金融リスクでも同じです。リーマンショックの時、大きな銀行は税金で国に助けられ、失業して困ったのは経済的弱者です。新型コロナウイルスの場合でも、米国では人種差が明確になりました。アフリカ系アメリカ人の方の感染がすごく多かったのですが、トランプ大統領は、感染しても二週間隔離期間を経ずに、「一週間で元気になった！」と出てくることができた。これは経済格差そのものです。こういうことについて『感染症社会――アフターコロナの生政治』（人文書院）で書いているので、ぜひ読んでみてほしいです。

コロナのワクチンについて考えても、リスクは必ずあるわけです。ワクチンですから、中には身体に合わない人もいる。その副反応で有害作用被害を受けるのは必ず個人です。一方、失敗した時のリスクはメーカーが引き受けるかというと、実はそうはならず、有害作用の救済は国が引き受けています。つまり、税金です。不思議なことですよね。もうけはメーカーが受け取るのに。要するに、メーカーはワクチンの生産・販売の中で失敗した時でも、一種の保険のように国を利用して、経済的リスクを引き受けないように工夫しているのです。

でも、最終的にリスクが接地する、現実の危険になった時には、ときには取り返しのつかない形で、個人が引き受けることになります。その時に、計算上のリスクとそれを最終的に引き受ける個人の現実の身体との隙間で何が起きているのかということを考えていくのが、私の専門である医療社会学の問いになるわけです。

まとめます。西洋に由来する近代科学と合理性は、あいまいさを飼いならそうとしてきました。ただ、そのあいまいさは、実は計算可能でも予想可能でもなく、コントロール困難だからこそ生物にとって魅力的という面があります。そして、現代社会ではむしろチャレンジの対象としてきました。そして、「チャレンジしよう」と言う掛け声が目立つ割には、実は、持てる者・強者にとって有利な社会の仕組みが出来上がっているのが現代社会ではないでしょうか。

私の話は一度終わりにして、次は小川さやか先生の方のお話に移ります。

偶然であること、曖昧であることの豊かさ

小川　私の講義のタイトルは「偶然であること、曖昧であることの豊かさ」です。人類社会において、あいまいさは豊かさの根源でもあるということについてお話ししたいと思います。

私は、文化人類学、とくにアフリカを対象とする人類学を専門にしています。中でも、交易や商取引、贈与交換、所有などを扱う経済人類学と言われる分野の研究です。美馬先生の話でもあったように、人類社会は何らかの不確実性や不透明性を削除・縮小していくことを目指して発展してきました。大局的に見れば、あらゆる側面で確実性を増大させ、個人の生活と社会、双方の安全性・安定性を高めていくことが人類の幸福につながる、と信じられてきたのが近代という時代でした。

病を事前に予測し、予防したり、収集したデータを駆使して顧客の行動を予測し、ビジネスの成否を確実にしたりすることもそうです。さらには、人間が行うとミスやバイアスが生じる仕事を、AIなどのテクノロジーに代替させる動きも、不確実性や不透明性を削減していく一つの方法です。でも、先ほど美馬先生が指摘したように、特定の行動がどのように未来を形作るかは実際には予測不可能です。それなのに、私たちの世界では、リスクを予測し、管理していくべきだという規範が当たり前になっていく。こうして、「自己責任」という考え方が蔓延し、ある種の息苦しさが生まれてきたのでは、と考えています。

例として、春日直樹さんという文化人類学者が書かれた『〈遅れ〉の思想——ポスト近代を生きる』（東京大学出版会）という本を紹介します。この本では、二つの運動に関する指摘から始まります。一つは、何でも市場で売買されるようになるということ、もう一つは、自己規律化をするということです。特に、「自己規律化」に深く関わるのが、オーディット文化（監査文化）です。オーディットとは、もともとは会計監査からきた用語です。専門的な品質管理とか、評価書や報告書、学生にとっては成績表などもそうですよね。そういった形式化された説明責任の様式を指します。オーディット文化では、どんな人もどんな機関も、説明する役割、評価する、評価を受ける役割など、いろいろな立場を担います。そうすることで、みんながみんなを監査する文化ができあがります。

このような「あらゆる行為を説明可能なものにせよ」という動きは、「リスクは管理できる」という思想とセットです。オーディット文化がどんどん進むと、人々は、客観的な基準によって自分で自分を点検・評価し、「他者へ開示せよ」と言われるようになる。「あなたらしくあれ」といった個性を称揚する一方で、「その結果としてどうなったのかを説明せよ」と言われる。自分がある行動をして、その行為の結果が社会に受け止められなかった時には、「自己責任だ」という話になるわけです。春日さんは、いつでも「あるべき私」が先にあって、本当の私は常に〈遅れ〉てしまう現象に注目してこの問題を論じています。三つの遅れのタイプがあると言います。

まずは先回りタイプ。このタイプの人は、いつでも「あるべき私」の姿を思い描いています。常に自分自身の課題を見つけ、「あるべき私」に近づくための努力をするわけです。実際、自己実現のための「私」キットは、啓発書や資格取得の教材からファッションやコスメまで様々なものが市場にあふれていて、「私」は常に急かされていく。自分はもっと、もっと……と先に進んでいくので、目指すべき自分からの遠さを思い知っていくことになります。

二つ目の待機タイプは、大学院生にも多いですが、どのような自己実現を目指したらよいかわからず、「どうしよう」とずっと悩んでいる状態です。そういう人たちは、「あの時ああしておけば、あるべき自分になれたかも」という後悔があり、過去の自分からの遅れにさいなまれています。

三つ目が、同行タイプです。私とは何か、自己実現とは何かを考える旅に出掛けるタイプで、「いまの自分自身」が捕まえられないことに悩みます。

三つのタイプに共通して、未来の自分を取り逃がしてしまった気持ち、過去において失ってしまった感覚、あるいは、現在に追いつけないという〈遅れ〉の感覚が常にあるのではないか、と指摘しているのが春日先生の本です。

自分は自分でしかないのに、他方では、その自分をどうしても捉えきれない、ということも、「予測可能性が高まっている」という規範が広まった近代の産物です。でも、実際には、人生の大半は予測できないし、自分自身の行動を全てコントロールすることも不可能ですよね。にもかかわらず、予測し、行動し、その責任を取りなさいという規範によって常に急かされているのが、現代の息苦しさの一因にあるように思います。

他方で、人類社会は、一人の努力や資質ではどうしようもない予測不可能な出来事や偶然的な不運、あるいは幸運によっても成り立っていたことも事実です。予測不可能性は、他者や社会に対する能動的な働きかけの原動力でもあったわけです。

例えば、贈り物のやり取りで喜びを感じるのは、「返ってこないかもしれない」というあいまいさがあるからですね。ほかにも、「自分自身が今こんな状態であることは、ちょっと幸運かもしれない」とか「ある人が今不遇な状態なのは不運だからだ」と想像する余地があることは、他者に対する寛容さや親切な行動につながります。偶然性は、他者や社会を肯定的に意味付ける契機にもなるし、自分や他者との出会いをかけがえのないものにもします。それが翻って、宗教や芸術を生み出す創造性の源にもなってきたわけです。

生きていることに対する自己肯定とも無関係ではありません。不確実性や偶然性が縮減していく社会とは、さまざまな説明責任が問われる社会であり、自分や他者や世界をコントロールすることをあたかも当然のようにしてしまう社会です。予測不可能性や偶然性、コントロール不可能性の豊かさを考え直していく動きは、テクノロジーが発展していく中でますます重要になっていくのではないでしょうか。

ただ、そうは言っても、不確実性や不安定性を肯定するのは難しいですよね。そこで、私が調査をしてきた、タンザニア商人たちの事例から、そのヒントを探ってみたいと思います。

タンザニアの行商人や露店商の生活は、とにかく、毎日が困難の連続なんです。行商を続けて二年、ようやく露店を構えられる資本を貯めたところで、警官に「そこで行商してはいけない」と言われて全部没収されるとか、ようやく信頼関係ができたと思った友達に全財産を持ち逃げされるとか。困難なことが多すぎて、彼らのあいだではいろいろな問題を先延ばしにして、窮地になるまで放置する態度が観察されます。

そんな彼らを見ていて、ある時、「何から順番に解決したらいいかを紙に書いて、やりやすいものから解決していったら？」と提案したことがあります。すると、「そんなことをしたら、うつになってしまいそうだ」と言われたんです。「いっぱいあるし、優先順位もよく分からない」と。むしろ、本当にやばくなるまで考えず、やばくなった時にどう切り抜けるか、その技を磨くのだと彼らは言う。彼らはそうやってその場しのぎの知恵「デブルイヤージュ」で切り抜けるわけです。嘘を考えて切り抜けることもします。でも、嘘はばれますよね。嘘がばれたら、また嘘をつく、という感じで切り抜けを重ねていくのです。こちらの方がよほど精神に悪いと私は思いますけど、でも、彼らはそれで生き抜いているし、それをおおらかにやってのける。

「どうしてこんなにおおらかなんだろう」と見続けていると、タンザニアの人たちはピンチに陥っている人たちを見て、おおらかに笑うことをある時発見しました。翻って、どうして私たちは予測できないことが怖いのかを考えてみると、一つは、誰かに「何でそんな失敗をしたのか」と怒られることが怖いのではないか、と思うんです。窮地に陥ってしまった時に、突発的な行動を取ってしまうことがありますよね。そんな人を見た時には、「普段は立派な顔をしているけれど、結構弱いな」とか「意外と暴力的なんだな」と思ったりするわけです。私たちは、たった一度の窮地に陥った時の行為によって、一生懸命積み重ねてきた「私」という立派な人間像を壊されることに恐怖し、そうならないために計画的な人生を歩んでいるのではないか、と。その考えの根底には、窮地においてあふれてしまうものが本当の素顔なんだ、という考えがあるのだと思います。

一方、アフリカの人たちは窮地に陥った人を笑うし、自分が窮地に陥っても笑います。確かに、窮地に陥った人間の行為は面白いですよね。笑いの三大理論の一つに「優越理論」があります。「人の不幸は蜜の味」というやつですね。自分よりパニックになっている人を見て、あの人よりマシだと喜ぶ。あるいは、普段の彼と窮地に陥った彼がずれる「ズレ理論」。大人なのに子どもみたいに泣くとちょっと滑稽で面白いですよね。あるいは、緊張から解放された時に笑ってしまう「解放理論」。このように、窮地に陥った時の変な行為というのは、面白いんですよ。

でも、日本社会に生きる私たちは、窮地におかれた人間の行為を笑ってはいけない、と考えています。なぜなら、追い詰められた人間の行為を笑うことは、窮地において、うっかり露呈したその人の素顔を笑うことになると考えているからです。

しかし、人類史的に見ると、普段は立派な人格的な社会的な仮面（ペルソナ）を被っていても、窮地になるとそれがはがれて素顔が出てくる、という考え方は決して普遍的ではありません。タンザニアの人たちは、日々起こる突発的なピンチを、嘘を含めた実践によって切り抜けていく。そういう人たちからすると、人間は変身し続ける存在です。毎日がピンチだから、窮地に陥って発露してしまう滑稽で、ときに暴力的な姿は本性ではありません。それは、難局を切り抜けるために突発的な知恵をフル回転させて演技している新たな社会的人格なのです。突発的な窮地に陥って号泣したり、突然土下座したり逆ギレしたりする人を見て、「たくましい」と思うからこそ笑える。それにままならない人生を笑いに変えてみせることは、なかなか爽快なわけです。

たった一度の失敗や失言で、取り返しがつかなくなる社会はどう考えても息苦しい。かといって、失敗や失言に対して、「大丈夫、みんな気にしていないから」と取り繕われても、「本当は私のことを駄目だと思っているんだろうな」と思ってしまえば、やっぱり息苦しい。むしろ、窮地に陥った人間行為をみて、この人には生きる知恵や生命力があるぞ、とまなざしてみると、もうちょっと変わるかもしれません。もうひとつ重要なことは、人間を数値に換算しないことです。

香港に移住したタンザニアの人たちは、いまではSNSを使って商売をしています。香港に移住したタンザニア人が、現地で見つけたいろいろな商品の画像をWhatsAppやFacebookなどのSNSに流して、それを見たアフリカの消費者、商人たちがその商品を注文する仕組みです。

メルカリのような感じで、売る人と欲しい人が一対一で取引をするのですが、AmazonやYahoo!のようなほかのユーザーが投稿したレビューやコメントはありません。どうやって判断するかというと、SNSに投稿される日々のつぶやきや写真、動画を見ながら、「この商人、なんだか好きかも」という感じで決めていきます。だから、売る方はブランド品を身に着けた写真で「きっと羽振りがいいだろう」と思わせたり、私を現地の妻みたいな感じで登場させて「現地に奥さんがいるなら高飛びはしないだろう」と思わせたり。でも、一番効力があるのが、誰かに優しくすること。香港で出会った誰か、あるいは一緒に商売をしている仲間を助けてあげると、助けた人があの人は本当にいい人だ、とつぶやいてくれる。そうすると「なんだか好きだわ」と思う人が現れて取引が決まりやすくなるわけです。

私たちの社会は、いつの間にか数値による評価経済にどっぷり浸かっていますよね。「商売の業者は信頼できるべきだ」という考えに基づき、信頼できない人をマイナス評価にして排除していく仕組みをつくってきた。このシステムでは、一回でもミスをしたら、例えば、配送が遅れたとか、梱包が良くなかったとかで、「駄目な業者だ」と排除されてしまいます。他方、タンザニアの人たちは、業者は信頼できるときもあるし、できないときもあると考えています。羽振りが良い時は信頼できると思ったり、他者に優しくしていたら「この人は心の余裕があるな」と考えたりする。反対に、不運が続いているようだから今は注文はやめておこう、とも、「ちょっと助けてやるか」とも考える。裏切られても、「うまくいってなかったんだな」くらいの感じで、状況が変わったと分かれば、また取引をする。そこにあるのは、「人は常に変わりゆくものだ」という前提です。

もちろんSNSには、嘘や誇張があふれています。ただし、取引相手の見極めにしくじり、裏切られた人も、このシステムでは、客を集めるために「親切ないい人だ」と思われなければならないので、仲間の商人の誰かが必ず助けてくれる。失敗はしても、やり直せるという仕組みなわけです。

信用システムについては、あいまいさをなくしていこうとするテクノロジーも発展しています。代表的なものが中国の信用スコア。梶谷懐・高口康太『幸福な監視国家・中国』（NHK出版）という本の中には、中国政府がテクノロジーを使った監視・管理国家化を急速に進めていることが書かれています。そして、それと連動した信用システムをアリババがつくろうとしていました。電気代やクレジットカードの代金をちゃんと払っているのかという信用履歴から履行能力や資本規模を測ったり、買い物習慣、例えば、「この人はゲームばかり買っているから怠惰な人だろう」とか、人間関係、たとえば、「この人は立派な人たちと付き合っているから信頼できる」とか、あらゆる行動を数値化してスコアにしています。さらにこの本では、どうして中国の人たちがこうした信用システムを肯定的に捉えるのかが書かれています。

重要なのは「何を権内・権外とみなすのか」ということ。権内とは、自分がコントロールできる内にあるもの、という意味です。タンザニアの人たちについて考えると、「失敗しても、また状況が変われば信頼してくれる」というのはいい面もあるけれど、信頼できる人をその都度選んでいくのは大変だし、コストもかかる。日本では「嫌だ」と考える人が多いのではないでしょうか。

しかし、偶然であることの豊かさとは、こういうものだと思うんです。タンザニアの人たちは、自分が参与しているネットワークに投げ入れたSOSやアイディアに、偶然に応答する者が現れると、「彼は私のことが好きみたいだ」と考える。誰も信頼できない世界で、私に賭けてくれた、と。同時に、彼らは「この人は私が嫌い」とか「私は誰々が好きだ」ともあまり考えない。応答してくれた人だけが大事で、応じなかった大多数を気に掛けても、そもそもが偶然だからしょうがない。相手はいつか変わるかもしれないし、今は信頼できなくても、いつか信頼できるかもしれない。当の私自身も、今は信頼できなくても信頼できる人間に変わるかもしれないし、また失敗するかもしれない。他者のままならなさを認めるからこそ、私のままならなさも認めることができる、というわけです。

世界を予測可能にし、安全で快適な環境にしていく動きは、否定されるものではありません。科学の発展に私は基本的に肯定的だし、これからの人類社会の未来には楽観的でありたいと思っています。しかし、予測可能性が高まっていくことによって、私自身と他者のままならなさをコントロールできるものとして、数値で評価したり、相互に監視したり、ままならない誰かを非難したり、規制してしまう社会はつらい。だから、未来が見える社会がもし来るのだとしたら、その前に、世界に存在している偶然性の豊かさを失わないようにするにはどうすればいいのかを考えることが大事だと思っています。

ちょうどいいあいまいさとは？

美馬 それでは、質問を見ていきましょう。

Q あいまいさの実現確率を高める手段はないでしょうか。

美馬 これは面白いです。あいまいさをコントロールするという話ですね。

小川 「ちょうどいいあいまいさ」は、すでに私たちの世界に巧みに滑り込んでいると思います。美馬先生がおっしゃっていたTwitterなどSNSの「いいね」が七割ぐらいだとみんながハマってしまうのもそうです。あいまいさの出現を一〇〇パーセントにするのは難しいですが、「あいまいさをこのくらいにしておく」という動きはたくさんありそうです。

美馬 さっきはハトの例でしたが、動物一般の話として、一〇〇パーセントは良くないようです。この話は、生物学では進化論と結び付きます。「一〇〇パーセント餌が取れる」という状況に頼って生きていると、ある日、気候が一気に変わった時や新たな敵が現れた時に弱い。「これは食べられるかも」と知らないもの、変なものを食べて、お腹が痛くなって死ぬことが個々にはあっても、そういう好奇心を持った個体がいることは、新しい食物の探索になって、全体としての集団の生存戦略的にいいいからです。

小川　ビジネスでもそうだと思います。確実性が高まっていく商売をずっとしていると、それ以外のことを考えず、工夫もなくなっていく。そうすると、突発的に新型コロナなどがやってきたときに、どうしたらいいか分からなくなってしまいます。他方、コントロール不可能なのが前提で生きているタンザニアの人たちって、新型コロナが来ても、いろいろあるリスクのうちの一つみたいな感じで受け止めるのです。もともと常に何かの仕事に失敗したり、人間関係がうまくいかなくなることを想定して、複数の仕事を同時にしたり、さまざまな人間に賭けているので新型コロナでもその時にできることへと商売をあっという間に切り替えていきました。

美馬　あいまいさをある程度残すことが長期的にはよい、ということですね。

Q

コロナの問題が出た後、海外では法律で強制することが多かったが、日本では、自由を放棄する新しい生活様式を平穏に受け入れた。これは日本独特なんでしょうか。

美馬　では、人類学者から。

小川　独特なのですかね。どうなんですかね。もちろん日本的なものもあると思うんですが、むしろ、新たな生活様式を受け入れた結果として、それを受け入れない人を相互監視の下であぶり出す社会になってしまいましたよね。

先の『幸福な監視国家・中国』のようなテクノロジーによって監視を強化していく世界を中国の人たちが肯定的に考える一つの要因は、みんながお行儀よくなるからということのようです（中国の「公」の論理をめぐる根本的な話も書いてありますが）。信用スコアのように明確な基準があれば、みんなが他者に対してぞんざいな態度を取らなくなるからです。

美馬　東アジアに共通する感じがします。トランプ大統領を見ていると、まず本人がルールを守らないわけですよね。そして、そこが好かれる側面があるから、アメリカでは彼に票が集まる。マスクを着けなかったり、隔離を守らなかったり、ホワイトハウスでクラスター感染を起こしたりしているることがウケている。日本で首相がマスクを着けなかったり、官邸でクラスターを起こしたりしたら、大バッシングですよ。

小川　あいまいである、不確実であるということが逆にうまく対応していけるということにつながることも話しておきたいです。中国は行動予測をどんどん進めていますが、一方で、深圳という電子街では、あっと驚くイノベーションがどんどん生まれている。ここでは、不確実性が活用されています。

高須正和・高口康太編の『プロトタイプシティ――深圳と世界的イノベーション』（KADOKAWA）という本では、その秘密が書かれています。日本の製造業では「連続的な価値創造」が伝統的です。例えば、電気の耐久年度を電池をより長持ちさせるとか、品質を五パーセント上げる、という連続的な価値創造を目指す。一回優位性を築いたら、どんどん有利になっていきます。一方、深圳では、みんながプロトタイプをバンバン出していく、そうすると、それまで誰も予想もしなかった人たちが出会い、連携することで不連続なイノベーションが起きて、さらにプロトタイプを生み出していく。プロトタイプのほとんどは失敗するけれども、いっぱい出しておけば、自分の想定外の人が「連携しましょう」とやってきて、さらに想定外のものができていく。当然、うまくいかない人たちが大多数なので、失敗しても再チャレンジができる。不確実性を高めすぎていくと、大企業は入れず、今まで無名だった人たちがポンポン出てくるような市場ができたのです。

あいまいさとセーフティーネット

Q タンザニアの人たちが、余裕のない中でも寛容であれる理由は何ですか。

小川 タンザニアの人たちは、社会に生きる一人ひとりには信頼がないけれど、自分が生きている社会にはむしろ私たちの社会より信頼があるのではないかなと感じます。一人ひとりは、本人の努力や資質に関わらず偶然に失敗するときはする。しかし、同時になんだかうまくいく人もいる。運命は不条理なものですからね。だから、この人が助けてくれるかわからないけれども、世界が不条理なら誰かは他者を支援する余裕がある。そういう誰かの余裕を回していくことで、ある種の社会的なセーフティーネットを自生的に作っている。このようなセーフティーネットがないままに、つまり、あいまいさに最も被害を受ける弱者がいる社会を是正しないまま、市場経済の論理だけで「あいまいさは最高だ」と言い続けていると、絶対に反乱が起こると思います。

美馬　これは、あいまいさと不平等の間のあいまいな関係に関わっていると思います。小川さんの話の中で、タンザニア商人が警察にしょっぴかれる話が出たじゃないですか。あれって、要するにそれまでは黙認していたわけですね。警察は違法行為を取り締まることもできたけれど、それまでは取り締まらないでいた。日本の速度違反と同じで、ほとんどの人が速度違反をしているんだけれども、時々は捕まえる。このあいまいさは、力を持っている側に有利です。さじ加減で弱者を支配することができるからです。すると、弱者がルールを求めるんですよね。ルールならば、法の前には誰もが平等ですから。しかし、かといってルールが強まりすぎると、みんながガチガチに縛られて、生きづらさにつながってしまう。

小川　「みんなが同じルールでやっていけば公正だ」と望むことが、結果として、自分自身の首をより絞める制度に追随してしまうということが起きますね。

美馬　こういうZoomを使った授業もそうです。高齢者や持病のある人にとっては、コロナは危険な病気だけれども、おそらく、大多数の大学生にとっては、死亡率という面では本人にとってのリスクは非常に少ない。けれども、同じルールとして遠隔でやっていて、不便な面が目立ってきています。リスクのコントロールは難しいところですが、行き過ぎでないかどうかを疑い続けることが大事ですね。

Q

自然は、あいまいさやどうにもならないことを突きつけてくるものの一つだと思います。一方、科学や医療といった学問はどうにもならないと放置せず、人間がどうにかするための手段となっています。お二人は、専門領域におけるあいまいなものとどのように付き合っていますか。

美馬　研究者や学者という職業自体があいまいなものとは相性がいいですよね。よく挙げる例があるのですが、小学校から高校までの理科の授業では、実験とは必ず成功するものなんです。手順通りやれば、必ず成功するから、教科書にのっている。しかし、大学や大学院や研究所での実験は、成功したり失敗したりの連続です。運が悪いと爆発して死んでしまうことも起こり得る。あいまいだから、分からないからやる。臨床医学でも教科書通りの治療で治るとは限らない。調査も同じですよね。

小川 あいまいなものがなくなってしまうと調査は難しいですね。調査に行って仮説が破壊されたり、自身の当たり前がうまくいかないことこそ、異文化を探求する人類学の醍醐味なので。

確実なものを好む人たちって、意外と苦しい場面が多いのでは、と思います。不確実なものが大好きな人たちは、単にチャレンジ精神があるとか、ギャンブル好きだという話ではなくて、逆に、「ここだけは確実にしておけばいい」というものがはっきりしてると思っていて、むしろ、生命を脅かすものへの対応は確実なものにしている印象があります。助けを求めてきた人たちに対しては、部屋を貸したり、食べ物を与えたり。生命維持は確実であった方がいいと思っているんですよね。この辺だけ確実であれば、あとは不確実なままの方が豊かだと考えている。

美馬 「ジンクス」とかが似てますね。人類学で研究されている呪術の領域になりますけれど。不確実でコントロールできないものを扱う時に、ジンクスを信じて、自分が確実にできることを確実にしておくと、精神的には安定します。

小川 本当は何ともなってないんだけれども、「何とかなる」と思い込んでいるということはありますよね。でも、ある程度、「ここまで何とかなったら後はいいや」みたいなところがないと、不確実性は肯定できないと思います。

そもそも、不確実を意識していないところの中に、不確実であることの豊かさがあると思います。例えば、好きな人に告白をするとして、その人のことが全部分かりきって、相手が何を考えているかも全部知り尽くしていて、その答えが予測できたら、恋愛という一大イベントすら面白くないですよ。むしろ、全然よく分からない人だからこそ「もっと付き合ってみたい」という欲求が生まれるわけですし。自分の行く先が全部分かっている、人生のルートが全部見えていたら何も楽しくないと思います。安定はしていても、「頑張ったからなんとかなった」とか「あの人が助けてくれた」とか、偶然うまくいったことに理由づけをすることができなくなってしまったらどうやって自己や他者を肯定するのか。問題なのは、「あ、あそこにあったはずの不確実性の豊かさがなくなった」ということに後から気づいて苦しめられることだと思います。

Q

就職先を決めないまま時間を過ごしているのですが、あいまいさを持つことは悪いことではないと捉えてもいいでしょうか。

美馬　いいと思います。迷うことはいいことだと思います。

小川　そもそも、結局、どういう形で自分探しをしてもつらいんですよ。常に課題を見つけ、より良い自分を探すという形がうまく回っていけば楽しいですけれども、回らない時も人生には起きます。あんまり追い詰められすぎなくてもいいと思います。

美馬　コロナ禍でよかったことは、本当にみんなが困ったら、政府が、一〇万円を配ったり、GoToトラベルとかGoToイートなどでお金配ったりということを行うと分かったことです。世界中の国々でお金を配りましたよね。本当に困ったら何かする、しなければ社会が回らない、暴動が起きるかもしれない。それが目に見えたことは今後にプラスだなと思っています。

最後に、私の話の中で投票してもらった時、「九五パーセントが一〇〇パーセントになる」が六割で最も多かったですね。みんなが確実性を求めているということは、やはり余裕がないということの裏返しなのではないかなと思っています。セーフティーネットの「セーフ」とは、本当に安全か、安全じゃないかというよりも、もうちょっと感覚的なものや安心感とつながっていると思います。それがあると、あいまいさを選んだり、楽しむことができる、精神的な安全基地や避難場所です。そう考えると、九五パーセントが一〇〇パーセントになる方がうれしいと六割もの人が思っているのは、よくない徴候だと思います。

小川　そんなに追い詰められているんだな、とは思いますね。一つは本当に、福祉制度や経済政策などの物理的なセーフティーネットが信頼できなくなってる、ということもあるだろうけれど、人間関係における感覚的なセーフティーネットもなくなっているのだと思います。失敗したら怒られるとか、常にうまくやっていかなければ駄目だという思い込みの中で頑張って生きるしかなくなってしまうのは大問題です。

自分の適当さを認めてもらう社会にするためには、まず他者の適当さを認めてあげることですね。自分のままならなさを肯定してほしいのに、他者がうまくいかないことだけは許せないというのは絶対に無理ですよ。やり直しができる社会にするならば、他者のしくじりや失敗を許し、やり直せるようチャンスを与えまくることをしてみたらいいと思うのです。自分、相当だめだったけれど、なんか生き延びたという経験をした他者は、私のことも許してくれると思うのです。それで確実さと不確実さのバランスがとれていくと思います。

美馬　そうですね。というところで、今日は、あいまいさ、あるいは偶然というものに対してどういう考え方があるのか、あるいはどういう生き抜き方の知恵があるのかということを、さまざまな学問分野を横断しながら、さまざまな人間社会や動物社会を散歩する旅になったように思います。小川先生、ありがとうございました。

小川　ありがとうございました。

（構成：笹島康仁）

※本章は立命館大学教養養育センターが二〇二〇年一〇月一八日に開催した「SERIESリベラルアーツ：自由に生きるための知性とはなにか［Session 02］なぜ人はあいまいさを嫌うのか――コントロールしたい欲望を解き放つ」（ゲスト：小川さやか、美馬達哉）を再構成したものです。

？ もっと考えてみよう

1 不確実性や偶然性があってよかったなぁと思ったことはあるだろうか。そういった不確実性や偶然性を失わないために私たちに何ができるだろうか。

2 科学の発展やＡＩの導入などにより不確実性が失われていくことで生じる問題には、どのようなものがあるだろうか。

3 あなたにとって、「あいまいさ」や「リスク」が平等ではないと感じる物事はあるだろうか。

4 将来に対して感じてしまう不確実性をどのように取り扱えば、暗くならずに生きていけるだろうか。

⬅イベントの模様を動画で観る
https://youtu.be/t2KA8ljVT9U

トークセッション
PART1
社会を生きる

03

わたしの〝モヤモヤ〟大解剖

――わがまま論・つながり論を切り口に

社会運動論（わがまま論）とメディア論（つながり論）の切り口から、「わたし」と「あなた」、「わたし」と「社会」の関係性をみつめることで、わたしの「わがまま」から、ひとやことに「つなげる」手がかりを探します。

登壇者

飯田豊 (いいだ・ゆたか)

立命館大学産業社会学部教授。専門はメディア論、メディア技術史、文化社会学。近年の研究テーマはテレビやビデオの考古学など。著書に『テレビが見世物だったころ――初期テレビジョンの考古学』(青弓社、2016年)、『メディア論の地層――1970大阪万博から2020東京五輪まで』(勁草書房、2020年)など。

富永京子 (とみなが・きょうこ)

立命館大学産業社会学部准教授。専門は社会運動論。近年の研究テーマは、現代日本の社会運動がもつ文化的側面に関する研究、戦後若者文化における社会的権利要求への揶揄・攻撃・冷笑の研究。著書に『みんなの「わがまま」入門』(左右社、2019年)、『社会運動と若者――日常と出来事を往還する政治』(ナカニシヤ出版、2017年)など。

2021年1月28日開催

「わがまま」が社会とつながる

富永 このセッションでは「わがまま」という観点から、個人的なことでも社会に対することでも、抱えている「モヤモヤ」をどうやったらスッキリさせられるか、あるいはスッキリする手立てが見つかるかということについて、一緒に考えていきたいと思います。

「わがまま」はすごくネガティブな意味で捉えられることが多いですけれども、今回は、ポジティブな意味で捉えてみようと思います。私は社会運動の研究者です。社会運動とは、基本的には人々が集まって、社会とか政治を変える活動だと考えています。もちろん、一人でやっても社会運動だと言っていいんじゃないでしょうか。

法律や条例を変えるような運動・活動もありますし、誰かがメディアで社会問題について喋ったことで視聴者の意識が変わったとか、道端で声を上げている人を見て、「こういう問題もあるんだぁ……」と思ったとか、広い意味で、社会や政治、人々の意識を変える活動というイメージです。具体例を挙げると、脱原発運動であるとか、Black Lives Matter、Fridays For Future、あるいは障害者運動、性的マイノリティの活動、フェミニズムも社会運動だと捉えていい。

研究をしていく中で、「世代による断絶」に違和感を覚えることがあります。例えば、年配の方の中には「こんなに政治の問題があるのに、若者はなぜ立ち上がらないんだ!」「なぜ若者は政治に無関心なんだ!」と言う人が多いです。あるいは、メディアからの取材で、「最近の若者は政治的無関心と言われますが」とか「政治離れが顕著ですが」と質問されることもあります。その時に感じたことが、「立ち上がらないからといって関心を持ってないとは限らないし、関心はあっても声を上げられない、友達と話せない理由があるんじゃないのかな」ということ。つまり、関心を寄せる社会問題があったとしても、立ち上がるまでにいろいろなハードルがあるわけで、それを「無関心だ」と言ってしまう人たちに対する違和感です。

実際、「運動したいけど、できない」という若い学生に会うこともありました。学生たちが気にしていたのは「デモに行ったり、ネットで声を上げたりすると、就活に差し障るかも」ということ。バイトをして稼がなきゃいけないし、奨学金を返すために就職しなきゃいけない、と。

そういう人に対して、「デモなんかに行ったぐらいで不採用にする企業なら、いっそ就職しなきゃいい」と言うのは簡単です。でも、それは今不安な人たちに対して、「強くなれ」と言ってるようなもので、実際にその人の不安が消えるわけではありません。

もう一つ、動きだせない要因として大きそうなのが「自己責任」です。この言葉はすごく強い呪いだと感じています。例えば、仕事でのハラスメントや低賃金で困っていることが自分の問題としてあったとします。当然、政治に訴えかけたり、同じ目に遭っている人たちと連帯したりして、新しい制度をつくる方法はあるけれども、一方で、自分の直面している問題を社会や他人のせいにすることって、ものすごく大変な行為なんですよ。私たち日本社会に生きる人たちは、「頑張れ」とか「人のせいにするな」「迷惑を掛けるな」とずっと言われ続けていますから。そういう人に対して、「なぜ立ち上がらないんだ」とは言えません。昔と今では初任給も経済水準も違います。自分の世代の体験を基準に、若い世代に対して「立ち上がれ」とか言うのは、すごく無責任な気がします。

世代差はデータにも表れています。何人かの研究者で調査した結果、「政治的・社会的な主張を行うためのデモは評価できる」「デモは政治や政治家に自分たちの意見を伝えるための有効な手段である」「デモは社会を良い方向に変化させるための有効な手段である」など、デモに対する評価についての項目を見ていくと、明らかに高齢の人の方がポジティブな評価をしています。一方、二〇～四〇代は「デモは社会全体に迷惑をかけている」とほぼ半数の人が思っている。「デモの主張は社会的に偏ったものである」と答えた人の割合も若い人では高く、「デモは社会的に容認できないほど過激なものである」と答える二〇～三〇代は五〇パーセント近くいる。ネガティブな評価をする若い人が多いんです（このデータは日本財団「なぜ日本の若者は社会運動から距離を置くのか?」（https://www.nippon.com/ja/in-depth/d00668/）に掲載されています）。

この調査結果を「若い人は社会運動が嫌い」という話にとどめてほしくはありません。若者がそう考える前段階として、ある課題について、他人のせい、社会のせいにすることに対して、ネガティブな印象を抱かせる社会をつくってしまったということの方がずっと問題だと思うからです。

若い人に限らず、日本人はどういう調査を見ても、そもそも表に出る運動が嫌いです。ボランティアや投票、寄付といったおとなしい活動はやるし、やりたいと思っている。でも、政治的な意見のシェア・リツイートとか、政治的な意見表明をやっている人は五パーセントもいません。「これからやりたい」という人も二〇パーセントくらい。デモをやったことある人は三～五パーセントくらいです（シノドス国際社会動向研究所「生活と意識に関する調査」二〇二一、N＝６６００、インターネット経由でのリサーチパネル調査。対象年齢は二〇〜六九歳）。

私たちの社会がつくり上げてきた価値感、「努力しなきゃ」とか「迷惑をかけちゃいけない」という価値感と社会運動嫌いとがつながっていると思うんです。逆に言えば、個人が「わがまま」を言えるような社会になれば、社会運動も好きになるんじゃないか、社会運動をやる気になるんじゃないか、ということが、私の今の研究と社会に対する関わり方です。

私自身にもそういう意識はあります。「他人に迷惑を掛けちゃいけない」「お金がなかったら自分で稼がなきゃ」「「お金がない」と言うのは恥ずかしい」とか。人からどう思われるかが怖い。仮に、「お金がないのは社会のせい。コロナ禍でも給付金が欲しい」と言ったら、「努力不足」とか「責任転嫁」と言われるだろうな、と思います。

しかし、社会運動は責任を転嫁する「わがまま」のように見えてしまうかもしれないけれど、社会をよりよくするきっかけになるはずなんです。つまり、同じようにお金のない人、同じようにハラスメントに苦しんでいる人がいるとして、自分が声を上げることが、そういう人たちの状況もよくするきっかけになるはずなんです。だから、『みんなの「わがまま」入門』（左右社）では、「言いづらさを減らしていこう」ということについて書きました。実際、「わがままだ」と思われるような活動が、社会や組織の制度を変え、人々の意識を変えてきた事例はいっぱいある。そういう社会運動が私の研究対象です。

「つながり」「あつまり」「しがらみ」

富永　さて、現代の社会運動においてはインターネット、特に、SNSが重要な役割を担っていると思います。例えばコロナ禍で、「#自粛と給付はセットだろ」と給付金を求めるインターネットの運動が生まれたり、「#検察庁法改正案に抗議します」というハッシュタグが大きな動きになったりしました。私としては、「わがままが言いやすくなったぜ」と言いたい立場ではあるんですが、一方で、もう一人の私が、「本当にそうなのかよ?」とも思ってしまいます。

ウェブ上のアクティビズムを肯定する人は、匿名性や拡散力をメリットとして挙げたり、お金や体力がなくても参加できると言うけれど、同時に、SNSで苦しんでいる人もいっぱいいますよね。「ただでさえ人間関係が鬱陶しいのに、社会的・政治的な意見とか言いたくない。かわいい猫ちゃん写真とか見てたいよ」という人も絶対いる。私自身もそう思う時はあります。

ネット上でうまくつながるコツ、つながりの中で、個人的なわがままであれ、社会的な意見であれ、自分の意見をどう言っていけばいいのかということについて、続いて、つながりの専門家である飯田豊先生に伺いたいと思います。

飯田　僕の専門はメディア論、メディアの技術史、そして文化社会学です。まずは今日のキーワードになっている「つながり」について、メディア研究の中でどのように考えられてきたのかを、かいつまんでお話しさせていただきます。

一口に「つながり」と言ってもいろいろな意味合いがあり、さまざまな分野で広く使われている言葉です。特にこの一〇年ぐらいの間で顕著です。その背景にあるのはやはり、SNSの広がりと二〇一一年の東日本大震災です。

「つながり」という言葉の使われ方を具体的にみていくと、まちづくりや教育、福祉などの分野では概ね「いいことだ」と考える傾向があります。参考になる本として、保井美樹編著・全労済協会「つながり暮らし研究会」編『孤立する都市、つながる街』（日本経済新聞出版社）、田所承己『場所でつながる／場所とつながる――移動する時代のクリエイティブなまちづくり』（弘文堂）、北神正行編著『「つながり」で創る学校経営』（ぎょうせい）、志水宏吉・若槻健編『「つながり」を生かした学校づくり』（東洋館出版社）、西村昌記・加藤悦雄編著『〈つながり〉の社会福祉――人びとのエンパワーメントを目指して』（生活書院）など、枚挙にいとまがありません。特に、福祉の現場においては、他者とのリアルなつながりが切れると、生死に関わる問題に直結しかねません。教育現場においては、学習者同士の協働をうながすアクティブ・ラーニングの隆盛が象徴的ですが、「つながり」を通じた学びに価値が置かれ、裏を返せば、「つながり」の格差が学力の格差に直結するという指摘もなされています（志水宏吉『「つながり格差」が学力格差を生む』亜紀書房）。そして、二〇二〇年以降のコロナ禍においては、物理的につながれないことが大きな問題になっていて、これまでのつながりをどのようにして担保するかが喫緊の課題になっています。

それに対して、社会学やメディア論においては、「つながり」は両義的な言葉です。富永先生の言葉を借りると、「モヤモヤ」につながる側面がある。参考になる本を挙げてみましょう。まず一冊目は、シェリー・タークル『つながっているのに孤独——人生を豊かにするはずのインターネットの正体』（渡会圭子訳、ダイヤモンド社）。タークルはアメリカの心理学者ですが、二〇一二年にTEDのスピーチで発した「我シェアする、ゆえに我あり（"I share, therefore I am"）」という言葉が注目を集めました。二冊目は、ダナ・ボイド『つながりっぱなしの日常を生きる——ソーシャルメディアが若者にもたらしたもの』（野中モモ訳、草思社）。アメリカの若者がソーシャルメディアをどのように使っているかという研究で、「デジタルネイティブ」と呼ばれる若い世代であっても、必ずしもうまく使いこなせているわけではないことを実証しています。二〇一四年に書かれた本ですが、いわゆる常時接続社会の課題を浮き彫りにしています。三冊目は、土井隆義『つながりを煽られる子どもたち——ネット依存といじめ問題を考える』（岩波書店）。これらの書名が示すとおり、「つながり」は必ずしも良いことばかりではなくて、そこには弊害もあるわけです。

「つながりたいのにつながれない孤立」もあれば、「つながりすぎて孤独」もある。前者の立場からすれば、後者は「わがまま」のように思えるかもしれませんが、それゆえ今日は、特に後者の問題について考えるために、まずは補助線として二つの指摘をしておきたいと思います。

一つは、「つながり」と「あつまり」を区別したいということ。もう一つは、「つながり」と「しがらみ」についてです。

まずは「あつまり」について。例えば、僕は二〇一七年に立石祥子さんと『現代メディア・イベント論——パブリック・ビューイングからゲーム実況まで』（勁草書房）を編んだのですが、この本では、パブリック・ビューイングやロック・フェス、コミケなど、メディアに媒介されて物理的に人が集まる場で、どのようなコミュニケーションが行われているのかに注目しました。こうした「あつまり」は、これまで話した「つながり」という現象とは、ニュアンスが異なるんですよね。「つながり」とは、そこで生じるコミュニケーションが一方向であれ双方向であれ、AさんとBさんが線で結ばれているイメージで、ポジティブであれネガティブであれ、結果として個人にもたらされる効果や影響を重視する傾向があります。一方、「あつまり」は「つながり」の積算ではあるけれども、人と人の間で起こっていることだけに注目するとは限らず、リアルであれヴァーチャルであれ、その場所で起こる出来事にこそ焦点があたる場合が多いのではないでしょうか。例えば、オンラインの社会運動、ハッシュタグ・アクティビズムなども、個々の「つながり」というよりは「あつまり」と呼ぶほうがしっくりくるし、裏を返せば、ネットの炎上現象もそうでしょう。ネット炎上の場合、その広がりの度合いにばかり関心が集まって、火元である当事者自身の精神的苦痛などは等閑視されがちです。

ちなみに、コロナ禍で定着したオンライン授業、ひいては今日のウェビナーの場合、参加者の間に「つながり」はあるものの、「あつまり」の感覚は持ちにくいですよね。オンライン授業では学生同士の学び合いが比較的難しく、教員と一対多の関係性になりがちなので、伝えなければならない知識がはっきりしている大規模授業のほうが向いています。個人にもたらされる学習効果という点では、対面授業に比べて遜色ないかもしれないけれども、思ってもみなかった出来事が起こるかもしれないという期待感もなければ、逆にリスクも少ない。

この違いをコミュニケーション現象として捉えると、「つながり」というのは、パーソナルな関係性であれ、マス・コミュニケーションに媒介されたものであれ、送り手と受け手の間でメッセージや情報のやりとりがなされていることを前提に、その効果や影響を問うという近代的なコミュニケーションモデルと相性が良い。それに対して、ＳＮＳが普及した二一世紀においては、送り手と受け手という関係性を前提としない、これまでとは異なるコミュニケーションモデルで考えようという考えが強まっています。

これは必ずしも新しい発想ではありません。こうした現代的関心から改めて注目が集まっているのが、マス・コミュニケーションが成熟する以前、一九世紀末から二〇世紀初頭に書かれた群衆論や公衆論です。二冊の代表的な本を紹介しましょう。いずれもフランスで書かれたもので、一つは、ギュスターヴ・ル・ボンの『群衆心理』（桜井成夫訳、講談社）です。ル・ボンは一九世紀末、多くの人々が旧来の共同体から離脱をして、都市に居住するようになった結果、偶発的な相互の身体的接触が感情的な同調や衝動的な行動を誘発していることに注目しました。当時の群衆心理学は犯罪研究の一環であって、近代的な理性や教養に基づく合理性に対する危機として、「あつまり」が捉えられています。

もう一冊は、ガブリエル・タルドの『世論と群集』（稲葉三千男訳、未來社）です。タルドは、新聞を読むという行為から生まれた新しい集合体を「公衆」と捉えました。日本語で「公衆」といえば、「公衆浴場」「公衆電話」「公衆トイレ」など、今では少し懐かしい響きがあって、あまりネガティブな印象は受けませんが、この本のニュアンスとはだいぶ違うので注意が必要です。タルドは、新聞が作り出す公衆も、都市の群衆と同様に感情を操作される対象であり、それどころか群衆よりも、遠くからの煽動や誘導の影響を受けやすい受動的な存在であると捉えました。ともあれタルドは、新聞に載っていることが読者にどのように伝わるかではなく、新聞が伝える情報が読者同士の会話や口論を通じて波及していく過程に注目しました。

お気づきの方も多いと思いますが、一九世紀の都市でこのように情報が拡散していく過程は、実のところ、二一世紀のインターネットの光景と重なり合います。新聞社や放送局が報道したニュースがＳＮＳで拡散して、同調する人もいれば反発する人もいる。フェイクニュースによる煽動や不正広告による誘導も深刻な問題です。送り手と受け手が未分化で、コミュニケーションという概念が十分に確立されていない一九世紀の混沌とした状況は、こうした現代社会の相貌に通じています。

続いて、「しがらみ」について考えていきましょう。繰り返しになりますが、社会学やメディア論では「つながり」の両義性に古くから注目してきました。先ほど紹介した『つながっているのに孤独（Alone Together）』は、秀逸なタイトルだと思います。逆説的なタイトルの古典としては、デイヴィッド・リースマンが一九五〇年に『孤独な群衆（The Lonely Crowd）』（加藤秀俊訳、みすず書房）という本を書いています。モバイルメディアの研究では、富田英典『インティメイト・ストレンジャー』（関西大学出版部）があります。ちなみに富田先生は、産業社会学部の卒業生です。「つながり」と「しがらみ」が表裏一体であることは、こうした逆説と無関係ではないでしょう。

具体的なデータも示しておきたいと思います。二〇一五年に電通が「若者まるわかり調査」という、面白い調査結果を発表しています。若者のＳＮＳの使い方を調べてみると、Twitter 利用者のうち、アカウントを複数持っている人は、高校生で六二・七パーセント、大学生で五〇・四パーセント、二〇代社会人で三四・五パーセントで、所有するアカウントの平均個数は、高校生三・一個、大学生で二・五個、二〇代社会人で二・七個だったそうです。三つくらいのキャラを Twitter 上で使い分けていることになります。また、SNSのつながりかどうかにかかわらず、「一緒に行動したり、情報を得たりしているグループやつながりの数」は、高校生で七・二個（男子六・七個、女子七・七個）、そのうち、「素でいられるつながりの数」は三・六個（男子三・四個、女子三・八個）、「正直整理したいと思うつながりの数」は男女とも二・〇個だったそうです。ストレスを感じながら、つまりモヤモヤしながら維持している「つながり」を、若者たちは多かれ少なかれ持っているということです。

また、「ふだんの生活で使うことのあるキャラの数」は、高校生が五・七個（男子四・九個、女子六・六個）、大学生が五・〇個（男子四・二個、女子五・八個）、二〇代社会人が四・〇個（男子三・二個、女子四・八個）という結果でした。女性のほうが明らかに数が多いですね。もちろん僕自身もキャラの使い分けはしていますが、それでもこの数字は「ずいぶん多いな……」という印象を持ちます。

「人間関係をリセットしたくなることがある」かどうかという質問に対しては、全体で過半数の人が「あてはまる」「どちらかというとあてはまる」と回答していて、いずれの世代も男性が五割に満たない反面、女性が六割を超えています。先ほど紹介した『つながりを煽られる子どもたち』で指摘されていることですが、「友人」や「仲間」が増えたことで「充実感を覚える」という若者の割合は年々増え続けている一方で、友人関係に関する悩みや心配事も増えているわけです。「つながり」ができることの快楽と不安が渾然一体となっているという状況なのかなと思います。

「友達のつくり方」も変わってきています。青少年研究会「都市在住の若者の行動と意識調査」によれば、二〇〇二年は友達の数が一〇〇人を超える人が少数派だったのに、二〇一二年の調査では三〇一人以上の回答が八パーセントに上っています。三〇〇人全員がとても親しい友達とは考えられないので、「知り合い程度」の友達が急増しているということでしょう。今の大学生であれば、「#春から立命」というハッシュタグで入学前からつながることもできる。こうして得た「つながり」をどこまで維持すべきなのか、そもそも「友達とは何か」という根本的なことを考えていくことが大事だと思います。

足し算から引き算の人間関係へ

富永　すごく面白いお話で、思い出したことがあります。一〇年ほど前、イギリスの社会ネットワーク分析の二週間のセミナーがあった時、同世代ばかりが集まる中で「このクラスの中で「友達だ」と思うクラスメイトの名前を線で結んで、社会ネットワーク図をつくってみよう」というイベントがありました。私自身はすぐに「友達」と言うことができないタイプで、画面上に私の名前を含めてみんなの名前がパラパラと書いてあるんだけど、誰とも矢印をつなぐことができない。逆に、隣の席のイタリア人の子は、画面上のみんなの名前と自分の名前をつないでいました。「友達」の定義にこだわることも、もしかしたら日本的な現象なのかな、と。

飯田　「友達」に関しては、価値観が多様化していると思います。「友達一〇〇人できるかな」という歌詞がありますが、友達が少ないことに悩んでいる子どもだっているし、そんなことを目指さなくていい、という価値観も広がっていますよね。とはいえ悩ましいのは、社会の仕組みが複雑になり、例えばメディアや情報のあり方も複雑になってくるにつれて、ひとりでは解決できないことも増えてくるので、いわゆる社会関係資本が大事という話にもなる。教育が「つながり」を重視するのもそのためです。

テレビから流れてくる情報をどのように読み解くかという話であれば、たくさん番組を視聴することで経験的に気づくことがあるし、番組のつくられ方を自分で調べることでメディア・リテラシーを高めることもできる。けれども、今では次から次へと新しいソーシャルメディアが登場し、ネットに流通するフェイクニュースの見分け方も難しくなっている。ひとりでできることには限界があります。そこで、メディア・リテラシーを個人に内属する知識や技能と考えるのではなく、他者との相互作用のなかで生み出されるものという捉え方もあります。単なる知識の転移として学習を捉えるのではなく、知識は状況に依存すると考えるアクティブ・ラーニングの考え方とつながっています。

ただ、それでもメディア・リテラシーを身につけて対処できることには限界がありますね。目まぐるしく変容するプラットフォームについて後追いで学んでも、基本的には撤退戦のようなもので、新しい問題に太刀打ちできません。かつて携帯電話の事業者が「ケータイ安全教室」をやっていた時代もありましたが、今はいったい誰が責任を負うのかがよく分からなくなっています。

富永　『テラスハウス』に出演され、バッシングを受けて自死されてしまった木村花さんの事件を考えると、プラットフォーマーが責任を持てよ、とも思います。

飯田　そうですね。日本ではこれまで放送局の送り手が、青少年に対するメディア・リテラシー育成に熱心に取り組んでいて、番組制作体験や出前授業などを提供しています。社会見学の受け入れも積極的ですね。こうした取り組みは過去の報道加害、番組の捏造やヤラセといった不祥事に対する反省の上に成り立っている面もあって、公共放送だけでなく民間放送であっても、放送という営みには公共性があるという立場から、学校教育や社会教育に貢献しなければならないという感覚がそれなりに強い。一方、インターネットのプラットフォームは免許事業ではないですが、影響力が大きくなればなるほど、それに応じて公益性や公共性が生じるわけで、もっと本格的に教育の担い手になるべきだと思います。

富永　質問をたくさんいただいています。

飯田　事前にいただいたものから見ていきましょう。「つながり」に関しては、ＳＮＳ絡みで似たような悩みを抱えている方が多いようです。

Q
大学で新たにできた友達とどう付き合えばいいのか。

Q
SNSを見てモヤモヤすることが多い。

Q
SNSと上手に付き合えるようになりたい。

飯田　僕が答えるより、富永先生のほうがSNSをうまく使っているような……。

富永　いや、めっちゃ顔色読んで使っていますよ。自分と似たような友達の顔色を読んでます（笑）。それこそ、こういう話は先行研究でもよく出てきますよね。

飯田　そうそう、「SNS疲れ」や「LINE疲れ」に関する研究はたくさんありますね。

かつて辻泉先生が「引き算の人間関係」という概念を提起していました（富田英典・南田勝也・辻泉編『デジタルメディア・トレーニング――情報化時代の社会学的思考法』有斐閣）。携帯電話の普及にともなって、友達のつくり方が「足し算」から「引き算」に代わっていったという面白い指摘です。携帯電話がなかった時代には、みんな紙の「手帳」や「アドレス帳」を使っていました。友達の家の住所や電話番号を少しずつ記入していって、それが溜まっていくとだんだん友達が増えてきた感覚がありました。

これが「足し算の人間関係」。

しかし、携帯電話が普及すると、初対面の社会人同士が名刺を交換するような感覚で、とりあえず電話番号やメールアドレスを交換し、いったん端末に登録するけれども、疎遠になった人のデータは消去してしまう。これが「引き算の人間関係」ですね。

いずれにしても、かつては人間関係が自然に「切れる」タイミングがありました。例えば、高校から大学に進学して、特に引っ越しをしたりすると、そこで一度は人間関係が途絶えることが珍しくありませんでした。スマホと違ってガラケーの時代は、機種変更すると電話番号が変わったり、メールアドレスが変わったりして、「新しい連絡先を誰に教えるか」という判断を通じて、友達の取捨選択をしていました。それで連絡がつかなくなっていても、後から再会したときには「ごめん、知らせるのを忘れてた」で済んでいましたね。

それに対して、今の高校生や大学生はどうでしょうか。四月に新しいクラスでとりあえずLINEグループを作って、みんなが登録することで連絡先を共有し合う。初日が「フル」の状態で、そこからだんだん疎遠になっていく人が出てきて、「友達」が減ってくる。やっぱり「引き算」なんですよね。でも、今は機種変更してもデータを全部引き継げるし、SNSやLINEグループではなかなか関係を切れません。進学や引っ越しといったライフイベント、あるいは携帯電話の機種変更など、自然に人間関係を切れるきっかけがないという点で、ますます悩みが大きくなっているはずです。「正直整理したいと思うつながり」とか「人間関係をリセットしたくなることがある」といった心情も理解できます。引き算したくてもできなくて、モヤモヤするわけですね。

ただ一方で、一〇年前と比べると、最近の学生はあまり無差別にLINEの交換をしなくなっているようにも思います。「つながり」と「しがらみ」が表裏一体であるということを経験的に学んでいるのだとしたら、良い方向に向かっていると思います。

乗り換えて、つながりを再構築

Q

私たちの「わがまま」を身近な友人たちと押し付けではない方法で共有したいのですが、具体的な実践方法はありますか。

富永　SNSでの発信が押し付けっぽく感じちゃうという話だと思います。社会派ガチ勢ですね。私もガチ勢なんで、一緒に考えていきたいと思います。

議論や対話はSNSの重要な機能のはずですが、この対話がかなり不可能に近い状況が生まれてしまっていると感じています。敵対している者同士だと攻撃的になって対話ができない。SNSで生まれる「分断」にどう対処していけばいいのかということですよね。社会的な発言は数ある意見の一つとして肯定的に受け止めればいいんだけど、なぜかそう思えない。SNSで流れる政治的ツイートをどう受け止めればいいのか、という問題。

飯田　歳を重ねるごとに、SNSをやらなくなってるんですよね。政治的な投稿を読んではいても、コミットしなくなっちゃった。ＳＮＳでの議論や対話を諦めてしまっているのだと思います。むしろ、議論や対話が成立する別の場所、別のチャンネルをちゃんとつくりたいですね。このことは「わがまま」の共有という話と関わってくると思います。

富永　東浩紀さんは『ゲンロン戦記』（中公新書ラクレ）で、対話の場がネットだけにあると感じがちだけれど、もっとリアルに集まるような場の方が偶発性が生まれやすいと言っています。例えばだけど、敵同士をつなぐよりも、全然違う第三者に自分たちの考えを説明していく中で、三者がうまく融合することってリアルの場で起こり得る。だから、無理にSNSを使わなくていい、というような。

飯田　「エコーチェンバー」や「サイバーカスケード」などと言われますが、ＳＮＳでは似たような考えを持った人しか寄ってこないということは、いろいろな研究で言われていることですよね。分断を埋めるプラットフォームができるといいな、という気持ちがある一方で、我々はそういうツールを開発できる人間ではないので、当面できることは、ネット以外の場をつくるということに尽きますね。

富永　「とりあえず話そう」「いろいろな人を入れて話そう」という意味では、読書会でもいいですし、例えばその時々で見られる新しいプラットフォームはいろんな人が混じりがちですよね。例えばClubhouseとかになるんでしょうか。

飯田　Clubhouseの見通しはまだ分からないですが、いろいろなSNSを乗り換えていくことには可能性があると思います。『つながりっぱなしの日常を生きる』を書いたダナ・ボイドさんの調査でも、アメリカの若者たちはオープンなSNSでクローズドなコミュニケーションを取り、知らない大人や面倒くさい人が入ってきたら、別のSNSに乗り換えていくことで自分たちの身を守るということに注目しています。その一方、Clubhouseもそうですけど、新しいSNSに登録した瞬間って、その時だからこそできる刹那的なコミュニケーションとか、全然知らない人が入ってきたことによる偶発的な出会いがよく起こるので、従来のSNSの人間関係を組み替える契機にもなりますね。今のネットは窮屈ですが、いろいろなチャレンジによって、違う関係性をつくっていける余地は残っていると思います。

富永　SNSって、古参が強くなっちゃうじゃないですか。Facebookにもそういう空気がある。一方、新しいSNS、例えばさっき言ったClubhouseなどでも、黎明期にはテック系の人とかコンサルっぽい人が入ってきたりで、ある種偶発性の高いウェブ空間なのかもしれません。

飯田　僕は、あえて今、mixiが面白いと思うんですよ。全盛期に比べると利用者がどんどん離れていっていますが、その結果、マイノリティの人たちにとってはちょうどいい感じの開かれ具合なんですよね。Twitter は開かれすぎて殺伐としているし、Facebook は実名が原則なので、より安心してコミュニケーションを取りたい時に、mixi がちょうどいい。

富永 確かに、若いアクティビストの方も「mixi を使っている」と言っていました。

飯田 古いSNSは年配の人が多いのに対して、新しいSNSには若い人が飛びつきがちだけど、8bit やチップチューンが流行る、洋服や自動車のトレンドが一周して古いデザインがリバイバルするみたいな感じで、SNSの使い分けができるようになったら面白いですよね。

富永 そういう意味でもプラットフォームを変えることが一つの手なのかもしれません。
社会運動に引き付けて考えると、身分を隠したり、敢えて言わずに運動に参加すること自体は珍しいことではありません。富井久義さんの研究で、あしなが育英会の寄付運動では、交通遺児の子たちが主体となるんですが、彼らは自分のアイデンティティと距離を取るために、あえて当事者であることを前面に出さないで運動をすることがある。HIVの患者と支援者の方の運動をテーマにした本郷正武さんの研究でも、患者と支援者を区別しないことによって参加しやすくする戦略を明らかにしました。たしかに当事者であればバズりますが、ただ、バズを狙うだけが運動ではない、と言いたいですね。

Q 冷笑に対してはどうしますか？

富永 こんな質問もいただいています。発言をすると「そんな熱くならなくてもいいじゃん」「どっちもどっちだよね」みたいな冷めた声があって、それらに対してどう立ち向かうか、あるいは、そういう人をどう変えていくか、ですね。アンチの人を変えるよりも難しい問題だと思います。

私はフェミニズムに関心があってよくメディアでも発言してたりするんですが、長期的に見ることが大事だと思っています。シニカル野郎みたいな人って、ころっと変わることがあるんですね。お友達に留学生の人が出来て、それで移民の権利を考えるようになったとか、女の子のお子さんができてジェンダー平等の意識が芽生えたとか。立場が変わることによる変化が起こったりする。運動をやっていると、どうしても短期で見ちゃうじゃないですか。「なんでこんなに頑張っているのに変わらないんだ」とか。でも、あえて長期で、それこそ運動の歴史をひも解くと、結構長いスパンで変わっていたりするわけだから。長い目で見ることも大事だと思います。

富永 誰かとつながることで安心したい、同時に、人間関係で疲れたくない、という思いを両立するためにはどうすればいいですかね。

飯田 正解がないから難しいですよね。先ほどご紹介した電通の調査では、SNSの使い方も調査していて、例えば、政治に関するニュースについて調べたいときは新聞社やテレビ局のツイートを検索するけれど、ファッションやスイーツの話になると、友達のアカウントも企業や店舗のアカウントも区別なく検索対象になるということが裏付けられていました。友達とつながることで安心感を得るだけでなく、それが流行の情報源にもなっているので、日常生活における依存度がどうしても高くなってしまう。

富永　お手本を探す。

飯田　そうですね。少なくともファッションは、Googleで検索するのではなく、自分にとって手が届きそうなお手本を探すためにSNSで検索するのが、若い人の間で主流になっていますよね。これは今に始まったことではなく、読者モデルやファッションブロガーなど、「等身大」のおしゃれに注目が集まるようになった流れの延長だと思いますが。

「SNSについていけない」

富永　「SNSについていけない」というコメントもありました。「情報量が多すぎて苦手」とか「利用しないことが市民としての社会的な責任を放棄していることになるのではと思ってしまいます」。そんなことはないと思いますけどね。SNSには運動や社会的意見が集中するし、新聞もその動きを取り上げたがりますから、ついていかなきゃいけないの？　という圧力が生まれるんだろうけど、私は、ついていかなくていいだろう派です。

飯田　もちろん僕もそうです。トランプ元大統領、孫正義さん、有吉弘行さんたちのツイートはマスメディアだけれども、当然、鍵付きアカウントであったり、DMを中心に使うこともできたりして、Twitter は使いように応じて、ミドルメディアにもパーソナルメディアにもなる。いわば伸び縮みする。芸能人のツイートを読んでいるだけという人もいっぱいいるし、使い方に正解がないのがソーシャルメディアの面白いところだと思います。いろいろな使い方があって、人それぞれ違うタイムラインを眺めていると気づけば、そんなにしんどくはないんじゃないかな。

富永　「使わない」も一つの使い方ですよね。

飯田　「（アカウントを）消してしまいました」というコメントもありました。「消せる」ってすごい能力ですよね。後ろ髪を引かれて消せない人が多い中で、それができるのはいいことだと思います。

富永　私自身は「ＳＮＳを使っていない」という人がちょっとうらやましくて、「ＳＮＳばかり見てしまうので少しずつ改善していきたい」というコメントもありました。

飯田　僕も昨日、Clubhouseをやっていなければ今日のスライドはもうちょっと良くなっていたかもしれない……。そんな反省の繰り返しです。仕事の妨げになる人がいれば、それが生きがいになる人もいる。適切な距離感は人によっても違います。「適度にしましょう」みたいなアドバイスが本当に正しいかどうか、一概には言い切れませんね。

富永　アカウントを切り替えながら、適度に見ないようにしていき、自分のペースをつかんでいくことが重要なのかな。

Q　自己主張を避けるのはどの年代から顕著なのでしょうか

富永　こんな質問もありました。序盤にお見せした通り、やはり六〇代はそんなに社会運動に対する忌避感はないです。ただ五〇代以降は基本的にネガティブですよね。五〇代は「しらけ世代」と言われ、学生運動に対してどうしてもネガティブなイメージを持っている世代です。面白いのは、連合の二〇二一年調査でより明確になっているんですが、二〇代になるとネガティブな印象がちょっとずつ減るんです。安易に「変わった」とは言いたくないんですけれども、飯田先生から見て、学生の様子はどうですか。

飯田　みんなの目に触れるところでは自己主張をしなくなっていますね。「バカッター」なんて言葉が流行った一〇年前に比べると、何がきっかけで炎上するか分からないということを自覚しているので、Twitterでの積極的な発信が減っている印象があります。Twitterも Instagramも鍵アカが増えましたね。大学や授業に対する不満とか、教員に対する悪口とか、五年くらい前まではよく見えたんですが。

富永　言えた方が自由だし、その対象となる組織とか人に伝わるかもしれない。言わないで仲間内の鍵アカで言うだけでもよくて、グチも社会運動の種になるのですが。

飯田　その代わり、面と向かってストレートに言ってくる学生は増えた印象です。SNSで言いっ放しになるのではなくて、ちゃんと言ってくる。それはいい傾向で、建設的なコミュニケーションにつながりやすい。二〇一〇年代前半までに比べると、SNSでのコミュニケーションはクローズドな方向に振れていますが、「悪い」という感じはない。

富永　私としては判断が難しいところがあります。つまり、お客さんと財の提供者との一対一のコミュニケーションになってきている、ということですよね。もちろんそれでもいいんだけど「不満」は、自分だけの問題じゃないよねとも思っていて。学費が高い、忙し過ぎて講義が受けられない、だからなんとかしてくれ。それを教務課や教員に直接言うと、確かに問題は解決するかもしれませんが、より広い人々、同じように困っている他の学生を巻き込めない。

飯田　それは確かにそうですね。大学はサービス業のように見える面もあるので、「顧客の権利として言うべきことは言う」という学生が増えている一方で、自治会やサークルをはじめとする学生団体などを通じて「みんなで主張する」という活動がどんどん弱くなっていますね。

富永　自分の問題が、他者の問題にもつながっているとは感じにくいんでしょうね。「こんなに課題が大変なのは俺だけかな」とか「みんな金持ちそうだし、学費で悩んでるのは私だけかな」みたいな。そういう悩みを共有できる場所が大学にあるといいけれど……。

飯田　オンライン授業が続く中で、一番の課題になっていることですよね。職員さんもいろいろと苦労されていると思います。

では、まとめに入っていきますね。

富永　私は運動に携わる人の聞き取り調査をずっとやってきました。最初は嫌がられるかと思っていたのですが、意外とそうでもなかったんです。なぜかというと、運動の中にいる時は、運動について言えないことがいっぱいあるから。今こうやって話してみて、ＳＮＳも同じかなと思います。つまり、ＳＮＳの中ではＳＮＳについて話せない。ＳＮＳのモヤモヤを、オフラインというか、別のツールで話すことが、明日からできるＳＮＳモヤモヤ解消テクニックだと思いました。ありがとうございました。

飯田　ありがとうございます。今日のウェビナー自体は「あつまり」というよりは、つながっているくらいの感じなので、打ち解けて話す場とはちょっと違いました。オンラインのコミュニケーションもどんどん進化していますので、新しい技術にも頼りつつ、モヤモヤを話し合う機会は別途しっかりつくっていけたらと思いますし、大学は本来そういう場であるべきですね。そういうロールモデルをつくっていけたらと思いますので、今後ともよろしくお願いします。

（構成：笹島康仁）

※本章は立命館大学教養養育センターが二〇二一年一月二八日に開催した「SERIES リベラルアーツ：自由に生きるための知性とはなにか　[Session 03] わたしの〝モヤモヤ〟大解剖――わがまま論・つながり論を切り口に」（ゲスト：飯田豊、富永京子）を再構成したものです。

？ もっと考えてみよう

1 自分のモヤモヤが他者や社会の問題とつながっていると感じたことはあるだろうか。

2 「わがままだ」と思われる活動で、社会や組織の制度を変え、人々の意識を変えてきたものには一体どういうものがあるだろうか。

3 モヤモヤを話せる場というのはどのような場だろうか？ これまでの経験を踏まえイメージしてみよう。

4 個人が「わがまま」を言える社会にするにはどのような工夫が必要だろうか。

⬅イベントの模様を動画で観る
https://youtu.be/GTaAW7pHRII

Column 01

〈自由〉な空間で生きる、学ぶということ

瀧本和成

本年（二〇二二年）は、日本近代文学に於いて偉大な功績を遺した森鷗外の没後一〇〇年に当たります。標題の〈自由〉について講じるに当たって、鷗外の文章（や作品）に着目して考えてみたいと思います。

鷗外は、東京大学医学部を卒業後、陸軍省に就職し、一八八四年から八八年までの四年間医学研究のためドイツに留学をしています。帰国後ドイツ留学体験を経て綴った「大学の自由を論ず」（『国民之友』第五七号一八八九・七）の中で次のように述べています。

余の独逸に在るや、博く大学々生及び曾て大学生たりしものに交り、其胸襟洒脱、風采掬すべきを見て、未だ曾て恍然自ら失せざることあらざりき。或は云く。彼邦仕学院（中学）の厳、能く之を致すと。余謂へらく。然らず。之を致すものは大学の自由なり。嗚呼自由の物たる、初より製作すべきに非ず。之を制作するものは即ち彼の自由に非ざる所のものを撤去して、之を製作せざるに在り。独逸大学の制度、豈然らずや。（中略）由是観之、聴講の自由と校外生活の自由とは大学自由の真相にして、大学自由は真成の男子、真成の学者を養成する最良淘汰法なり。

自らの留学体験から大学での〈自由〉空間の重要性が語られ、「大学自由は真成の男子、真成の学者を養成する最良淘汰法」であると明言しています。

また、留学時の生活を記したものに『独逸日記』（一八八四年～一八八八年）があります。

この日記は、赴任地に合して大凡四期（ベルリン→ライプチヒ→ドレスデン→ミュンヘン→ベルリン）に分けられま

す。それぞれの滞在都市ごとに確実に変化を遂げて行く鷗外の精神構造が鮮やかに描出されています。緊張と責任感の塊とでも言うべきひとりの青年が、ドイツの大学で学問や文化、芸術に触れることによって、少しずつ精神的にも肉体的にも解放されて行く様が描かれ、やがてそれは最終地ベルリンで「普国近衛歩兵第二聯隊の医務」活動専念という形で終焉を迎えることになります。したがって、『独逸日記』は、基本的には〈緊張〉から〈自覚〉、〈解放〉そして〈閉塞〉へと構成されていると言えます。

実は（私たちが読んでいます）現存の『独逸日記』は、鷗外が九州・小倉在住の折、書き直されていることが、母峰子に送った書簡（一八九九・一〇・一〇付）から窺い知ることができます。また、同時期に鷗外は、「鷗外漁史とは誰ぞ」（一八九〇・一・一）という一文を『福岡日日新聞』に発表しています。

> 予は一片誠実の心を以て学問に従事し、官事に鞅掌して居ながら、その好意と悪意とを問はず、人の我真面目を認めて呉れないのを見るごとに、独り自ら悲むことを禁ずることを得なかつたのである。それ故に予は次第に名を避くるといふことを勉めるやうになつた（中略）予は心身共に健で、此新年の如く、多少の閑情雅趣を占め得たことは、曾て書生たり留学生たりし時代より以後には、殆ど無い。

右引用箇所にあるように、小倉任務の三年間は、あらためて鷗外に（ドイツ留学時代にも似た形で）心静かに省察する機会を与えました。鷗外は、小倉時代に『独逸日記』を書き直すことで、一〇年以上前のドイツ留学を追体験しながら、〈自由〉を基軸に自らの処し方や存在の在処を日本の時代閉塞の現況と対峙して考えています。

また、留学体験を素材にした鷗外の小説第一作「舞姫」（一八九〇・一）でも左掲にあるように、「大学」についての記述が見られます。

久しくこの自由なる大学の風に当りたればにや、心の中なにとなく妥ならず、奥深く潜みたりしまことの我は、やうやう表にあらはれて、きのふまでの我ならぬ我を攻むるに似たり。

〈自由〉と言う「大学の風に当り」、それまで「所動的、器械的の人物」だった太田豊太郎が、だんだんと自我に目覚める姿が描かれています。〈自由〉な空間は、自己形成を促し、自己の覚醒、他者の発見、社会（・時代）との対峙へと向かわせる原動力と成り得ることが物語の進行に沿って描出されています。太田豊太郎は〈自由〉な空間に身を置いたからこそエリスとの恋愛も経験することとなったと言えます。作者鷗外も（留学先の）ドイツにて〈自由〉の風に当たることにより、文学や芸術と出逢い、Elise Marie Caroline Wiegert と恋愛をすることができたのです。

一九一〇年代の作品に於いても〈自由〉は、鷗外作品の基調をなすテーマとなっています。大逆事件後に発表された小説や評論の中核をなすテーマ（主題）に学問の自由及び芸術の独立性があります。

芸術の認める価値は、因襲を破る処にある。（中略）学問だつて同じ事である。学問も因襲を破つて進んで行く。一国の一時代の風尚に肘を掣せられてゐては、学問は死ぬる。芸術を危険だとすれば、学問は一層危険だとすべきである。（中略）どこの国、いつの世でも、新しい道を歩いて行く人の背後には、必ず反動者の群がゐて隙を窺つてゐる。そして或る機会に起つて迫害を加へる。只口実丈が国により時代によつて変る。

小説「沈黙の塔」（一九一〇・一一）は、言論や表現の自由を巡って物語が展開しており、「芸術の認める価値は、因襲を破る処にある。（中略）学問だつて同じ事である。学問も因襲を破つて進んで行く。一国の一時代の風尚に肘を掣せられてゐては、学問は死ぬる」と記述しています。また、同時期の評論「文芸の主義」（一九一一・四）では、「学問の自由研究と芸術の自由発展とを妨げる国は栄える筈がない」とも述べています。鷗外のこうした言説は、学問や芸術の自律性、個人の自由への問題が横たわっていることは間違いないかと考えます。

〈自由〉という空間（環境）が、いかに学問や芸術（の生成）にとって重要であり、人間の未知の能力を開かせ、新しい世界（・領域）に自らを誘うものかがこの文章を通してよくわかります。鷗外の場合、その〈自由〉な空間に小説や詩歌の創造があったこともわかります。

鷗外は、一九一六年四月陸軍軍医総監・陸軍省医務局長を辞し、翌年帝室博物館総長（そして、兼任する形で一九一九年九月には帝国美術院初代院長）に就任しています。この時期の為事ぶりを高島米峯は、雑誌『中央公論』（一九一八・二）に「観覧者のため研究者のため（中略）各部の目録を大成し」（「新任博物館総長森林太郎博士に与へて博物館の革新を促す」）たと述べています。また、国語・国文学者山田孝雄は、雑誌『心の花』（一九二二・八）誌上に「学者としての森博士を見ますと、私は是れ位学問に忠実であつた人は恐らくは余りないだらうと思ふのであります。（中略）森博士は学問を研究する人に対して非常に同情が深かつた」と評しています。国語学者大矢透は、鷗外のことを「当時帝室博物館の総長は故森林太郎博士であつたが、非常に好学の人で、自分に対し奈良で研究した方がよいと勧められ、終に思ひ立つて奈良へ移住し、（中略）森総長の好意にて、三年間内覧研究の便宜を与へられた。このことはいまなほ自分の感謝措く能はざるところである」（「国語と国文学」一九二八・七）と述懐しています。このように晩年の鷗外も見ても彼が如何に「学問の自由研究と芸術の自由発展」に寄与すべく為事をしていたかがわかるかと思います。

鷗外の詠んだ短歌に「はやぶさの目して胡粉《ごふん》の註を読む大矢透《おおやとおる》が芒《すすき》なす髪」（「奈良五十首」『明星』一九二二・一）という一首があります。はやぶさのような鋭い眼光をして胡粉で綴られた註（文字）を読み解く大矢透が詠まれていて、結句の「なす」に鋸状の棘をもつ（で刺す）芒と初句の「はやぶさの目」の鋭さとが呼応していると共に、白い「芒」が大矢の白髪と重なり、研究に没頭する様が表現されています。そして、「なす」に研究が実を結ぶ意味も包含されており、研究に対して真摯に向かい合う大矢透の姿勢が鷗外の思いと重なって謳われていて興味深く感じます。

坪内逍遙との没理想論争（一八九一年～一八九二年）でも、鷗外の論点の基軸は、〈自由〉という概念でした。反リアリズム文学的立場から浪漫主義文学を標榜した鷗外の文芸観には、理想主義的な色彩も帯びています。理想を語ることは、とりもなおさず非現実的な要素を包含します。

私たちは、現実を生きています。現実（社会）は不自由で生き難いことが多くあります。現実（社会）は不条理に満ち満ちてもいます。しかしながら、人間は状況によって変わり得る存在であると同時に、状況から学び、状況を変革（改善）することを志向する動物でもあります。鷗外は、日清・日露戦争に従軍し、その悲惨さを経験しました。そうした不条理な現実（社会）を生き、認識したうえで敢えて非現実的な世界の構築を志向したのです。非現実な空間は、虚構の世界であり、夢の世界でもあります。現実が生き難いからこそ、鷗外は文学（物語）世界に虚構性を組み込み、在り得べき人間（関係）や社会を描こうとしました。その基底に鷗外が留学体験から学んだ〈自由〉を謳歌することへの重要性が看て取れます。それは〈自由〉空間が人間をして想像力を発揮させる場となることであり、想像力を駆使することによって人間は〈自由〉な空間（領域）で「遊ぶ」ことができるという意味でもあります。その想像力が最も純粋な形で発揮される場が文学や芸術の創造および学問探究にあることを私たちは識ることができます。

大学生あるいは大学院生である諸君、この立命館大学という学び舎で、〈自由〉を基点に学問や芸術を学び、想像力を駆使して新たな学問・芸術の領域に飛翔されることを希望いたします。

トークセッション
PART2
人間を考える

04

人間関係のデモクラシー

——〝家族〟から思考する

性やジェンダーにかかわり、誰もが当事者として考えうるテーマとして「家族」を選びました。反復する日常と「当たり前」に変化を起こそうとするとき、まず「家族」から思考してみるのはいかがでしょうか。

登壇者

柳原恵（やなぎわら・めぐみ）

立命館大学産業社会学部准教授。博士（学術）。専門は女性史、ジェンダー史。著書に『〈化外〉のフェミニズム――岩手・麗ら舎読書会の〈おなご〉たち』（ドメス出版、2018年）など。

横田祐美子（よこた・ゆみこ）

立命館大学衣笠総合研究機構助教。専門は現代フランス哲学。著書に『脱ぎ去りの思考――バタイユにおける思考のエロティシズム』（人文書院、2020年）、翻訳書にカトリーヌ・マラブー『抹消された快楽――クリトリスと思考』（西山雄二との共訳、法政大学出版局、2021年）など。

2021年6月30日開催

自由と平等のための輪番制

柳原　現在、コロナ禍のためにオンライン授業やテレワークが増えたことによって、家族で過ごす時間が増えた方も多いのではないでしょうか。さまざまな研究では、このパンデミックが性差による家事労働の格差を一層悪化させたことが示されております。また日本を含めさまざまな国で、特にワーキングマザーがメンタルヘルスの問題で苦しんでいる現状があることがわかっています。私たちにとって当たり前のように存在する「家族」という集団は、プライベートな関係性の一つでありながら法的にも社会的にも特別な存在として扱われています。一方で血の繋がりといった、いわゆる伝統的な家族ではない形で自ら選び取る「オルタナティヴな家族」をつくる人たちも生まれています。この古くて新しい「家族」というテーマについて、横田祐美子さんにお話しいただきます。

横田　本日のテーマは、「人間関係のデモクラシー――〝家族〟から思考する」です。なぜここに「デモクラシー」という単語が入っているのか、私の発表をお聞きいただければご理解いただけると思います。

さて、「家族」というものは、私たちが生まれた時点ですでにそこに放り込まれているものだと考えることができます。「お父さん」「お母さん」が揃った伝統的な家族形態でなかったとしても、疑似家族的なシステムのなかに入れられることがすごく多いと思うんですね。今日はこの「家族」を一つのシステムとして捉え、その内部にある力関係を見ていきたいと思います。家族は私たちの身近にいて、自然なものだと捉えられていますが、そこには権力や序列の問題があります。にもかかわらず、普段はあまり「考えなくてもいいように」されている部分があるのではないでしょうか。

まずは、「考えなくてもいいように」されているとは、いったいどのような意味を持つのかについてお話しできればと思います。考えなくてもいいということは、パターン化された形があり、形式や慣習に落とし込まれているとも言えます。「慣習法」がある時点で、慣習もまた一つの法として人間を縛るところがあるのではないでしょうか。そのイメージを輪っかを使って表現してみました。

同じことをいろんな人々が反復していくなかで、一つの定型とも言えるようなものが形作られていく。そうしたことが繰り返されることによって、私たちは特に考えもせずに「こういうことだよね」とそのまま受け取り、再生産していってしまうのです。

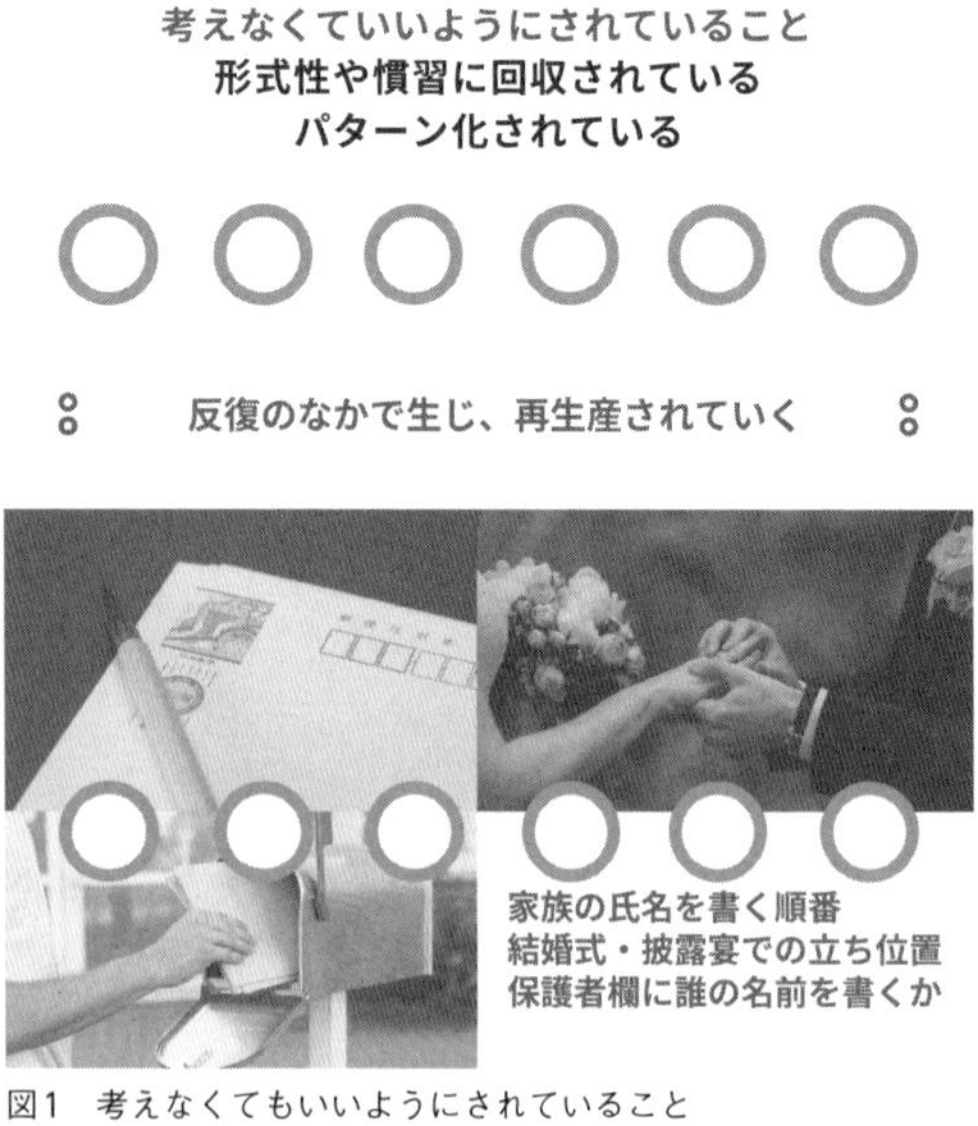
考えなくていいようにされていること
形式性や慣習に回収されている
パターン化されている
反復のなかで生じ、再生産されていく
家族の氏名を書く順番
結婚式・披露宴での立ち位置
保護者欄に誰の名前を書くか
図1　考えなくてもいいようにされていること

具体例を挙げてみましょう。例えば、年賀状。家族の連名で書く時に、宛名や差出人名のところに名前を書く順番が固定されていませんか。お父さん、お母さん、子ども（子どもは生まれた順）……という順番が普通だから、なんとなくみんなそうやって書いている。あるいは結婚式や披露宴の立ち位置、座る場所、話す順番にも家族のなんらかの序列が含まれており、定型化されています。こちらが反抗しない限り、そのパターンのまま結婚式場の人たちも話を進めていってしまうでしょう。また大学での入学手続き。保護者欄や保証人欄に、家族の名前を一人分だけ書かなければいけない。そんな時に、家族を誰が代表しているのかが分かりますが、そこにお父さんの名前を書くことが多いのではないでしょうか。

このようなことが私たちの生活のなかにはたくさんあり、「こういうものだよね」と慣習として当たり前に受け止められてきました。こうした反復によって、硬直してしまうものがあると私は考えています。年賀状に家族の名前を書くときの決まった順番が繰り返されていくうちに、家庭内の力関係も固定されていくのではないか。あるいは食卓の座る位置についても考えてみましょう。誰がキッチンに近いところに座り、誰が上座に座っているのか。家族とはいえ、複数の人間が集まって暮らしているので、どこかで力関係や序列が生まれていくのです。

そうした慣習を打破することをやってきたのが、私が専門として研究している現代フランス哲学です。フランス哲学では特に二〇世紀において、「同じものの反復のなかに差異を導入する」ことをさまざまな哲学者、思想家たちがやってきました。反復される事象のうちに、異質なものを到来させようとするのです。それが今日お話しする「デモクラシー」のタイトルに関わってきます。

紹介したいのは、現代フランス哲学を代表する哲学者の一人、ジャック・デリダです。彼は著書

『ならず者たち』のなかでデモクラシーを主題に取り上げており、どうすれば本当に自由で平等な民主主義を考えることができるのかという話をしています。ここでちょっとデリダの文章を引用してみましょう。少し難しいですが、読み上げて解説していきたいと思います。

自由と平等が両立可能であるのは、言わば回転的な、交互的な仕方においてのみ、交替においてのみである。有限な存在の絶対的自由(ここでわれわれが語っているのはこの有限性のことである)が公平に分有可能であるのは、〈代わるがわるの時空〉においてのみ(中略)である。(ジャック・デリダ『ならず者たち』鵜飼哲、高橋哲哉訳、みすず書房、五九〜六〇頁)

哲学のテクストはわかりづらく書かれていることが多く、漢字も多いですよね。ものすごく噛み砕くと、「自由と平等を実現するためには、代わりばんこ、交代交代が必要になってくるんだ」と言っています。ここには「有限な存在」と書かれていますが、私たち人間は死を前にしてはみんな平等です。そしてここに「時空」という言葉が出てきますが、時間的にも空間的にも私たちは制限された存在であると言えます。例えば、今、私はこのカメラに映っていてお話ししていますが、私がここを占めている間は、他の人がここを占めることはできません。ある空間を私が占めている限りは、他の人が入って来られないという意味で、人間は有限な空間や時間を共有しているわけですね。だから私がここに居座って代わらない限り、ちゃんと交替できずに、次の人が発表できなくなってしまうと。すごく権力的な在り方をしてしまうことになります。デリダは交替すること、「代わるがわる」であることが、本当のデモクラシー、「来るべきデモクラシー」であると言います。そしてまだここに実現していないデモクラシーであると。

デリダのこの議論を回転する輪っかのイメージで示しました。今日は輪っかがイメージとしてたくさんでてきます。『ならず者たち』でも、回転する車輪のイメージを使って来るべき民主主義のお話をしています。この図のように、王冠のある位置が、一番権力を持っている人の位置であると考えてみてください。権力の座は、常に特定の人がずっと占めていいわけではなく、常に穴があいていたり、余白があるはずです。だからこそ、そこに他の人が座ってもいいいし、喋ってもいい。交代でどんどんやっていかないと、自由も平等も成り立たないのではないか。

この考えを基に、先程事例として取り上げた結婚式について考えてみましょう。結婚式、披露宴での立ち位置、座る位置も、もう少し平等にしていくことができると思います。私自身も自分の挙式・披露宴で、「結婚式のデモクラシー」というマニフェストのようなものを書き、列席者に配りました。結婚式では新郎が常に上座、優位な立ち位置で、新婦が常に下座に置かれています。話す順番も、新郎→新婦と式次第が決まっている。だからこそ、順番を入れ替えてほしいと提案し、途中から高砂席で新郎新婦が席替えをしたり、両親の立ち位置を変えたりしました。このような形で結婚式をすることによって、家父長制が

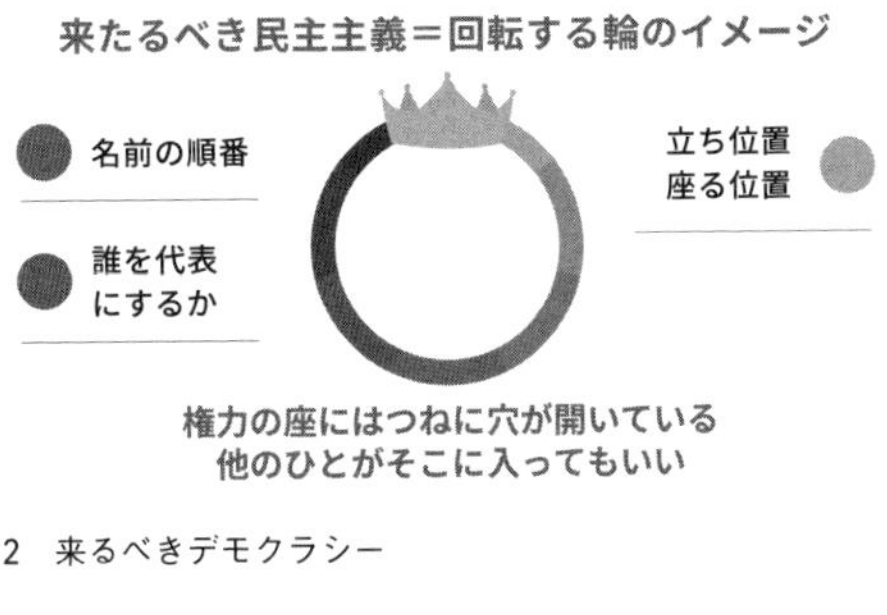
来たるべき民主主義＝回転する輪のイメージ
名前の順番
誰を代表にするか
立ち位置
座る位置
権力の座にはつねに穴が開いている
他のひとがそこに入ってもいい

図2　来るべきデモクラシー

強く残った結婚式や披露宴であっても、自分たちが平等であることを体現、表現することができるのではないかと。加えて、招待状の宛名の順番を変えてみる。交代交代、代わりばんこにしたらいいのではないか。必ずしもお父さん、お母さん、子ども、という順番にしなくてもいい。連名にするにしても、私の親族や友人に送るのであれば、私の名前↓夫の名前の順番にする。もちろん夫の親族や友人に送る場合は、夫の名前↓私の名前の順番にします。このように送り先との関係性によって順番を変えてみる。以前、知人の結婚式の招待状をいただいた時、新郎新婦のお父さんたちの名前が差出人名に書かれていて、誰の結婚式の招待状なのか分からないなと思ったことがありました。そうした慣習を少しでも変えるために、名前の順番を意図的に入れ替えることをしています。

また、先程話題に出た保護者欄も代わりばんこに記入することができるでしょう。私が中高生のとき、自分で親の名前を書ける書類のときは、お母さんとお父さんの順番を統一せず記入していました。ですが大学の入学手続きのとき、明確に覚えているんですけど、母に「保護者欄、誰の名前を書いたらいい？」って聞いたら、「お父さんでしょ、そこは」と言われてしまった。「それが普通だ」と言われるんですね。だけど家を代表する者は、お父さんであっても、お母さんであってもいいはずです。

このような身近なところで、デリダが言っているデモクラシーを実践してみる。そうすると、周囲には違和感を持つ人もやはり出てきます。でも相手に躓きを与えることで、考えてもらう機会も生まれるのではないでしょうか。

本日のイベントの副題には、「自由に生きるための知性」とあります。自由に生きるためには、「考えなくてもいい」ようにされてきたものを、もう一度考えてみることが必要なのではないでしょうか。パターン化されている形式のなかには、なんらかの権力や序列を示しているものがあります。自分の思考の枠組みにも、慣習や社会的なもの、人々のあいだで作り上げられてきたもの、構造によって規定されている部分がある。それをもう一度問い直す視座が必要なのではないか。それを変えていくためのさまざまな知見が哲学にはありますし、思考の枠組みを固定せずにいることが、自由に生きるためには必要だと思っています。

そして差異や異質なものを怖れないことも大切でしょう。相手にどう思われるか、失礼と思われないか、そう考えて自分の名前を常に夫の次に書いてしまうことがあるかもしれません。でも一度変更してみることで、なにか違うものがそこから生まれてくると思いますし、夫婦や家族のなかで硬直した関係が変わっていくことに繋がる可能性があります。

デモクラシーは単に政治の話だけではありません。政治は個人の、あるいはプライベートな空間にも浸透してきているものです。どうすれば平等であるのかを考えるとき、この順番を入れ替えることが一つのカギになってくるのではないか。私の発表は以上です。ありがとうございました。

「もしかしたら響くかもしれない」可能性に賭ける

柳原　横田さんより、現代フランス哲学・思想の視点から「家族」とデモクラシーについてお話をいただきました。「同じものの反復のなかに差異を導入する」ことで、自由で民主的な関係を構築するための方法が示されました。ある慣習が繰り返されることにより、権力関係が固定化されていく。しかしながら、その繰り返しの過程に差異を導入することによって、その固定化された関係を揺るがすことができる、小さな行動から社会を変えるような可能性が示された報告だと感じました。

　私自身の専門は地域女性史です。岩手の農村部の女性たちによるジェンダーの変革実践、フェミニズム的な動きについて調査してきました。岩手県の北上市で活動する、「麗ら舎《うらしゃ》読書会」という女性たちの読書会があります。そこの会員である渡辺満子さん（一九三二年生）が、詩人である夫と『随筆集 ベゴニアのひと鉢』（武蔵野文学舎）を出版されました。一九八五年のことです。この本の表紙の著者名を見ると、「渡辺満子・渡辺眞吾」と、満子さんのほうが上に書かれています。「婦唱夫随の表紙」と渡辺さんたちはおっしゃっていました。夫が意見を出して、妻はそれに従うという「夫唱婦随」という言葉があります。これは仲の良い夫婦、夫婦のあるべき姿のたとえとして使われてきました。「婦唱夫随」はそれを引っくり返し、夫が主、妻が従という、これまでの夫婦のあるべき姿に抵抗するような表紙だと言えます。「たったこれだけのこと」と思うかもしれませんが、実はこのことについて渡辺さんにインタビューをしたところ、「え、奥さんのほうが名前が上で、旦那さんが下なの？」とこの夫婦の名前の位置関係について喧々諤々と言われたのだとおっしゃっていました。「麗ら舎読書会」の主催である詩人の小原麗子さん（一九三五年生）は、この「婦唱夫随の表紙」についてこう問いかけています。「なるほど、なぜいつも男が先に呼ばれる『男女』なのかと女は疑問に思いつつも、半歩下がって男の後ろからついてきたのでした。そんなチャチなことにいちいち目くじらを立てるな、と言われる向きもありましょう。そんなチャチな変革こそが変革なのだと思ってしまうのですが、皆さんはいかがですか」（小原麗子「『ベゴニアのひと鉢』をよんで、たのしむ会」麗ら舎読書会編『駄句はじける』一九八五）。

「夫が先で妻が後」という夫婦の名前表記を逆転させることは、同じことの繰り返しのなかに差異を挿入することに繋がりますよね。男が主で女が従うというジェンダーの関係を、「チャチな」実践で変革していく。この実践は、横田さんがご報告された内容に通じる事例なのではないかと思い紹介をいたしました。

さて、視聴者からコメントが来ています。横田さんにご意見を伺いたいと思います。

Q

結婚式の写真を和装で撮影したときのことです。着物の柄には「子宝に恵まれるように」など、家の繁栄という意味が込められているものが多かったです。私には綺麗な格好をして写真を撮りたいという思いと、家父長制に絡めとられたくないという気持ちがありました。そのような気持ちがあるなら、写真など撮らなければよいとも思ったのですが、記念だし撮りたいという気持ちもありました。このような相反する気持ちがあります。伝統的な家制度の価値が反映されている和装で写真を撮るということは、家父長制に与することなのか。どういうふうに自分を保ったらいいかわかりませんでした。

横田　そうですね。結婚式をやること自体が、家父長制に与しているという指摘もあります。「和装が綺麗だな」と思う感性と、「いや、これは家父長制のものだから乗っかるのはやめたい」という知性の働き。感性と知性のあいだで板挟みになって困っていらっしゃるのかなという印象をまず受けました。でもそのときに、感性を全否定することもできない。ではどうすればいいのか。具体的にはさまざまなやり方があると思います。

私も結婚式のお色直しで和装を着ました。実は和装は、（夫から見て）夫の左に妻が立つことを想定して柄が作られているんです。私は和装の記念写真を撮影するときに、夫の右に立ちたいと言って立ち位置を変更しました。そうしたら、写真の角度によっては、お着物を作った人の見せたい柄（家の繁栄を意味する刺繍など）が見えなくなっちゃうんです。でもその時に「角度によって見えないならそれでいいや」と思いました。立ち位置が固定された上で着物が作られているわけですよね。でも角度を変えてしまえば、そういったものを着ながら、ある種違う意味をそこにつけることができるのではないか。

ただ常に考え続けてしまうと、知性ばかりが勝ってしまい、自分の感性、例えばフェミニンな服やかわいいものが好きだと思っていても、それを着てしまうとダメだと避けてしまうことがあるかもしれません。でもそうした自分の感性を全否定せず、折り合いをつけていくことが、自分ができる範囲でやる際の大切な部分だと思います。

Q

私は、人は必要に迫られない限りは、行動や社会を変えようとしないと考えます。また、社会の人々の全員が全員、変革が必要であるとも考えてはいないでしょう。そのような相手に対する向き合い方は、どのようにお考えでしょうか。

横田　そうですね、必要に迫られないと、人間って変わらない部分はありますよね。恐怖や衝撃、自分を否定してくる要素がないと、変革の方向に向かわないことはあるでしょう。でも「なんで変わろうとしないんだ」と直接的にその個人を責めていいのだろうかとも私は思っているんですね。そうした状況でも自分自身はやり続けるしかないと私は考えている。何回言っても変わらない人はやはりいます。「結婚式のデモクラシー」と言って、実際に結婚式をしてみて、すごく響く人と、全く響かない人がいます。だけどその実践を続けていくなかで、例えばその人たちに対して送る年賀状でも、私の親族だったら私の名前を先に書いて送るとか、そういったことをするだけでも、ずっとジャブを打っている感じで、相手にもなにか気になるところが出てくるかもしれないと思っています。

哲学や文学の考え方のなかに、「投壜通信《とうびん》」というものがあります。壜を投げる通信、なかなか壜が届かない人もいるし、すぐに浜辺で取って「ああ、自分に宛てられているものだ」と響く人もいる。だけど、やっぱり哲学や文学をやっている人間からすると、人に届けるにはすごく時間がかかるんです。時間がかかるとしても、「もしかしたら響くかもしれない」可能性に賭けること。待つことができること。そうしたことが小さな変革をしていく上では大事だと思っています。

Q

僕も横田先生がおっしゃっていた、家族内での性における固定化された概念のように、パターン化された考え方に対し、疑問を抱く瞬間があります。このような考え方を変えていく上で、一般的に日本人は集団的で固定化された考えをすぐに変えることは困難だと言われておりますが、私たち学生は世の中に対し、具体的に、どの世代、どのような人々に、どのようなことから問いかけ始めたらよいのでしょうか。

横田　たしかに他の人たちと同じようなことをしていたほうが安心であるという感覚が日本では強いですよね。海外に少し留学するだけで、やっぱり違うなと肌で感じるところはあります。「私たち学生は」と書かれていますから、ご質問者さんは学生さんなのでしょうか。やれることはたくさんあると思いますが、できれば一番話をしてほしいのは家族です。さまざまなアクティビズムの在り方がありますが、家族にこそ話しづらいところがあると思います。特に自分の家族が伝統的な「普通」の家族だったりすると、それこそ「考えなくてもいい」ものとされている。私も実際、結婚式を準備している最中に、婚姻届をどうするのか話し合ってケンカになりました。それでも自分を取り囲む家族にまず働きかけることは重要だと思います。そこが変わらないと、一番しんどいと思うので。「こういうニュースがあったけどどう思う?」みたいなところから、話をしてみる。それが社会に対してというよりも、個人的な小さなレジスタンスとしての最初の一歩なのかなと考えております。

哲学は迂回の道をとる

Q

「わきまえない女」という言葉があり、ジェンダーに関する違和感を伝えることに対しうっとうしく思われることがありますが、「声を上げる」態度（言い方や言葉選びなど）も大切だなと感じます。具体的にどのような態度が大切だと考えますか？

横田　（うっとうしいと思われるような）態度は変えられないと思っています。でもなんて言ったらいいのか、「響きやすい言葉」は個々人によって違うと思うんです。ジェンダー論やフェミニズムの用語で、私の祖母に説明してもぜんぜん響かないかもしれませんが、言葉を変えれば可能かもしれない。

ただ、ハラスメントのような不正のある場所で、「態度」について問題にすることには注意したい。ある講演会で、性犯罪を例に挙げて、それを良しとする発言をした先生がいました。私はその場で抗議をしたのですが、そのあと、他の男性の参加者に「もうちょっと、言い方を考えなよ」「こう言った方が伝わったんじゃないの？」と言われたことがあります。それって、不正義だと思いますし、マンスプレイニング（相手よりも自分のほうが物事を知っているという自信過剰かつ侮蔑的な態度のもとで、相手にしばしば不正確な説明を行うこと。主として男性から女性に対してなされる行為）でもある。怒らなければいけない、絶対に強く言わなければいけない場面はある。そのことを念頭に置いた上で、人によって言い方を変えていくことが必要だと思いました。

ちなみに私が抗議したあとに、「私もそう思います」と反応してくださった方もいましたし、「性差別的な発言に対して笑ってしまって、申し訳なかった」と言ってきてくれた方もいました。こういう場で抗議する人が一人いたときに、自分もそうだと思うと言ったり、一緒に抵抗したりすることは大切ですよね。ファーストペンギンだけでは難しい。セカンドペンギンが続かないと、ファーストは孤立してしまう。場の雰囲気も変わります。こうやって抗議することによって、周囲から新たな反応が生まれたりもするのですが、やはり「言い方を考えろ」と言われることもあるので、公の場で発言することの難しさも感じています。

Q

例えば、家庭で「父親」に恫喝される（厳しいとも捉えられる）家庭で育った場合、変革する気力すら奪われて、恐怖でどうにもできずに育つ子がいると思います。この場合、前提として変革は実行できず、「父親」は恐怖の象徴として固定化されてしまう危険があると考えます。こうした問題について、どういった解決策が考えられますでしょうか？

横田 そうですね。うちもかなり父が強い家庭でした。めちゃくちゃ厳しくて、親元を離れて大学生になっても電話がかかってきて、夜の七時に外にいたら怒られるような家でした。そのような状況で変革を起こすのは難しかったです。いちど距離をとって、場所を移す、その距離が自分の勇気につながることもありますし、相手を冷静にさせることにもつながっていきました。いま父とはかなり話せる感じになっています。結婚式も、夫婦別姓も、家族のなかでも父の方が気を使うようになってきた。それでもやはり、関係修復には三〇年近くかかったと感じています。

私が研究している哲学は、すぐ現実にアプローチできないものです。戦争で傷ついた人を野戦病院で救う人がいれば、どうやったら戦争自体が止まるのかを考える人もいる。研究者のスタンスはそれぞれです。私がやっている研究は、野戦病院で手助けするというよりも、もっと遠くで戦うようなものです。ですから、ご質問いただいた方の置かれているような状況を今すぐ変えられるのかと言われると非常に難しいところではあります。

それでもアドバイスするならば、まず家を出てみる。それによって相手も自分も変わっていくことを私は自身の経験から学びました。抵抗する力をいま奪われていると思うので、そこから抜け出す道を考えてみる。まずは自分が一度安全な場所にいないと、主張できないものだと思います。

その次に対話――最初は対話にならずに、ぶつけ合いになることも多いです――を止めなかったのが、のちのちには響いたのかもしれません。結局、こういうお父さんは反抗され続けないとわからない。反抗期が終わってもずっと反抗し続けたことがよかったのではないか。もちろん私の家の場合はですが。

Q

離婚率と性別分業は関係がありますか。どう思われているでしょうか。

柳原　権威的な父親からどう離れるのか、どう自分の安全を確保するかという問題とも繋がりそうな質問です。どうでしょうか。

横田　私は高知県出身なんですけど、高知って離婚率がすごく高いんです。その理由として、高知の女性は気が強いだとか、風土的な理由で語られがちですが、やはり女の人が職を持っていることが大きいでしょうね。確かに私の親族を見回しても、専業主婦がほとんどいないんですよ。やはり離婚したくても、生活基盤がないと、そこでくじかれちゃう人ってすごく多いですよね。

性別役割分業について考えると、私の父は当時からするとだいぶ家事をやっている方でした。各家庭によってもちろん違うので、高知全体がそうだとは言えませんが。

柳原　夫婦の分業のあり方も地域でさまざまですよね。いわゆる近代家族は、非常に都市的な家族の形でもあるわけです。ジェンダーの問題を考えていく上では、地域性にも同時に目を向けていく必要があります。私はずっと農村部の研究をしていましたが、やはり農村ならではの抵抗の方法があるんです。そうしたところも細かく見ていくと、日常的なレジスタンスにつながるとっかかりが見つかるかもしれません。

次の質問は、ケアについての話です。

Q

乳幼児の育児を初めて経験し、これまでの人生で最も困難で辛く大変な仕事だと感じました（幸せもありますが）。このような、人の命を預かる大変な仕事に従事される保育や介護などのケア労働者の待遇の低さは、女性の役割とみなされるケアの仕事への軽視が関係しているのでしょうか。平等な社会が実現されれば、このような労働への対価も変わるのでしょうか？

横田　そうですね。エッセンシャルワーカーが軽視されてきたことが、コロナ禍によっていつもより浮き彫りになっています。何千年もある哲学の歴史を考えてみても、知性や理性に対し、身体性は地位の低いものとして概念図式が描かれて来たと言えます。そして子どもがお腹に内在する機能を持っている女性性と、身体性は結びつけられてきました。身体に触る機会の多い職業も同様です。そして理知的なものが男性性に割り当てられてきた。そうした哲学の概念図式と、身体性が軽視される社会は無関係ではないでしょう。世界中に同様の図式が認められますが、それを変えるのは至難の技です。とはいえ身体は女性だけのものではないですよね。社会における軽視と地続きだと思いますので、学問のレベルでも、概念図式を組み替える必要があると考えています。

柳原　続いての質問も、ケアの役割と関連したものになるかもしれません。

Q

私自身、ジェンダーステレオタイプに対しては抗いたいと思っているのですが、一方でお話しされていたような根本的な実践には結び付けられていないなと感じました。私は女性なのですが、子供が生まれたら世話をするのは自分の役割だと暗に考えていたと気づかされました。男女平等というのはどういった状態だと考えていらっしゃいますか？

横田　男女平等とはどのような状態なのか。今日の私の発表に基づくと、「代わりばんこができる」ことが重要なのではないかと思っています。片方がずっと仕事に行く、片方がずっと面倒を見ることが凝り固まってしまうと、平等が生まれてこないのではないか。一つ一つの役割を固めず、どちらもできるようになっておくのが、人間が生きていく上で必要な能力なのではないでしょうか。例えばどちらか片方が亡くなってしまい、自分はまったく家事や育児ができないとなると大変ですよね。自分自身の身体や生命を維持するために必要な能力として家事や育児を捉えていかないと、自分自身が困ってしまう。そんな発想でないと、代わりばんこもできない。代わりばんこをお互いに理解し、許し合える関係性が、やはり男女平等なのではないかと思いますね。

柳原　それでは最後の質問です。高校生から質問が来ております。

Q

私は今、高校三年生です。日常で起きる出来事は、哲学ではどのように観察されますか。そして哲学の面白いところはどこですか。

横田　哲学は日常で起きる出来事をどのように観察しているのか。哲学に対しては、神の存在証明のような、日常と乖離したものを考えているイメージを持つ方が多いと思います。でもこれは翻訳の問題のような気がしています。哲学の言葉を西洋から輸入した際、漢字がたくさんある固い学術用語になってしまい、現実から乖離してしまったのです。ヨーロッパの言語に照らし合わせてみると、普通の生活で使われる言葉を使っていたりします。実はそんなにかけ離れたものではないのです。

哲学の考え方として、「迂回の道をとる」とよく言われます。哲学は迂回です。日常で起きた出来事をそのまま直接扱うのではなく、少し距離を取り、目線を変え、考えていく。出来事のなかに自分が巻き込まれすぎてしんどい時は、逆にそのような距離の取り方が学問においては必要になってきます。迂回の道をとっているので、哲学はゆっくりしたものです。ぐるっと回っていくなかで、のちのちの自分にすごく重要なものに気がついていく。その場ですぐに傷の手当はできなくても、長い時間かけて変わっていく、癒えていく傷がある。ですから哲学の面白さや日常の接し方には、やはり距離がどうしてもあります。でもそれを机上の空論の言語ゲームのようにするのではなく、日常にもう一度戻してあげることが、私自身が哲学でやるべきことだと思っており、面白い点でもあると考えています。

柳原　ありがとうございました。最後に、本日のイベントを全体的に振り返り、簡単なコメントをいただけたらなと思います。

横田　今日は自分ができる範囲の実践に焦点を絞って、お話をしてきました。「変えてもいいんだ」とまず気づいてほしいなというのが、特に学生さんに対して私自身が思うことです。今の学生さんは、私たちが思っているよりも、きっといろんなことを考えていると思うんです。そのなかで「中立じゃないといけないんじゃないか」という意見を授業でも聞くことが多いんですよ。「中立」あるいは「中性」が一番いいと思っている。でも中立性や中性性は、学問の世界ではずっと男性性の隠れ蓑だったわけです。そこで中立であることをやめ、自分は自分の意見を持っている、一人の特異な存在であることにまずは気づいてもらいたい。

自分の意見を言うことによって、仲間も出来てきます。家族のなかにも変化する人が出てくる。実は私の八〇代の祖母は、私の夫の名前を先にした宛名で年賀状を送ってきていたのですが、最近は私の名前を先に書くようになってきました。しかも、本来姓のまま届くようになった。八〇代で今までの慣習を変えるのは、すごく大きな進歩だと思いました。そうした形で代わる人は絶対に周りに出てくると思うので、諦めないでほしいなと思います。少し時間がかかっても、「投壜通信」で壜が届くのを待てるような人になってほしいな、というのが私の願いですね。そうした自分の実践が、社会の変化にも繋がっていくのだと思います。まずは小さな波を起こすところからはじめてみる。そこに希望を持っていたいと常に思っています。今日はありがとうございました。

（構成：山本ぽてと）

※本章は立命館大学教養教育センターが二〇二一年六月三〇日に開催した「SERIESリベラルアーツ：自由に生きるための知性とはなにか　人間5部作［1］人間関係のデモクラシー――〝家族〟から思考する」（ゲスト：平山亮（大阪公立大学文学部准教授）、横田祐美子／モデレーター：柳原恵）を再構成したものです。

？ もっと考えてみよう

1 「考えなくてもいい」ようにされているパターン化したもの（例えば、年賀状の名前の記載順や、結婚式の紹介順など）には、ほかにどのようなものがあるだろうか。

2 代わりばんこや順番の入れ替えができることには、ほかになにがあるだろうか。

3 順番を入れ替えることによって、なにか不都合はあるだろうか。反対に、よいことはあるだろうか。

4 「個人的な小さなレジスタンス」を「社会的な大きなレジスタンス」につなげるためにはどうしたらよいだろうか。具体例も調べてみよう。

⬅イベントの模様を動画で観る
https://youtu.be/Hb80qmmxsvw

トークセッション
PART2
人間を考える

05

食のミライ

――フードシステムとヴェジタリアン運動から考える

多様な学問分野を総合し、俯瞰できるような知性が必要とされるテーマを考える中で、「食」が浮かび上がりました。異なる研究分野の専門家を招き、多角的な視点から議論をつくします。

登壇者

北山晴一（きたやま・せいいち）

立教大学名誉教授。専門は社会史、社会学、社会デザイン学。長らく欲望論、消費論、アイデンティティ論、親密社会論の４つの問題軸をもとに研究教育活動を展開。著書に『衣服は肉体になにを与えたか――現代モードの社会学』（朝日選書、1999年）、『世界の食文化16 フランス』（農文協、2008年）など。

新山陽子（にいやま・ようこ）

京都大学名誉教授。専門は、農業経済学、フードシステム論、食品安全学。近年の研究テーマは食環境とフードシステムなど。著書に『フードシステムの構造と調整』『消費者の判断と選択行動』（編著、昭和堂、2020年）など。

2021年7月17日開催

私たちの食の近未来

新山　本日は「私たちの食の近未来」と題して、フードシステムの視点からお話ししていきたいと思います。

今、命を支える持続的なフードシステムをどのように形成していくかが大きな課題となっています。フードシステムは、農業から始まり、製造業、卸売業、小売業、そして私たち消費者と、繋がった全体の関係を指します。そのフードシステムは、大地震が起きると直ちに寸断されますし、海外ではCOVID-19の発生により遮断されているケースが少なからずあります。それだけではなく、そもそもフードシステムは構造的に大きな問題を抱えています。このことに関して二つに分けてお話しします。

まず最初に触れたいのは、農業者の激減です。その理由や、それに伴いこれからどうなるかを先にお話しします。次に、都市で食に関して何が起きているかを見ます。そして、持続的なフードシステムを、地域を単位に、都市部などを中心にどのように形成していくかを考えていきます。

世界人権宣言の中で言われている「十分かつ適切な食料への権利」について、日本では国家レベルの食料安全保障と捉えられがちですが、これは一人一人が十分な食料にアクセスできる権利を指しています。決して途上国の飢餓問題だけではありません。農業者が激減すると、農業の存続が困難になり、食料不安が起こります。農業者が激減する理由は、市場に問題があり、経営の継続が困難だからだと考えられます。産業間の交渉力の差により、農産物の価格が公正な価格から逸脱しています。この問題は、私たちが購入する食品の価格が適正かどうかにも繋がり、政策的にも理論的にも解決策が不透明な非常に難しい問題です。図1は、農水省が公表している二〇一二年のデータです。

これによると、農業の基幹的な従事者のうち、六五歳以上の人が六〇パーセント以上を占めています。その後どうなっていくかを示した数値がないので、やや手短に一〇年ずつシフトさせたものがこの図です。二〇二〇年と二〇三〇年の高齢者比率も高いですが、八〇歳を過ぎると農業をすることが難しいため、農業人口自体が減っています。二〇一二年には一七八万人いた農業者が、二〇三〇年には八五万人くらいに減ってしまう計算です。

みなさんも、日本の食料自給率が低いことはご存じだと思います。図2は自給率のグラフです。古いデータですが、一九六〇年代頃から右下がりになっているグラフが日本のものです。先進国の中で、自給率が一方向に下がっているのは日本だけとなっています。例えば、山岳国であるスイスは、一九六〇年代頃は日本よりもはるかに自給率が低かったのですが、その後自給率を高めました。なぜ日本の自給率が低いのかは改めて問い直さなければなりません。

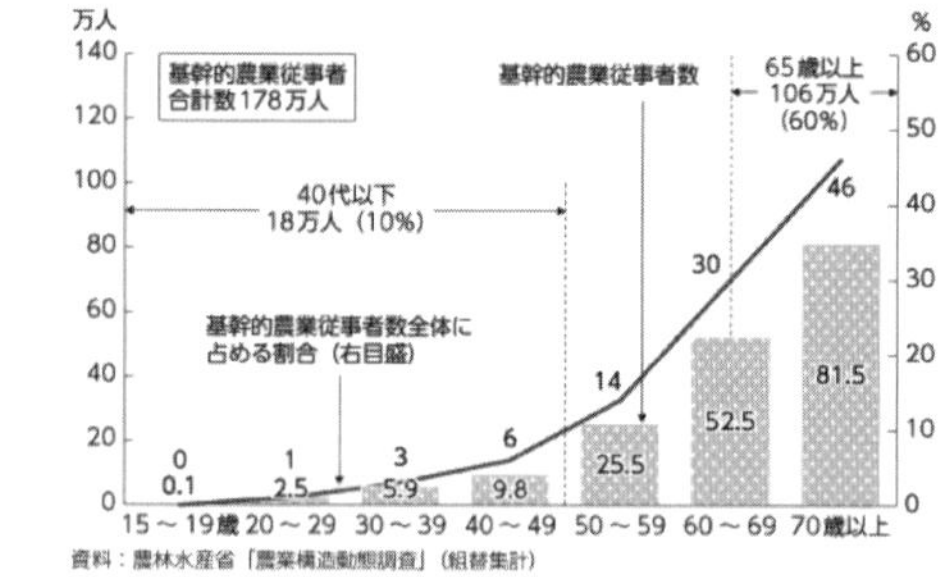

資料：農林水産省「農業構造動態調査」（組替集計）

2000年 240万人 65歳以上 51.2%、 75歳以上 12.7%
2012年 178万人 65歳以上 60 %、 70歳以上 46 %
2019年 140万人 65歳以上 69.7 %
2030年 85万人？

図1 年齢階層別の期間的農業従事者数（2012）

そして、なぜ農業の経営が困難なのかを考えていくためには、「フードシステム」を通して見ていくことが必要です（図3）。「フードシステム」とは、初めに述べたように、食料農水産物が生産され、消費に至る産業の連鎖した関係のことです。フードシステムの重要な点は、何よりもまず農業・水産業があり、そこで食べ物が生産されることです。それがないと、食べ物は生まれないわけです。農業者の後に、卸売業や製造業、小売業があって、消費者がありますが、消費者からするとこの関係はなかなか見えません。

物はただ渡されるのではなく、売り買いされて流れていきます。例えば牛が飼われているところから、解体して肉にされたり、牛乳が殺菌処理されパックにつめられます。さらに加工される場合もあります。そこから小売店に売られることによって、私たちは手に取ることができます。私たちは小売店でお金を払って食

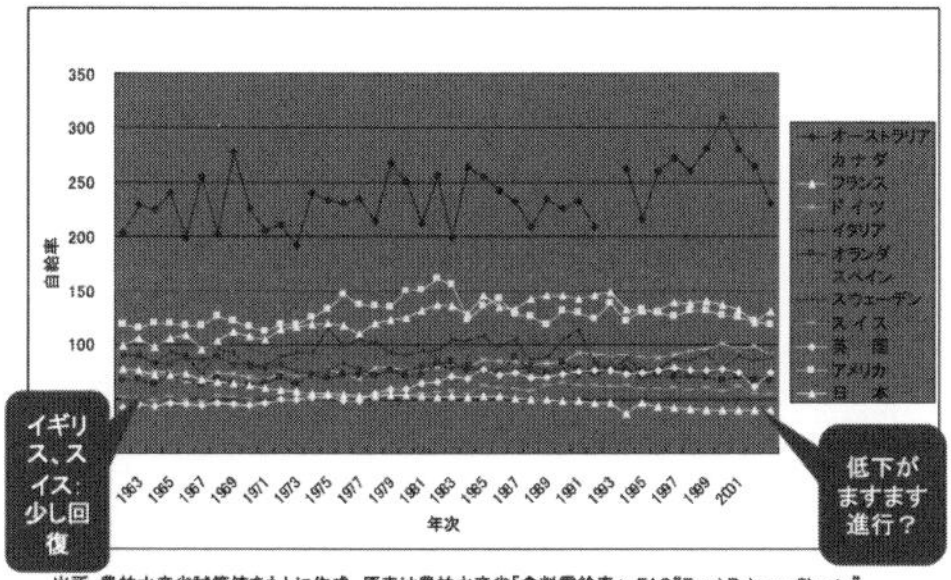

出所：農林水産省試算値をもとに作成。原表は農林水産省「食料需給表」、FAO“Food Balance Sheets”。
注1）カロリーベース自給率は、総供給熱量に占める国産供給熱量の割合。畜産物は飼料自給率が考慮されている。アルコール類は含まない。
2）ドイツ統合前は、東西ドイツを合わせた形で遡及されている。

図2　世界の食料自給率（カロリーベース）の推移

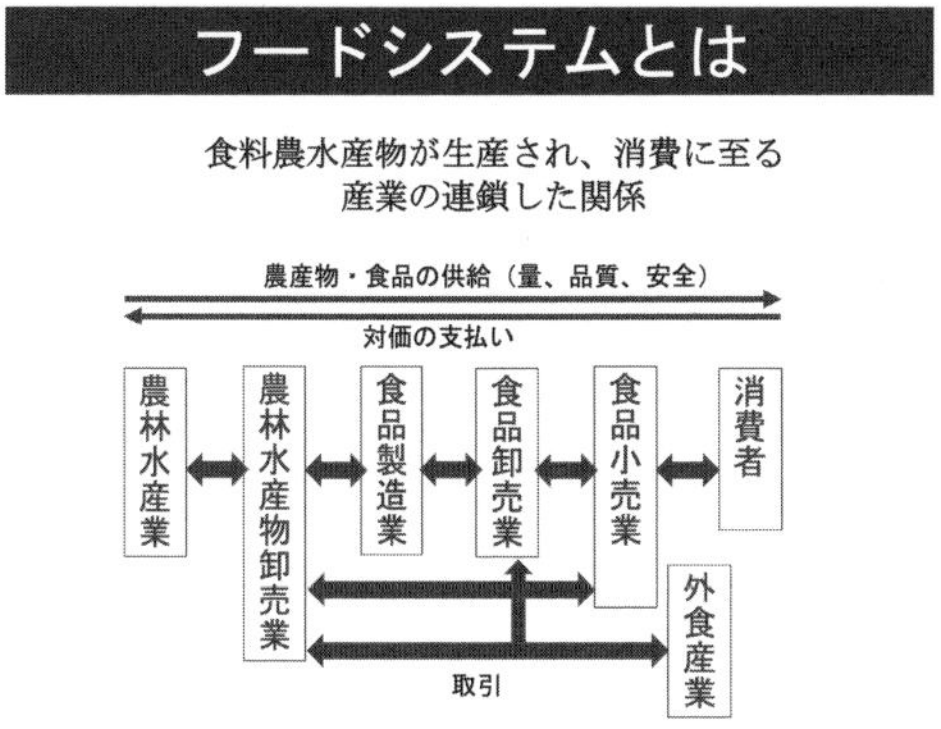

図3　フードシステム

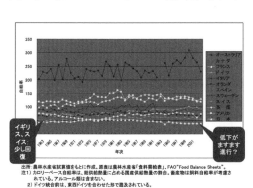

べ物を買います。小売店は仕入れのために、同じく対価を払います。そして、農家はその売り先から対価をもらいます。当然ですが、牛を飼育するには費用がかかります。それに見合う十分な対価がないと、経営は続けられません。私たちが小売店で食品を買うとき、農業者に十分な対価が払われているかが問題です。そこまで考えて買うことはありませんよね。でも、そこにかかっていると言っても、言い過ぎではありません。私たちがどれくらい対価を払うかも問題ですが、小売店がどのように対価を払っているかも問題です。

図４は消費者物価指数と生鮮食品価格の指数の推移です。一九八〇年頃まで、消費者物価指数が上昇すると、農産物の価格も上がっていました。ところが一九八〇年頃以降、消費者物価指数が上がっても、農産物の価格はずっと据え置かれたままです。当初、米は消費者物価指数と連動するように政府で議論して価格が決められていましたが、管理する法律がなくなった後は急速に低下しています。

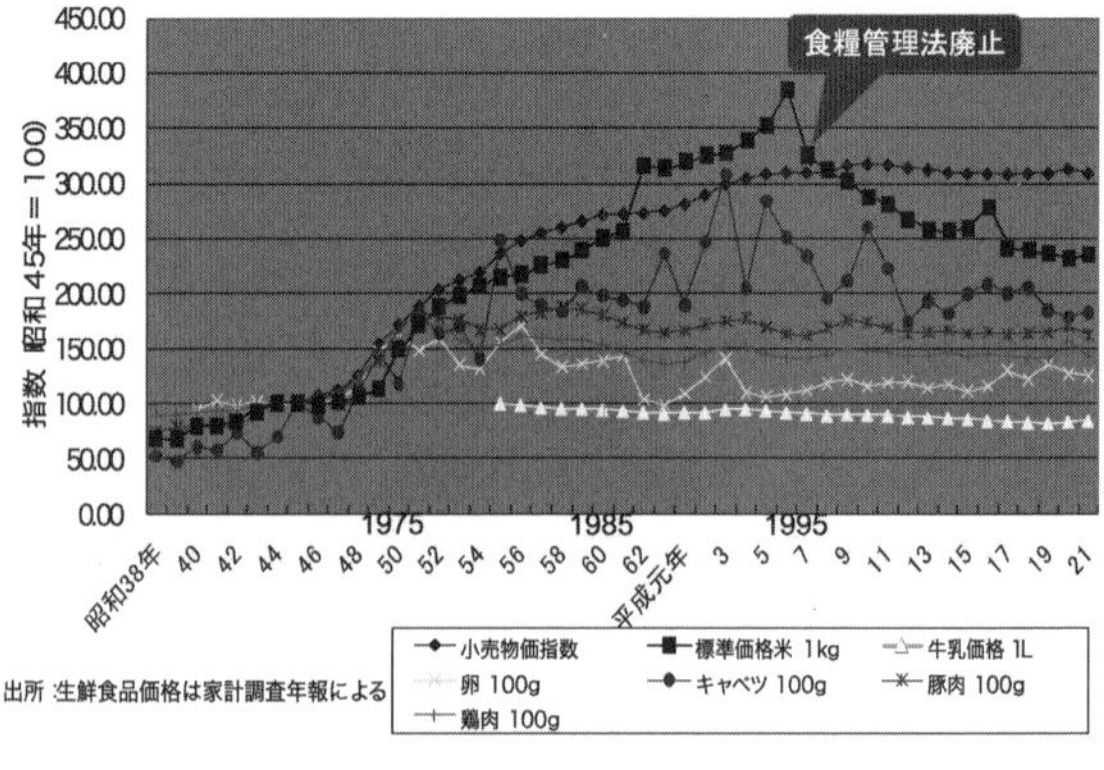

図４　消費者物価指数と生鮮食品価格の指数の推移

これらがどのような問題を生んでいるかを見るために、牛乳に関するデータを紹介します（図５）。

少し古いものですが、同じことはこれから先、市場の構造が変わらない限り起こり続けるので、決して過去のことと思わないでください。

一九九〇年代の半ば頃まで、牛乳一リットルは二〇〇円からそれ以下ぐらいで販売されていましたが、それから五年から一〇年の間で、小売価格がどんどん下がりました。そして、二〇〇五年頃には一リットル一七〇円ぐらいで販売されるようになりました。その背後で何が起こっていたかを、この図が示しています。点線が農家の生産費で、一リットルの牛乳を作るのに農家でどれくらいの費用がかかったかを表しています。そして実線が、農家の人たちが販売できた価格ですね。これによると、かかったコストはあまり変わっていないのに、小売価格がぐっと下がることにより、生産者が受け取る対価がどんどん下がっています。二〇〇五年になると、生産費を下回るようになりました。生産費や生産者乳価は平均を示しているので、二〇〇五年には半分の農家の人が赤字です。その差はどんどん開いていき、さらに追い打ちをかけるように国際穀物相場が高騰しました。つまり、餌代が上がったわけです。天候の異変で、アメリカの穀物生産が減少したことが原因です。すると、生産費はさらに上がったのに、当初は小売価格が全く上がらず、酪農危機と言われる状態が起こりました。

その頃の農家の様子として、製造業平均賃金を得られる農家がどのくらいあったかを示す図を紹介します（図6）。

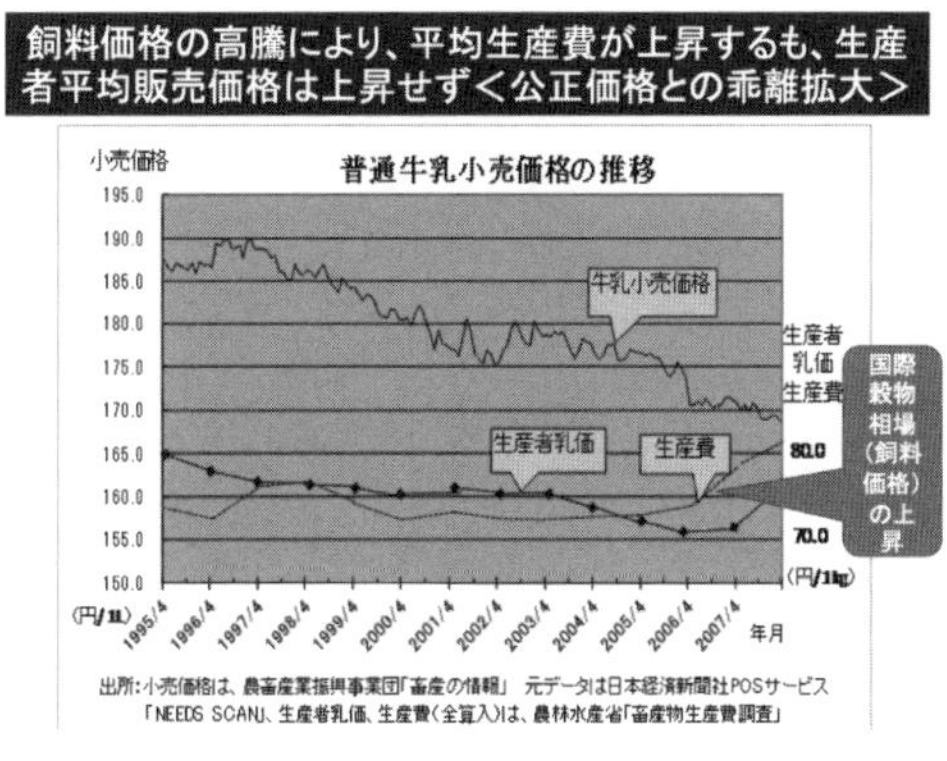

図5　牛乳小売価格の推移

規模別に見ますと、牛を八〇頭から一〇〇頭以上飼わないと、製造業平均賃金、つまり年間一人当たり四二〇万から四三〇万円の労働報酬が得られない状態でした。穀物相場が高騰した年には、一〇〇頭以上の牛を飼っている農家でも、製造業平均賃金にははるかに及ばない状態になっています。

みなさんは、牛乳一リットルの公正価格（平均農家が生産を続けられる価格）は、どれくらいだと思いますか。畜産危機と言われたときに、私たちは、牛乳のプラントを持っている生産者団体に、公正価格の試算をしていただきました。先ほど見たように、二〇〇七年に、生産者が実際に受け取っていた乳価は一リットル七一円で、小売価格は大体一七〇円でした。けれども、農家が生産を続けられる生乳価格を試算していただいたところ、一リットル一一六円となりました。実際の受け取り価格より、三〇円から四〇円近く高い価格ですね。

農協が牛乳を集めてプラントに配送する仕事に三八円。プラントで牛乳を製造するのに四八円。これらを全部足して、ミルクプラントから小売店に売り渡すときの適正な価格が二〇二円です。だから、小売価格で一七〇円は、とんでもない低価格だったわけですね。小売店の経費などはわからないので、四八円から六八円と上乗せすると、二四八円から二六八円になります。つまり、経営を存

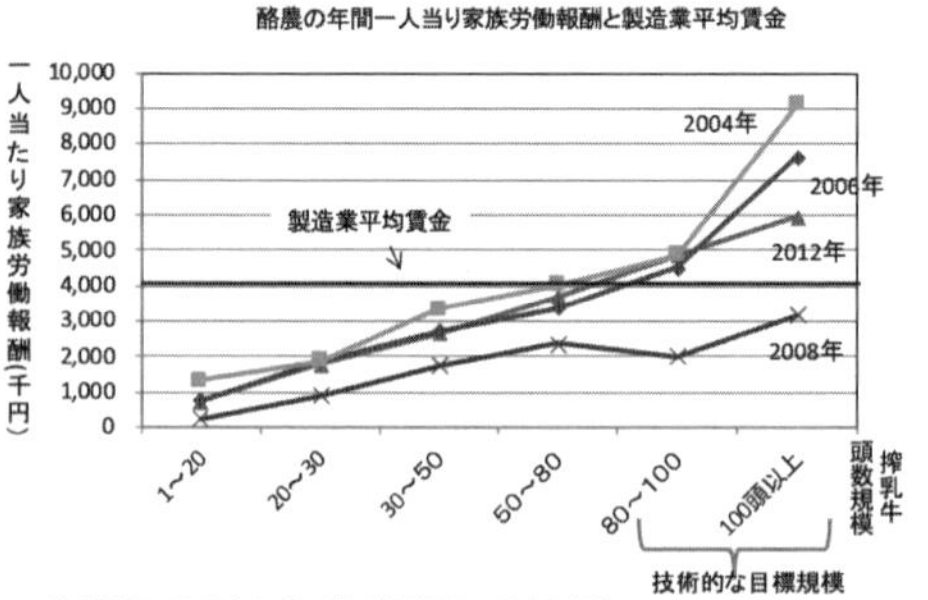

註）製造票平均賃金は、毎月勤労統計調査の事業所規模5人以上の月額をもとにおよそ450万円とした
出所：新山陽子「国際穀物相場の変動が国内市場に及ぼす影響」『農業と経済』第79巻第3号より転載。原資料は「畜産物生産費調査」。

図6　農業経営への影響

続するのに必要な価格は、少なくともミルクプラントから出荷する段階では二〇二円で、小売価格は二四〇円や二五〇円になるのに、小売店は一七〇円で売っていたわけです。

それは昔の話じゃないかと思われるかもしれませんので、二〇一九年の生産費のデータも紹介します。生産費は三・九円ほど増えているのでそれを足して、ミルクプラントなどの経費はわからないので不変とすると、ミルクプラントからの売り渡し価格は二〇六円になります。そうすると小売店で買う適正な価格は二六〇円とか二七〇円になりますね。三年ほど前ですが、お店ではいくらで売られていて、みなさんはいくらで買っていましたか。

畜産危機の状態が続いても、各段階の価格引き上げがされないので、農林水産省から関係者に呼びかけ、一斉値上げが二回ほど行われました。それでも生産費と生産者乳価がほぼ変わらない水準だったので、二〇一四年にさらに値上げし、ようやく利益が出るようになりました（図7）。その後、生産費が少し下がったので利益は増えましたが、生産費がまた上昇すれば、利益が減ってくる状態です。小売店が決める小売価格が、そのまま生産者乳価に反映する状態になってしまっています。生産者からするとコストと釣り合いませんが、交渉の余地がない状態です。餌代が上がっても、小売価格は上がらない。ここには小売店の市場支配力が存在しています。

欧米では、この分野に関する研究が進んでおり、「ラーナー指数」

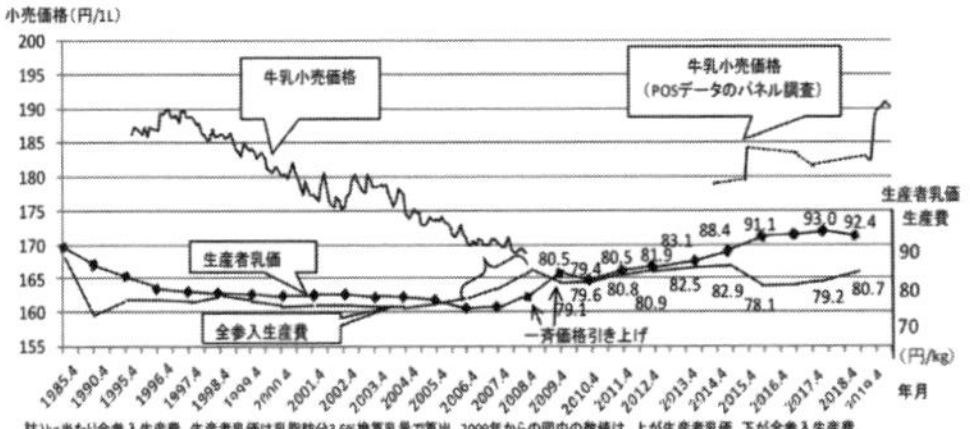

註）kg当たり全参入生産費、生産者乳価は乳脂肪分3.5%換算乳量で算出。2009年からの図中の数値は、上が生産者乳価、下が全参入生産費。
出所：小売価格は農畜産業振興機構「小売価格の動向」（普通牛乳月別POSデータ）など、生産費は農林水産省「畜産物生産費調査」より算出

新山陽子「農業経営の存続と市場」（新山編著『フードシステムと日本農業』放送大学振興会、2018）に新たなデータを追加

図7　牛乳小売価格と生産者乳価、生産費の推移

を用いて分析されています。日本は遅れていて、ほとんど研究されていませんでした。二〇一五年頃になって、若い研究者が二〇〇五〜二〇一四年の間のメーカーと小売店の支配力を推計してくれたデータがあります（表1）。

　ラーナー係数は〇から一の間にあり、一に近づくほど、小売店の市場支配力が高いということを示します。もし競争がほぼ完全な状態で行われていれば、メーカーから小売店に卸すときの価格がいくらかも計算できます。その価格は一九四円台で、先ほど生産者団体のプラントに推定してもらった価格に近いものです。ですので、市場は不完全な競争状態であったと言えます。EUでは、不完全競争に対して様々な法律を制定するなど、状況の改善に取り組んでいます。日本でも、独占禁止法により大型小売店の不公正取引の是正が行われていますが、農業サイドでの措置はまだほとんど打たれていません。

　このような話をすると、「消費者は財布が厳しいので、もう少し高く買えと言っても、無理じゃないですか」と言われます。しかし、一円でも安いものを買うことは、果たして生活防衛になっているのでしょうか。小売店も、「低価格販売は消費者のため」と言ってきましたが、本当に節約になっているのでしょうか。日本では、食材を大量廃棄しています。

表1　市場支配力（マーケットパワー）の計測

ラーナー指数（卸売業者－小売業者間の場合）
$0 \leq L_i < 1$で、1に近づくほど、小売の市場支配力が高い

Gohin, A. and Guyomard, H.（2000）

表3　ラーナー指数による食品の市場支配力に関する比較

国	品目	計測期間	産業	ラーナー指数		文献
				投入市場	産出市場	
アメリカ	牛肉	1959-1982	パッカー	0.46	1.1	[31]
アメリカ	牛肉	1970-1992	製造業	0.129	0.143	[32]
アメリカ	豚肉		製造業	0.339	0.057	
オランダ	コーヒー	1992-1996	製造業		0.249	[33]
ドイツ・ヘッセン州	牛肉	1995-2000	小売	0.103	0.033	[25]
	豚肉		小売	0.026	0.005	
オーストリア	牛乳	1997-2008	小売	0	0.068	[26]
	バター		小売	0.172	0	
	チーズ		小売	0	0	
日本	牛乳	2005-2014	小売	0.174	0(仮定)	本研究

均衡価格の推計

完全競争を想定した場合の均衡卸売価格：
2008年3月
以前　194.7円
以降　194.3円

先の適正価格の推定に近い
ミルクプラント売り渡し価格：202円
↓
不完全競争状態

林田公平「小売企業による牛乳の買手市場支配力と価格伝達－推測的変動による不完全競争市場への接近－」『フードシステム研究』25巻2号、2018年

廃棄物問題の研究者で、イラストレーターとしても知られる高月紘先生が、家庭からどれぐらいの食べ物が廃棄されているかを推計し、金額に換算して発表しています。家庭から廃棄される残飯を金額に直すと一一・一兆円になるそうです。農林水産業の方々が一年に作り出す農林水産物の価値が一二・四兆円となります。毎年、汗水流して作り出される価格とほとんど同じものを、私たちは捨てていることになります。安く買うことによって、逆に安いものだから捨ててもいいんじゃない？　キャベツが一〇〇円だから、一〇〇円ぐらい捨ててもいいんじゃない？　という気持ちになっているのではないかと考える必要があります。食べ残しを完全に減らすのは難しいことですが、少しでも減らしていけば、同じ食品をもう少し高い価格で買うことが可能になります。そしてもっと大事に食べることもできるのではないでしょうか。

さらに、安い食品は、一見良いようですけれども、食品産業で働く人たちの賃金を低くすることに繋がります。安い賃金を払うからこそ、安く生産できるわけです。そして、働く方は賃金が安いと安いものしか買えなくなります。これは悪循環ではないでしょうか。食品価格は少し高くなるけれど、食品産業で働く人たちの賃金を適正にして、それを買えるようにすることを、私たちは考えるべきではないでしょうか。このように問題を突き合わせて、事態を知る。そして知恵を絞ることが必要だといいます。

次に、持続的なフードシステムの形成をどのように進めることができるかを考えたいと思います。最近、フードシステムが、環境負荷の観点から着目されるようになりました。しかし、食や食品そのものについて、どれくらい私たちは考えているのか、誰にでも十分行き渡っているのか、誰もが健康な食事ができているのか、多様な地域の食文化を反映した質の良い物が得られているのかを考えることが、ヨーロッパやアメリカでは進んでいますが、日本ではほとんどなされていないのではないでしょうか。

都市の高齢化が進み、小売店にアクセスすることが難しくなっています。また、生活者の経済格差が広がり、食べ物の入手が困難な人たちが増えています。研究仲間が分析したデータによると、アメリカ並みの経済格差になっているそうです。さらに、地域の食品製造業者や小売店、飲食店の方々の高齢化が進み、経営の継承が難しくなっています。農業経済学分野の我々は、今まで農業のことから出発して考えてきましたが、そうではなく、人々が多く暮らす都市圏から発想しなければならないと考えを改めています。

都市圏を中心に、地域圏のフードシステムが適切か診断し、評価を行い、問題を改善するには何が必要かを考えなければなりません。地域圏とは、自然条件や人間活動のまとまりから生まれる地域空間のことです。一概に、県などで線を引くことはできません。直面する状況は地域で異なりますし、その状況に即した対応が必要です。地域レベルで人々はより密接な社会関係を作ることができ、うまく問題を特定し、改善策を生み出せると考えています。

日本で地域圏のフードシステムを考えていくために参考になる動きがあります。二〇一五年のミラノ万博の際に、ミラノ都市食料政策協定が結ばれ、世界各地では都市で食料政策づくりが進行しています。特に参考になるのがフランスの動きです。フランス全土で、多数の「地域圏食料プロジェクト」が進行しています。法の中で食料政策とそれを実現するための全国食料計画が示めされています。食料政策は、安全で、健康的で、多様で、良質かつ十分な量の食料への人々のアクセスを確保することを目標にしています。さらに、地域の特性を考慮した農業計画をたてることが謳われています。

二〇一四年の法律「農業・食料・森林未来法」で、地域圏食料プロジェクトに取り組むことが盛り込まれました。フードシステムの関係者を密接に結び付けて地域圏の農業と食料の質を向上させることが謳われています。

短い供給経路を重視しますが、それだけではなく、フードシステム全体を見直す動きです。それを行うときも、自治体が主導しますが、事業者らが集まり、地域のフードシステムが今どうなっているかを診断して、何をするかを考えていく手法が取られています。

フランスをモデルにして、日本でどういうふうに実施できるかを考えていきたいですね。日本では自治体がリーダーシップを取ろうとしても、部局の縦割りがあって議論はなかなか難しいです。また、議論によって方向性を見出すという経験が積まれていないので、すぐに取り組めない状態です。ただ、日本では地域圏のフードチェーンの中核になる中央卸売市場が各地にあり、生活者の組織である生協もあります。こういうところを起点にしていくと、取り組みやすいのではないかと考えています。そして学校給食も、全児童対象なので、そこも日本が取り組みやすい点ではないかと考えています。

最後に、複雑性が増大する将来社会の社会的責任の考え方についてお話しします。以前は、それぞれの行為の結果がすぐに見えていました。結果の範囲が狭く、予測もできるし、責任の及ぶ範囲も狭かった。ところが今は、身近な行動も、空間的、時間的に大きく広がる因果系列を引き起こし、それは累積的で、結果の予測が非常に困難です。本当はそこを何とかしなければなりませんが、まずは、因果系列がどうなっているかを観測し、洞察することが必要だと哲学者のハンス・ヨナスは述べています。

ヴェジタリアンの運動とヴィーガン

北山 私からは、ヴェジタリアンの運動と「食のミライ」に焦点を当ててお話ししたいと思います。「食の問題から、私たちの生き方と社会のあり方について考える」と、サブタイトルをつけてお伝えします。

具体的には、次の五つのトピックス（項目）を追ってお話ししたいと思います。すなわち、1．ヴィーガンからの問いかけ、2．歴史的切断と聖性概念の衰退、3．命のない生き物とは何か、4．科学技術万能の思考パターンへの問題提起、そして最後に、5．ヴィーガンへの問いかけ、です。

最近、ニューヨークの三ツ星レストランが、コロナ禍による休業からの営業再開後はヴィーガンに特化すると発表しました。再開後のメニューは、動物性の食材を一切使わずに、野菜や海藻、果物、豆やキノコ、穀物などで構成する料理を出すそうです。同じような流れで、「エピキュリオス」という有名な料理サイトが、今後、牛肉レシピの掲載を取りやめると発表しました。牛肉生産の過程では、大量の温室効果ガスが排出されるため、牛肉の一掃は地球にやさしい措置だと位置づけたと発表されています。国連によると、世界の温室効果ガスの一五パーセント近くが畜産から排出されているそうです。特に牛肉生産による排出量が多いと、CNNのニュースサイトが伝えていました。

近ごろ、ヴェジタリアンのことを「ヴェジ」と言うことが多くなりました。おしゃれっぽく聞こえるのでしょうか。同じ流れの中で、ヴィーガンがある種おしゃれなアイテムと捉えられるようになりましたね。ヴィーガン vegan はイギリス発祥の言葉で、一九四五年頃、ヴェジタリアン vegetarian の単語の真ん中 etari を削って作られました。とりわけ最近注目されるようになったのは、ネットの活用が上手だからだと思われます。ヴィーガンについて、他のヴェジタリアンとの違いからお話しします。こちらはヴェジタリアンの多様性がよく分かる表です（表2）。

上からセミ・ヴェジタリアン、ペスコ・ヴェジタリアン、オボ・ヴェジタリアンなどがあり、下の方にダイエタリー・ヴィーガンという項目があ

表2　おもなヴェジタリアンの種類と特徴

名称	肉	魚介類	卵	乳製品	ハチミツ	毛革製品
セミ・ヴェジタリアン	△	○	○	○	○	○
特徴：一般の人より肉を食べる量が少ない						
ペスコ・ヴェジタリアン	×	○	×	×	○	○
特徴：肉は食べないが魚介類は食べる。オーガニック志向						
オボ・ヴェジタリアン	×	×	○	×	○	○
特徴：卵は食べる						
ラクト・ヴェジタリアン	×	×	×	○	○	○
特徴：乳製品は食べる						
ラクト・オボ・ヴェジタリアン	×	×	○	○	○	○
特徴：卵と乳製品は食べる						
オリエンタル・ヴェジタリアン	×	×	×	△	○	○
特徴：五葷（ネギ・ニンニク・ニラ・ラッキョウ・アサツキ）を食べない。精進料理など仏教系の食事						
マクロビオティック	×	△	×	×	△	―
特徴：魚介類は食べることもある（魚は手のひらにのるサイズ、食事の一割程度）身土不二を重視						
ヴェジタリアン＝ダイエタリー・ヴィーガン	×	×	×	×	×	○
特徴：動物由来の食品は忌避するが、衣料品などについては動物由来でも使用する						
エシカル・ヴェジタリアン＝ヴィーガン	×	×	×	×	×	×
特徴：食事だけでなく、衣食住のすべてにわたって動物由来のものを使用しない						
フルータリアン	×	×	×	×	×	―
特徴：果物やナッツ類だけを食べる						
ブレサリアン	×	×	×	×	×	―
特徴：断食や霊的修業を経て、何も食べなくなった人。不食者						

ふかもりふみこ『地球から愛される「食べ方」』（現代書林、2017）を参考に北山作成

ります。ダイエタリー・ヴィーガンは、動物起源の食物のみを排除する人々です。これに対して、その下にあるエシカル・ヴェジタリアンが、いわゆるヴィーガンのことで、彼らは、食事だけでなく、衣食住の生活すべてで動物由来の素材や産品の使用を忌避します。したがって、肉、魚介類、タマゴ、乳製品、ハチミツなどの食品はもちろん、毛革製品も使用しません。おそらく、理屈からいって、シルクも使用できません。

では、いわゆる一般的なヴェジタリアニズムとヴィーガニズムの違いはどこにあるのか。両者ともに菜食主義であることには差がありません。一般的なヴェジタリアニズムとは、その人の主義や考えとして、肉食をしないライフスタイルのことです。ところが、ヴィーガニズムは全く違う志向性に基づいています。自分が肉食をしないだけでなく、他人にも肉食をさせません。二〇一八年、肉食の国フランスで、高級食肉店が襲われる事件が起こりました。急進的なヴィーガンがお店のウィンドウにレンガをぶつけたんだと疑われています。

私なりの言い方をすれば、ヴィーガンはある種の文明革命だと思います。私たち人類が一万二〇〇〇年くらい前から築き上げてきた牧畜という文明を、一から問い直そうとしているように思えます。

ここでヴィーガンの考え方を簡単に紹介します。肉食をやめる、あるいはやめさせる理由として、ヴィーガンは四つの項目を挙げています。一番目は健康のため、二番目は世界の飢餓を救うため、三番目は環境を保護するため、そして四番目が動物倫理のためです。

ヴィーガンの運動の理論的なリーダーであるピーター・シンガーは、一九七五年に『動物の解放』

います。

——完全菜食主義「ヴィーガニズム」のすすめ』（酒井泰介訳、早川書房）というタイトルで翻訳されて

マーカスが書いた『VEGAN』という本を取り上げます。日本では『もう肉も卵も牛乳もいらない！

理論的基礎づけを行ったと言われています。ただ本日は、もう少し一般的な著作として、エリック・

（戸田清訳、人文書院）という本を書きました。この本は世界的なロングセラーとなり、動物解放運動の

います。

一番目に挙げられた健康のためということに関しては、動物を食べなくても、健康な生活ができ

ると主張しています。低脂肪のヴィーガン食は、心臓発作やがんの危険の予防になり、ダイエット

にも非常に有効であると。では、二番目の理由である、世界の飢餓を救うについてはどうでしょう

か。現在、世界の穀物の三八パーセントが家畜の餌になっている、したがって、先進国の人々が肉

食をやめて、大量の穀物を人間の消費に差し向ければ、飢餓が救える、そうヴィーガンは主張して

います。ちなみに、ヴィーガンの計算によると、豚肉一キログラムを生産するためには七キログラ

ムの穀物が必要だそうです。牛肉だと一一キログラム、鶏肉だと三キログラムですね。

ここで皆さんへの問いかけです。肉食を止めれば世界の飢餓はほんとうになくなるのでしょうか。

現在、世界の食べ物の三〇パーセントが捨てられている状況です。このことも、同時に考える必要

がありますね。先ほど新山先生が話されたフードシステムの問題や、資本主義経済システムの問題

とも直に関わる問題です。

そこで、三つ目の環境問題ですが、（二〇二一年）五月二四日のNHKのニュースでは、地球温暖化

防止のために、牛肉や乳製品を避ける運動が世界的に広まっていると伝えていました。牛の胃で発

生し、ゲップとして出されるメタンガスが環境に悪い影響を及ぼしている、だから牛肉を食べることや牛の飼育はやめるべきだという論理のようです。それに加えて大量の水が消費されるため環境にも良くないというのがヴィーガンの主張です。

ところで、ヴィーガンにとって、最重要課題と位置付けられているのが四番目の倫理に関わる問題です。先ほどもお話しした、ピーター・シンガーの本では、動物を殺すことがいかに悪であるかについてたくさんのページが割かれています。舌の快楽のために動物たちの命を奪っても平気なのか。動物の虐待の数々を知ってもまだ食べるのか。このような形で問いが投げかけられます。二一世紀に入ってヴィーガンの運動が注目されるようになったのは、このように、肉を食べるか否かの問題が、動物を殺す権利があるか否かの倫理上の問題とドッキングしたからだといえます。

エリック・マーカスは、自分の本の中で、ヴィーガンになったきっかけを書いています。学生寮に住んでいた頃、たまたま隣に住んでいた友達のところで見た、牛の畜殺シーンのビデオがきっかけだったそうです。学生時代の個人的な体験を一般化する形で、アメリカにおける養鶏、養豚、乳牛、肉牛の飼育状況、マーカスの言葉で言うと「惨憺たる現状」が描かれています。この本を読むと、ヴィーガンの倫理観の内面化の軌跡がよくわかります。最初に起こったのが、動物たちがさらされている日常的な暴力への怒りですね。それから、そのことに無関心であった自分への嫌悪感が現れ、最後に「殺戮の共犯者にはなりたくない」という動物への共感へと移っていったようです。

いっぽう、ピーター・シンガーの本の中では、いくつかの問いが想定問答形式で扱われています。これらは、皆さんにもぜひ考えてほしい問いです。たとえば、人間が肉食しないのは分かるけれども、他の肉食動物についてはどう考えるのか、人間が介入して止めさせるのか、といった問いです。とりわけ重大な問いは、同じ生物である植物の生命を奪うことは問わないのか、というもの。同じ生き物であっても動物と植物との間に明確に線引きをすること、これが、動物解放を訴えるヴィーガンたちの主張の大きな軸になっていることがわかります。

ここからは、冒頭で挙げた二つ目のトピックス、食べ物の聖性あるいは食べ物の特性の話に移りたいと思います。近代以降、それまで食物が持っていた特別性が排除されてしまいました。これを私は歴史的切断、という言葉で表現しています。皆さんはご飯を食べ始めるときに「いただきます」と言いますよね。何に対してかというと、天から（あるいは神さまから）食べ物が与えられたことに対して「いただきます」と言っているわけですね。それは、食べること、食べられることがいかに貴重かつ重大な行為であるかということを、言い換えれば、食べ物の特別性を忘れないためのミニ儀式だったはずです。では、食物の持つ特別性とは何なのかと言えば、それは、私たちが他の生き物の命を奪って食することによってしか命を繋いでいくことができないという真実を指した言葉に他なりません。命ある生き物という点では、植物であろうと動物であろうとそこに差はないということ。それが、食べることや食べ物が持つ聖性であり、特別性だったわけです。

ところで、こうして食物の特別性を排除した結果、私たちはどうなったのでしょうか。その結果が二つあります。一つは、食物の一般商品化です。資本主義経済の中で、食物が他の様々な商品と同じようなものになってしまったこと。もっとはっきり言えば、利潤追求の手段になり下がったということです。

それからもう一つは（これが三つめのトピックスです）、二一世紀になって急速に進んだ現象ですが、私たちが命のない生き物の生産に着手したということです。牛や豚、鶏の細胞を採取し培養する培養肉の生産は、二一世紀の初頭にはすでに技術的な準備はできていたのですが、価格の問題が残っていました。ところが、いまはそれも解決できる方向に進んでおり、世界中で、商品化直前の段階にきています。

さて、このように命のない生き物の生産を目指す科学技術の行く末が、どんなものになるのか、いまこそ、真剣に考えるべきときにあると思うのですが、現状を見る限り、いまや科学と倫理の問題などほとんど無効化されたまま、研究開発が進められている状況です。

培養肉の生産の問題は、肉食の議論を超えて、遺伝子工学やゲノム編集、さらには生命操作の問題へと広がっています。ご存じのように、遺伝子工学の知見は、感染症の治療や予防、再生医療にも使用されています。二〇二〇年のノーベル化学賞の受賞者は二人いて、授賞理由は生物の遺伝情報を自在に書き換えるゲノム編集の新たな手法の開発でした。じっさい、すでに私たちは、ゲノム編集技術を使っていろんな食べ物を作っています。例えば植物の分野では、ゲノム編集技術により、GABAという血圧を下げたり、ストレスを軽くしたりする成分を増加させたトマトが開発されました。GABAトマトとかハイGABAトマトとか呼ばれています。

遺伝子工学は、植物だけではなく、動物の分野でも応用されています。二〇二〇年の暮れに、アメリカのFDA（食品医薬品局）が遺伝子組み換え豚を承認したというニュースが流れました。遺伝子を組み換えて、人のアレルギー反応を引き起こす物質ができない豚を生産することが可能になり、それに対して、国がお墨付きを与えたということです。日本でも、培養肉の研究開発はすでに行われています。たとえば、二〇一九年に東京大学と日清食品ホールディングスの共同研究により、培養肉の作製に成功したという記事が日本経済新聞（二〇一九年三月二二日）に出ていました。本物に近い食感で、牛や豚や鶏の細胞を培養して、寄せて集めたり、シートにして重ねたり、あるいは筋線維を束ねたりすることで、いろんな形の培養肉ができるそうです。

培養肉の商品化の近いことを最初に発表したのは、二〇一三年、オランダのマーストリヒト大学のマーク・ポスト教授です。世界で初めて培養肉を使ったハンバーガーを作ったと語っていたそうです。いまのところ、市場デビューはまだのようですが、食感や味に自信があると豪語しているようです。ポスト教授を取材した毎日新聞（二〇二〇年一〇月二四日）によれば、培養肉の利点としては、第一に、環境負荷を減らせること。第二に、食料問題の軽減に役立つことをあげています。今日のテーマとの関連で言いますと、動物を殺さなくて済むことも、培養肉の「利点」だとされています。なお、同じ毎日新聞の記事では、二〇四〇年には培養肉の市場が三五パーセントくらいになると見積もられています。

ヨーロッパでは、培養肉の研究開発も盛んですが、強い反対や疑問の声もあがっています。フランスでは、ポール・エリアスという政治学者が伝統的牧畜と家畜の擁護のためのネットワークを作って、動物解放運動に対する批判的な活動をしていますが、そのエリアスが培養肉は食品衛生と環境に対するリスクそのものだと批判しています。

話を続けます。遺伝子工学は、植物から動物に、そして次は、当然の成り行きですが、人間にも関心を向けています。ほとんど生命操作の域に達している感がありますが、それに対する批判はなかなか難しい状況ですね。なぜなら、そうした研究は、人類の幸福を増進することを前面に押し出して進められているからです。じっさい、遺伝子工学を使って様々なことができるようになりました。私は年を取って加齢黄斑変性症になり、左目の視力が弱まっています。この病気に対し、網膜色素上皮を作製し、移植する研究が行われています。これは、ほんの一例です。映画『マトリックス』三部作はサイボーグの世界の話ですが、私たちは、すでにそうした世界の戸口に立たされているのです。

ここで、私の話の四つ目のトピックス、「科学技術の思考への問題提起」の話に移りたいと思います。前述のように、いまや遺伝子工学をはじめとする科学技術の思考が全世界を覆っているかのような状況ですが、問題提起の前に、いくつか確認しておきたいことがあります。すでに、ユヴァル・ノア・ハラリという歴史学者が世界的なロングセラーとなった『サピエンス全史』の続編『ホモ・デウス』（原著二〇一五年）の中で指摘していたことですが、一七世紀以来、ヨーロッパの科学的思考を支えてきたのは、数学的法則 mathesis にもとづくデータ至上主義と、その具体的実践であるアルゴリズムの思考パターンです。アルゴリズムとは、いったん目的を設定すると、その目的のために全てのリソースを集中的に使うアプローチ方法のことです。『ホモ・デウス』の中で、ハラリはおよそ、次のような指摘を行っています。

一つは、チャールズ・ダーウィンが『種の起源』を出版してから一五〇年が経ち、生化学的アルゴリズムが追究されるようになってきたこと。もう一つは、電子工学的アルゴリズムです。アラン・

チューリングが「チューリングマシン」を提唱して以来、現在のコンピュータ科学は飛躍的な発展を遂げました。このように、生化学の分野と電子工学の分野の両方で、アルゴリズム的な思考が開発され深化してきたわけですが、それを支えてきたのがデータ至上主義なのです。データ至上主義は、動物と機械を隔てる壁を取り払ってしまいました。そしてゆくゆくは電子工学的アルゴリズムが生化学的アルゴリズムを解読し、それを超える働きをするだろう、とハラリは予言しています。電子工学と遺伝子工学とが完全に合体してしまえば、キリンやトマトと人間とは、データ処理の仕方が違うだけだということになります。このような考え方に、同意できない人もたくさんいると思いますが、正面から反論することはすでに非常に難しい状況になっているのが現実だとハラリは語っています。

最後のトピックスとしては、私からヴィーガンへの問いかけを二つ出します。一つは、動物解放の運動は培養肉の開発と実用に直結しているということです。ＩＴ企業がこうした運動に資金援助しているのは周知の事実だ、とフランス国営ラジオが調査の結果を報道していました（ラジオ・フランス、二〇二〇年一一月一五日、一三時一二分アクセス）。ヴィーガンの反応を知りたい点です。もう一つの問いは、ヴィーガンの四つの主張が、質の問題なのか、それとも量の問題なのか、という疑問です。私見によれば、ヴィーガンの四つの主張のうち、健康、飢餓、環境は量の問題で、動物倫理は質の問題だと思われるのですが、どうも、ヴィーガンの人たちは、この二つの問題系を故意に混同させているのではないかと懸念しています。もし、量の問題であるならば必ずや解決可能なはずです。ところが、解決可能な問題と解決がほぼ不可能な問題とをいっしょに議論していては、いつまでたっても議論は堂々巡りになってしまうだけでしょう。

コロナ禍で、動物と人間の関係について深く考えることの緊急性を感じました。こうした状況の中で、ヴィーガンの運動は、人類が動物を家畜化して以来築き上げてきた、人間と動物との相互依存の関係に見直しを迫ったという意味ばかりでなく、培養肉の研究開発が垣間見せてくれたデータ至上主義に基づく科学技術的思考の行く先、ひいては人類文明の行く末に対する倫理的問いかけを、はからずも浮き彫りにしてしまったという意味においても、きわめて貴重な問いかけであった、と言うことができます。

ここで、科学技術の思考への倫理的問いかけ、といった表現をしましたが、すでに指摘したように、現実にはデータ至上主義とアルゴリズム万能の時代に入りつつあり、それに抵抗することがますます難しい状況になってきていることも事実なのです。

こうした事柄について、まっとうに議論する時間はもうほとんどないのかもしれない、そんな危機感をひしひしと感じています。

ゲノム編集作物の研究

Q

農学部のある国立大学のほとんどが附属農場で、大規模・高負荷生産やゲノム編集作物の生産に何億もの研究費を投じています。日本の学識経験者は、専門家として問題意識を共有できていないのではないのでしょうか？

新山　極めて率直に言わせていただきますと、私も全く同感です。ゲノム編集ができたからといって、先ほど私が申し上げたような問題が解決できるかといったら、全く別の問題です。ゲノム編集した食物を農産物として育てる場合、既存作物と同じくコストがかかり、市場で取引され、供給の仕組みは全く同じです。例えば、長寿にする成分をいかに強化するかに研究が特化し、膨大なお金が使われています。しかし先ほど言ったような市場の問題は全く解決されておらず、生活格差が非常に広がっている状況です。たとえ良いものが作られたとしても、みんなに行き渡るかどうかは全く別の問題なのです。また、食物や食品をそういう方向だけで作っていってもいいのか疑問です。やっぱり食物はじっくり味わって大事に食べるものだと思います。また、日本学術会議では社会科学と自然科学の研究者が同じテーブルで活動していますが、おっしゃるようにそのような議論をする場は全く設定されていないので、そこは考えるべきですね。

Q

卵はいわゆる物価の優等生と言われますが、価格は結構上下していますよね。にもかかわらず、物価の優等生と言われているのはなぜでしょうか。

新山　実におかしなことなんですが、先ほど言ったようにデータがないので、的確な答えをすることができません。推測できるのは、フードシステムの品目間の構造の違いです。牛乳が安定しているのは、メーカーで大量製造でき、小売店が売りやすい価格で調達するメカニズムがあり、低い方に抑えられているからです。卵はパッキングするプロセスはありますが、均一にするプロセスはないので、生産の変動が価格に反映されやすいのだと思います。しかし非常に安い価格で売られてきたのは確かです。安い価格で売れる大きな養鶏場しか残らなくなってきました。あるいは、いろいろな養分が添加され、高付加価値化された値段の高い卵しか生き残れなくなっています。

Q

地球環境に最も悪影響を及ぼしているのは人間じゃないかと言われるとその通りだと思いますが、環境問題や倫理問題を構想することを是とすると、倫理問題の立ち上がる根源的場において、自らが動物であったらどうかという過程を構想可能かという問題が生じるのではないでしょうか。ヴィーガンのジレンマが存在するのではないでしょうか。結局、データ至上主義は功利主義のツールであり、私たちが求める正しさを構想するためのツールは未だ存在しないのではないでしょうか。

北山 先ほど、ヴィーガンの主張の根拠として四つの理由を挙げましたね。その中に倫理の問題がありますが、これを二者択一的に解決できるかは、なかなか難しいですね。先ほど紹介したピーター・シンガーは、私たちが肉食するのは動物に対して関心がないからだと述べています。でも、私たちは動物に関心がないわけでも嫌いなわけでもなく、動物も植物も含め食べざるを得ない。そうしない限り、私たちは命をつなぐことができなかったからだということを思い出すべきでしょう。そういう宿命的な選択を強いられ、選択をしてきたのが人類の文明だったと思います。

例えば、仏陀、釈迦牟尼にはそれが宿命であるとよくわかっていて、その宿命から逃れる方法は死ぬよりほかにないと悟り、成仏していきます。釈迦自身は他の人に菜食しろとは明言していません。でも、彼にはわかっていたわけです。彼自身も一時期、菜食になっていましたが、それは過渡的なプロセスとしてでしかなく、成仏して仏になると決めていたからです。俗世に生きる一般の私たちは動物と共存する生き方を、ある種の知恵として、あるいは宿命として共有してきたわけです。他の生き物の命を大切に思いながらも、命を取って食ってしまうという、文明社会が考え出したこうした共存の方法を、動物に対する虐待だと考える人がいますが、そのような主張に対して私たちはどのように対応すべきなのか。肉食をする人もしない人も、やっぱりどこかの場面でいっしょに考えないといけませんが、なかなか難しい状況ですね。何故かというと、賛成か反対かの二者択一の枠組みの中に落とし込まれてしまうからです。できる限りいろいろな立場の人がともに議論することが、いまこそ必要とされているにもかかわらず、ですね。

Q

資本の論理が生命の論理を押さえつけ、歪んだ食文化を生み出しているということを、根本から解決するにはどうしたらいいのでしょうか。

北山　非常に重要な問いですね。まず、現在生産されている食料は、世界の人類が暮らしていくのに十分なだけの量があるはずです。問題は市場のあり方にあります。市場の問題、言い換えればフードシステムの変革を抜きにして、ただ肉食を止めれば、穀物が十分供給できるはずだと考えるのは間違っています。いまのようにフードシステムが資本主義経済の中に置かれている限り、どんなに食料がたくさん作られても、飢えて死ぬ人たちはなくならないでしょう。

また、先ほども触れたチョイスの話とも繋がってきますね。経済的な仕組みの中で、私たちは何を選んでよいのかわからない状況に陥れられています。たくさんの情報を与えられることにより、何に基づいて選択すればいいのかさえわからない。そういう状況は一九七〇年代から出てきました。当時、フランスでは、「ガストロアノミー」という、「食に関する規範の喪失」を指す新語がつくられたことを思い出します。以前は、好むと好まざるとにかかわらず、人々は食に関する強い規範のもとで生きてきましたが、一九六〇年代から七〇年代にかけて、消費の選択は個人の意思に任せる方向へと大きく転換しました。ところが、私たちは情報洪水の中で何を、どう選んで良いのかわからず、不安な状況に陥ってしまったのです。ＣＭやキャッチコピーなどいろんな情報が、機関銃のように撃ち込まれてくる状況を前にして、私たちは途方に暮れている。それが、ガストロアノミーという言葉の意味でした。

新山　「選択肢が多すぎる」ということについて、私も言いたいことがあります。まずは食べることとは何か。どういう意味を持つのか。そこからしっかり考えた方がいいかと思います。確かに選択肢があふれているように見えるけれど、実際にそんなに多いのでしょうか。じっくり味わって食べられるものがあるのかどうか。体に必要なものは何かと考えて探してみたときにどうなるか。そこを皆さん方、食べる人が試して発信していただきたいです。

バイオテクノロジーに伴うリスク

Q バイオテクノロジーによる食料問題の解決に伴うリスクや問題について教えてください。

新山 バイオテクノロジーに伴うリスクは難しいです。遺伝子組換えは、これまで食べてきたものと同等かという形で安全性が評価されます。私はその仕組みに得心がいかないところがありますが(何をもって同等と判断するのか)そこをうまく説明できないので、これ以上のことは言えません。自然科学の方は、技術によって食料問題が解決できると考えています。たしかに労力が減るなどの利点はありますが、市場で取り引きされるので、たとえ労力が減ったとしても、それにかかるコストが解消されなければ、生産は続けられません。また、紛争が起こって農地が破壊された場合も、生産は続けられないわけです。つまり、食料問題が解決できるかは、非常に社会的な問題であり、かつ経済的な問題なので、そこまでセットで考える必要があり、技術で解決できるかどうかは言えないと思います。

Q

今の日本では、大規模な農業や集約的農業が奨励されている一方で、食品ロスとして食料が廃棄されています。食の貧困が若者にダメージを与える内的現状について、ご意見をお聞かせください。

新山　これは大きな問題で、基本的には社会政策がないといかんともしがたく、さらに言えば、日本の賃金水準や働き方を考え直す必要があります。非常に安い労働力を使って安いものを作っているのではないかとさえ思います。そういうところから戦後しばらくして脱したはずなのに、また終戦直後に戻ってしまっているのではないかとさえ思います。今、自治体でも格差の存在は認識されていて、貧困世帯に対してどのように働きかけるかが課題にはのぼっています。けれども、変な平等主義があって、特定の社会層に働きかけるのは不平等で、全体に同等に働きかけなければならないと思っているふしがあります。

経済倫理学の中で、格差や貧困にどのように対処するか、ロールズは基本財の概念を使っています。基本財は、権利や自由、所得や富など、人間が生活するうえで必要となるもので、ロールズはこのような基本財を平等に分配することが望ましいと主張しました。それに対してセンは、置かれている状況は階層や人によって違うので、基本財だけでは解決できないと批判しました。本当の平等を実現するためには、特に困難を抱えている集団に対して手厚く対処することが必要なのですが、日本ではそのような論理を持てていない可能性があります。

北山 私も全く同じように感じていました。そもそも日本の社会統計の取り方が、格差の存在を前提として考えられていません。ですから格差を是正するための政策を取りようがないのです。所得格差や労働契約上の違いなど、様々な要因によって格差が現実に存在しているにもかかわらず、そうした格差を政策的にきちんと把握する努力がほとんどなされていない。そのことによって、たとえば、子どもの食と栄養の問題など、いろんなところで歪みが出ています。

それと、お話を伺っていて、日常生活における食の問題の深刻さを改めて実感させられました。とりわけコロナ禍になってから、家族だけでなく複数の人が一緒に食事をする機会が制限されてしまいました。だからこそ、コロナが一段落したときに、みんなで集まって食事をすることがどれだけ貴重か実感するだろうと思います。そういうときにみんなが、食が持つ大事さを再確認し、議論してほしいと心から願っています。食の問題については、抽象的な議論だけを重ねていっても解決策は見えてこない。日常生活の中で、食が持つ役割はどういうものなのかを、真剣に、とりわけ具体的に考える機会をもっともってほしい、そう期待しています。

Q いわゆる健康食品や自然食品を安く買うことは可能なのでしょうか。

北山 食に関する雑誌に文章を書く機会があって、「コロナ禍での食生活が世界でどうなっているか」を書きました。私のフィールドはフランスなので、コロナ禍のフランスではどのような動きがあったかに触れました。フランス人が意識しているのは、やはりエコ&ローカルですね。エコ、すなわちなるべく自然に近く、しかも生産者との距離が近いローカルな食品を求めています。少し高い品物でも、それを選んで買って食べる動きが見られました。これは、先ほどから私たちがお話していることともじかに関わっています。つまり、生産と労働の対価をどう考えるか、という問題です。エコ度の高い食品はひといちばい苦労をかけて作られています。それに見合うだけのコストを払わないと、持続的な生産はできません。同じようなことは、衣料品についてはずっと前から言われてきました。安ければいいと思い込んできた結果、国内の衣料産業はほとんど全滅してしまいました。売っているお店はありますが、作っているところはほぼ壊滅状態です。国内で作れば、当然その分のコストは上がります。でも、その分のコストがない限り、作っている人は暮らしていけないわけです。いま、日本の国内では、衣服を作っている人も、食べ物を作っている人も、全く同じ、悲惨な状況におかれています。そのことが長い間忘れられてきました。ぜひ、みんなで考える機会をつくってほしい、とせつに願っています。

（構成：直江あき）

※本章は立命館大学教養教育センターが二〇二一年七月一七日に開催した「SERIESリベラルアーツ：自由に生きるための知性とはなにか　人間5部作［2］食のミライ」（ゲスト：北山晴一、新山陽子、モデレーター：南直人（立命館大学食マネジメント学部教授））を再構成したものです。

? もっと考えてみよう

1 食に限らず、生産者・販売者・消費者のうち、誰かが過度な負担を強いられずに、三者が持続的なシステムを継続するためには、どのような取り組みが必要だろうか。

2 科学技術の急速な発展と倫理との関係でみると、「食」のテーマ以外にどのようなテーマで議論できるだろうか。

3 自分が一日に食べているものとその価格を確認してみよう。生産コストに比べ安いのではないか、と思うものはあるだろうか。

4 日本の自給率をアップさせるためには、どのような政策や個人の行動・選択が必要になるだろうか。

5 食べることはあなたの生活において、どのような意味や役割を持っているだろうか。

⬅イベントの模様を動画で観る
https://youtu.be/jCW1km6G9LY

トークセッション
PART2
人間を考える

06

わたしの〝好き〟を見つける

——映画と音楽を切り口に

何かを“好き”だということよりも、何かを“嫌い”だということを簡単に言える世界になっていないでしょうか。このようなモヤモヤから、「自分の好き」の見つけ方を、映画と音楽を切り口に考えたいと思います。

登壇者

大﨑智史（おおさき・さとし）

立命館大学映像学部講師。専門は、映画研究、視覚文化論。近年の研究テーマは、特殊効果・視覚効果の美学的考察。論文に「モンスターに触れること――『キング・コング』における特殊効果のリアリティ」（日本記号学会編『叢書セミオトポス15　食の記号論　食は幻想か？』新曜社、2020年）など。

小寺未知留（こでら・みちる）

立命館大学文学部准教授。専門は音楽学。近年の研究テーマは、サウンド・アートの歴史、音楽心理学の研究史。論文に「マックス・ニューハウスは何を『音楽』と呼んだのか」（『美学』第72巻1号、2021年）など。

⬅星野源「創造」のMVを観る
https://youtu.be/74FIsXlS0EQ

2021年7月31日開催

音楽とアイデンティティ

小寺　近年、YouTubeやNetflix、Spotifyなどを通じて、大量の音楽や映像コンテンツが次々と送り出されています。そのため、自分の好きなものを楽しんでいるというよりも、プラットフォームの側に作品を消費させられているような気分を感じている人もいるかもしれません。本日は、「わたしの好き」や「作品の楽しみ方」について考えていきたいと思います。

まず私と音楽との関わりについてお話ししたいと思います。私の最初の音楽体験は、幼少期から小学校にかけて通っていたピアノ教室です。中学校では吹奏楽部で打楽器を担当していたのですが、吹奏楽部の先生にクロード・ドビュッシーの「海」という曲のCDを借りて、その曲を好きになった思い出があります。また中学時代にはスキマスイッチというJ-POPのデュオが好きになりました。高校に上がるとき、自分から音楽を取り除いたらどうなるのかなと思って、テニス部に入りました。でもやっぱり音楽がやりたいと思ったので、大学では自分の好きだった物理学と音楽を合わせた音響学を勉強しました。また、オーケストラ・サークルに入ったり、作曲をしたりしていました。そのあと、大学院で音楽学の勉強を始めて、現在に至ります。

専門は音楽学で、最近は音楽研究の歴史を勉強しています。アメリカのレナード・マイヤーという音楽理論家について博士課程まで研究をして、今ではサウンド・アートという分野で、マックス・ニューハウスというアーティストに関心を持って研究を進めています。

私の自己紹介はこれくらいにして、音楽の「好き」ってなんなんだろうという、今日のテーマにフォーカスを絞りましょう。音楽の「好き」についてもいろいろな分野の研究があって必ずしも私の専門ではないんですけど、今日は私なりに勉強してきたことを、皆さんにかいつまんでご紹介したいと思います。

まずは『ニューヨーク・タイムズ』に二〇一八年に掲載された記事です。Spotifyで、何歳ぐらいの人が、どんな曲を聴いているのかというデータを調べると、女性だと一三歳、男性だと一四歳くらいのときに発表された曲をよく聴いているのだそうです。（Seth Stephens-Davidowitz. 2018. “The Songs That Bind,” New York Times, 2018 (Feb. 10th) https://www.nytimes.com/2018/02/10/opinion/sunday/favorite-songs.html）

この一〇代前半に、どういう意味があるのか。『新版 音楽好きな脳』（ダニエル・レヴィティン、西田美緒子訳、ヤマハミュージックエンタテインメントホールディングスミュージックメディア部）では、「音楽を処理する脳の配線が大人と同じレベルの完成度に達するのが、だいたい一四歳頃だ」と言っています。自分たちの脳の中の神経回路のつながり方が音楽の「好き」に関わっているという考え方もありなのかもしれません。

もうひとつ、心理学から「単純接触効果」を紹介したいと思います。「ある刺激オブジェクトに繰り返し接触した結果、それに対する選好や好意が増加することを示す現象」（『ＡＰＡ心理学大辞典』培風館）です。同じ曲をずっと聴き続けるとだんだん好きになっていく現象と言えそうです。（同じ曲を聴き続けると、反対に「飽きる」ということもあると思います。詳しくは、例えば、エリザベス・ヘルムス・マーギュリス『音楽心理学ことはじめ』福村出版の第七章を参照のこと。）

そしてまた専門外ですが、今度は社会学に目を移したいと思います。フランスの社会学者ピエール・ブルデューの『ディスタンクシオン』（石井洋二郎訳、藤原書店）という本があります。岸政彦先生の入門書には、こう書いていています。

すばらしい芸術や音楽との、突然の出会い。それは魂を震わすような、ドラマティックな瞬間です。彼［ブルデュー］はこの出会いの瞬間、何か霊的な、偶然の、心と心とが直接ぶつかり合うような触れ合いを、「稲妻の一撃」と言い換え、そしてあっさりとそれを否定します。（『100分de名著 ブルデュー ディスタンクシオン』NHK出版）

さきほど私は、まさに十四歳だった中学生の頃にスキマスイッチを好きになったとお話ししました。このときのことはよく覚えています。朝の情報番組で曲を聴いたとき、ビビビッときて、すぐにアルバムを買いに行ったんです。これを、私は「ビビビッときた」と思うけど、実は違うんだよというのが、ブルデューの意見です。じゃあ、私の「好き」は何で決まっているのか。ブルデューは「文学・絵画・音楽などの選好［préférence ＝好きなこと］は、まず教育水準［中略］に、そして二次的には出身階層に、密接に結びついている」と言っているんですね。好きな音楽は、自分が育った家庭環境や学歴に関係してるんじゃないかという考え方を、この本は提示しています。表面的な解釈かもしれませんが、私の家庭が朝に静かに新聞を読むような家庭ではなく、とりあえずテレビをつけているような家庭だったからこそ、スキマスイッチに出会ってしまったとも言えそうです。

次に、音楽に関する社会心理学の本に、こういう一節があります。

嗜好は「自然な」あるいは「素朴な」ものではなく、人々の自己定義のしかたに重要な役割を果たしています。この見方は、基本的に、消費を実利主義的な欲求の達成として考えるのではなく、アイデンティティの構成としてとらえなおすことを意味します。ブルデュー［『ディスタンクシオン』］の考えを受け、嗜好の役割は、「自然な」あるいは「個人的な」ものではなく、社会的差異化の手段として理論化されてきました」（レイモンド・マクドナルド他編著『音楽アイデンティティ——音楽心理学の新しいアプローチ』岡本美代子、東村知子共訳、北大路書房）

注目したいのは、「社会的差異化の手段」です。つまり「私たちとあなたたちとは違うんですよ」と示すために音楽が使われる。これが本のタイトルにもなっている、アイデンティティに関わってきます。ある集団のメンバーのひとりとしてどのような音楽を好むのかは、自身が所属している集団と別の集団とを差異化する際の手段となり、自身のアイデンティティを維持するのに役立つのです。（社会心理学の分野で「社会的アイデンティティ理論」と呼ばれている考え方です。）

また、アイデンティティに関して、イギリスの音楽学者ニコラス・クックは、有名な入門書シリーズの『音楽』の巻で、こう言っています。

今この世界では、どの音楽を聴くのか決めることは、［略］あなたがどんな人なのかを決め、それを他の人に伝える重要な一要素である。（Nicholas Cook. *Music: A Very Short Introduction*, Oxford University Press. 1998）

私が聴いている音楽というのは、私がどんな人なのかということに関わっているのです。

そして次は、國分功一郎さんの『暇と退屈の倫理学』序章からご紹介したいと思います。國分さんはジョン・ガルブレイスという経済学者の主張をこうまとめています。

［ガルブレイスは］こう指摘したのである。高度消費社会――彼の言う「ゆたかな社会」――においては、供給が需要に先行している。いや、それどころか、供給側が需要を操作している。（國分功一郎『暇と退屈の倫理学 増補新版』太田出版）

これはつまり、私たちの「好き」がまず先にあって、それに合う音楽を私たちが市場から選びとっているのではなく、音楽産業の側が「あなた、こういう曲、好きでしょ?」と提示したものを、私たちは「確かにこういう曲、好きかも」みたいに受け取っているんじゃないか、という指摘です。

それをもっと突き詰めて論じたのが、テオドール・アドルノやマックス・ホルクハイマーなんですけども、この人たちはこんなことを述べているようです。

文化産業が支配的な現代においては、消費者の感性そのものがあらかじめ製作プロダクションのうちに先取りされている。（同上）

やはり、私が「わたしの好き」を作っているのではなく、音楽産業が「わたしたちの好き」を作っているのかもしれないということです。暇をテーマとする國分さんのこの本ではさらにこんなふうにも書かれています。

暇を得た人々は、その暇をどう使ってよいのか分からない。何が楽しいのか分からない。自分の好きなことが何なのか分からない。そこに資本主義がつけ込む。文化産業が、既成の楽しみ、産業に都合のよい楽しみを人々に提供する。（同上）

「わたしの好き」は、音楽の良し悪し以外のいろんな要因に左右されていることが分かってきたかなと思います。生年、今の年齢、あるいは脳の成長、学歴とか家庭環境、資本主義、音楽と触れ合うときのメディアも関係してくると思います。そして私の好きな音楽は、私のアイデンティティを示している、ともお話ししました。

これらを踏まえて、「わたしの好き」を見つけるってどういうことなのか。「わたしがどんな音楽を聴いているか」は、「わたしがどんな人であるか」なので、私が新しい音楽を聴くことは、もしかしたら新しい私を見つけることかもしれません。例えば、普段は聴かないジャンルを聴いたり、人におすすめを尋ねてみたり、自分で作曲・演奏したりする。そうやって今の私をちょっと変えると、新しい「好き」が見つけられるかもしれません。

好きな音楽が分からないこともあるでしょう。それはもしかしたら、まだ好きな音楽に出会ってないだけかもしれないですし、通り過ぎているだけかもしれないんですね。こういうときに、単純接触効果を意識して、「ちょっと好きかな」と思っていたものを集中して長い時間聴いてみたりすると、もっと好きになっていくかもしれません。私からは以上です。

「どんな映画が好き？」

大﨑　あらためまして、立命館大学映像学部の大﨑智史といいます。専門分野は映画研究、視覚文化論です。とりわけ特殊効果、視覚効果に注目した研究をしています。もともと特殊効果は、語が示すように「特殊」なものとして、これまでの映画史・映画研究において十分に顧みられてきませんでした。そこで、私は特殊効果に注目し、映画というメディアの歴史を再考しつつ、CGの利用が常態化された現在の映像文化を、デジタル技術の発展を踏まえて理論的に考察しています。

映画・映像の歴史は、具体的な作品が積み重なることで形づくられていきます。そのため、これまで顧みられてこなかった映画作品を踏まえると、また映画・映像の歴史が違った形で浮かび上がるわけです。したがって、個別具体的な作品の分析が、映像史を考えるための基層になります。

ではここから、私が映画とどう関わってきたのかをお話ししたいと思います。昔はテレビでよく映画が放送されていましたので、それを見ていたことが、やはり出発点としてあります。また、たまに映画館やドライブインシアターに連れて行ってもらったのも、幼少期の特別な映画鑑賞経験として記憶に残っています。

そのころから映画は好きだったのですが、中学校に入ってより加速しました。その時期、ケーブルテレビで放映される映画を場当たり的に見始めたんです。これは自分で選り好みしないで、数をこなすという意味で、非常にいい経験になったなと思います。

他方で、この時期、携帯電話にカメラが付いて、写真や動画を撮影できるようになりました。映画作品を観るだけではなく、真似して映像を撮ってみたり、高校生くらいからは、短編映画を作って文化祭で上映したりしていました。そしてこのころから、映画関連の本を読むようになりました。

本を読むきっかけとなったのが、父が突如くれた『ブレードランナー』（一九八二年）のDVDでした。私はよく分からないまま見ていたのですが、非常にかっこいいと思った。作品について調べてみると、有名な映画だということも分かってきた。ただなぜそこまでこの映画が評価されているのかは、ピンとこなかったんです。そんなときに『『ブレードランナー』論序説――映画学特別講義』（加藤幹郎、筑摩書房）という本を読んでみたところ、自分がいかに映画を何も考えずに見ていたか、いかに物語ばかりを気にして見ていたか思い知りました。こうした経験から、一本の映画作品について考えるということが分かってきたわけです。

それから映画制作を志して大学に進学し、制作に向けて本を読んでいるうちに、研究の道のほうに進んでいきました。そして大学院の芸術学研究室で映画研究を進めて、現在に至ります。

ここまでお話してきたように、映画との付き合い方というのは、私にとっては大きく二つありました。一つが、非体系的に、場当たり的に数を見ていくということ。そして、もう一つが、なんとなくかっこいいとか、なんだかよく分からないけど魅力がある、そうした作品について、本を通じて深く知るということです。

では「何かを好き」ということについてはどうでしょうか。映画好きの「あるある」として、「どんな映画が好き?」と聞かれると、答えに苦労する、という話があります。つまり一般的によく知られた映画作品を答えたら、「馬鹿にされるんじゃないか」と思ってしまうわけですね。他方でいかにも映画好きが好きそうな作品を挙げてしまうと、「ちょっと狙いすぎじゃないかな」と考えてしまう。こうした葛藤は、映画に詳しいと思われたい、そして映画に詳しいということは映画をたくさん鑑賞している、という考え方が前提になっていると言えます。

しかしそもそも、多くの映画作品を鑑賞していれば良いのでしょうか。あるいは、じゃあ「たくさん鑑賞しています」と言うとき、その人は、どれくらいちゃんと見ているのでしょうか。つまり一口に「見る」と言っても、いろんな水準があるわけですね。スクリーンに反射する光が目に入ってくるだけの、見終わった後にどんな感想も思い浮かばない見方も、一つの「見る」方法です。

この点をふまえ私のこれまでの経験を振り返ると、自分が好きなものを見つけるときには、ふたつのプロセスがあることがわかります。ひとつが、多くの作品を見るということ。そしてもうひとつが、ひとつの作品をじっくり見るということです。このふたつのプロセスを「私の〝好き〟を見つける」方法としてみなさんに提案したいと思います。

まず前者について考えてみましょう。近年の映像環境にはサブスクリプション型動画配信サービスがあり、そこでは半端じゃない数の映画作品を見ることができます。ここで注目したいのは、レコメンドやサジェスチョンと呼ばれる機能です。視聴した映画作品の履歴がトラッキングされることで、提示される情報が自動的に選別される仕組みですね。これにより、フィルターバブルと呼ばれる現象が生じます。知らず識らずのうちに自分の周りにフィルターができあがり、自分が見たいものだけを見てしまい、そして自分ではそのことに気付かないような状態です。こうして自分が接する情報、鑑賞する作品が限られてしまいます。

ここに「安定志向の弊害」があります。自分の限られた時間やお金を無駄にしたくないので、とにかく自分が面白いと思えそうなもの、評判になっているものだけを見る。こうした安定志向の見方をしてしまうと、フィルターバブルに近い状況になってしまうわけです。ですので、「多くの作品を見る」ときには、レコメンドに応じてひたすら見ていくだけではなくて、もう少し別の方法で多様な作品に触れてみるのも必要ではないかと、提案したいと思います。

ではどのような方法があるのか。例えば「古典」と呼ばれているような作品を見る。あるいは特定の時代、地域、ジャンル、監督に限って見続ける。こうして、できる限り多様な作品に触れてみるというのが、自分の「好き」を見つけるための一つの提案です。

ここで少し補助線を引いておきましょう。シネフィルと呼ばれる人たちがいます。平たく言えば、映画に対して並外れた愛を持ち、非常に多くの映画作品を観ている人のことです。そうした人々というのは、映画館でしか映画を見られなかった時代に、スクリーンに向かい合い作品鑑賞を繰り返すなかで、映画史的な慣習を身体的に習得していった存在です。つまり、歴史性というものが前提になっているわけですね。

ただ、現在の私たちを考えてみると、そうした歴史性はあまり気にせず、断片的で雑多な鑑賞経験が、現在の映像鑑賞の主な部分を占めると思います。Netflixなどを見ていると、ある一つの共通点があるというだけで、例えば一九五〇年代の作品と二〇二〇年代の最新の作品が並べられたりするわけですね。こうした鑑賞経験が前提となったいま、これまでとは違った形でシネフィルが誕生するのではないかということを、ある映画研究者が、フランスの映画批評家のアンドレ・バザンのリアリズム論を再考する中で述べています。ちょっとだけ読み上げます。

映画史的記憶を持たぬ世代が過去の映画を見ることは、自分の趣味判断を一旦保留したうえで、かつて別の何らかの習慣が在ったことを漠然とであれ仮定し、試行錯誤しながらそこへと自らの感覚を馴染ませてゆく、そのような営みである。（三浦哲哉「二つのリアリズムと三つの自動性――新しいシネフィリーのために」、『現代思想』第四四巻第一号、青土社）

自分がこれまでに持っていた習慣を、いったん括弧に入れて、何かの条件に限った映画作品群に身を委ねることで、新たに自分の習慣が組み換えられていく。今ここの習慣に囚われた身体からの「脱-習慣」化が起こるわけです。こうして複数の習慣を身に付けて自己が変容していくプロセスによって、断片的な鑑賞が前提となった現代に、新しい形のシネフィリーが誕生するのだということが、ここではうたわれています。

ここまで、別の仕方で多様な作品に触れてみるというお話をしました。ではそれによって何ができるでしょうか。まず作品間の差異を発見しやすくなります。そして、作品との遭遇が自らを作り変えるということです。自分の枠内にあるものとしか出会っていない限りは、自分の再確認にしかなりません。自分の枠の外側にある異質な他者との出会いが、自分を変容させていく。そうしたプロセスを重視するのが、「好き」を見つける一つの方法ではないかなと思います。つまり、「分からないから好きじゃない」としない。分からないものに身を委ねるということを、まずは重要な契機としてみるのはいかがでしょうか。

そして、一つの作品をじっくりと見ることも大切です。作品について語るとき、私たちは作品を通じて自分を語っていると言えます。つまり、「○○がいい」と言っているのは、実のところ「○○がいい」と思っている自分をさらけ出してるわけです。そう考えると、自分の「好き」を語ることの気恥ずかしさにも、実感がわくのではないかと思います。

そして、重要なことは、自分の見方が変われば、その作品への「好き」も変わるということです。後半の部分では、共通の対象に対して、小寺先生が音楽のほうから、そして、私が映像のほうから、その双方からアプローチしてみることで、一つの作品をじっくりと見るということを、具体的な実践として提示したいと思います。

星野源「創造」にアプローチする――音楽編

小寺　では、後半では、YouTubeで公開されている星野源さんの「創造」のミュージックビデオについて、私が音楽の面から、大﨑先生が映像の面から、アプローチしたいと思います。この曲をじっくり味わうために、私自身が試したことが五つあるので、私からはそれらについてお話します。

まずひとつめとして、細かい音のニュアンスに注意して、楽曲分析をしながら聴いてみました。大前提として、音楽分析とは何かについてお話しします。音楽学者の沼野雄司先生が書いた『ファンダメンタルな楽曲分析入門』（音楽之友社）は、何のために分析するのか意識した上で分析しないと、何が起こっているのか記述しただけで終わっちゃうよ、と言っています。なので音楽分析は、何のために分析するのかを常に念頭に置かなくてはなりません。今日は、音楽ファンとしてより豊かな鑑賞体験を求めていくために分析したいと思います。

分析するときは、視点のあり方も大事です。たとえば「鳥の視点」と「歩行者の視点」。前者は鳥が空から街を見ているように、全体を俯瞰して、どこに何があるかが分かっている状態で分析をする。後者はその街を歩いている人みたいに、道なりに沿って音楽を楽しむ（Nicholas Cook, *Beyond the Score: Music as Performance*, Oxford University Press, 2013）。今日は歩行者の視点で分析してみましょう。

歩行者の視点だと、楽曲をその構成に従って聴いていくことになります。まずサビを聴いて最初に気がついたのは、♯［シャープ］や♭［フラット］を頻繁に使って音の高さを変化させ、絶妙なニュアンスを作り出しているということでした。私が今日、皆さんに気にしてほしい部分は、英語の歌詞がついている冒頭の部分（YouTubeに公開されている動画の0:13~0:33）です。ここでは、ラの音がメインで出てくるんですけど、ほんの一瞬、ラよりも半音低いソ♯が顔を出します。「All the yellow magic」という歌詞の「gi」の部分です。市販の楽譜だとラになってたりするんですけど、私の耳にはソ♯も聴こえるんですよね。もう少し正確に分析してみると、ソ♯が一瞬鳴り、そこからスライドしてラまで高くなります。こういった半音の違いが、曲の微妙なニュアンスを作り出しているんですね。こういうふうに細かく聴いていくと、星野さんの曲のなかでの微妙なニュアンスの作り方が見えてきます。

より顕著なのは和音です。コード進行の違いも、この曲の微妙なニュアンスを作り出していると思います。同じく先ほどの冒頭の部分、「B♭M7→Am7」というコード進行で始まるフレーズが四回あるんですけど、その「B♭M7→Am7」のあとが毎回違うんです（楽譜『創造』、山本躍（編曲・浄書）、フェアリー）。こういうところを、彼はこだわって作っているはずです。コードの複雑さや微妙なニュアンスについては、「創造」のカップリング曲「不思議」の方が聴き取りやすいと思うので、そちらも聴いてみてください。

次に、星野さんの発言を読んでみましょう。そうすると、緊急事態宣言下にDTM（デスクトップミュージック）での音楽づくりに挑戦し、自分ひとりで試行錯誤できたこと、この「創造」に関しては、「え、何これすごい！」と思わせるような曲を作りたかったこと、思っていたよりもレベルの高いことができたと彼が考えていることなどがわかります（『ROCKIN'ON JAPAN』二〇二一年七月号、『MUSICA』

二〇二一年六月号）。ちゃんと研究するときにはアーティストの書いた文章を必ずしも鵜呑みにはでき

ないのですが、彼の文章を読むと、過去の作品との関係も見えてくるし、作詞のときにどういうこ

とを考えたのかも分かってきます。

さて、さきほどの冒頭部分が終わると、ゲームキューブという家庭用ゲーム機の起動音が入りま

す。ここを「X」と呼んでおきたいと思います（0:33~0:38）。私はほとんどゲームキューブをやったこ

とがないので最初は分からなかったのですが、ゲームキューブをたくさんプレイしたことがあれば、

このXが「ゲームキューブの音をまねている」とすぐに分かるはずです。「創造」は任天堂とのタイ

アップ曲なので、ゲームサウンドがたくさん用いられています。言い方を変えると、関連知識がど

れくらいあるかによって、曲の聴こえ方が変わるんですね。なので、関連知識を得ることが、その

曲をもっと深く知るための重要な手がかりになります。

歩行者の視点から「創造」の続きを聴いていくと、Xの部分が終わったあと、またサビが来ます

（0:38~0:59）。でも、ここでは伴奏に新たにギターが入ってくる。サビが終わると、またXの素材を使

った短い部分が現れます（0:59~1:01）。そしてAメロになって新しい旋律が登場するのですが、ここで

裏声から地声になります（1:01~1:22）。（Aメロの歌詞の冒頭は「僕は生まれ変わった」です。裏声→地声の変化は、こ

の歌詞の「生まれ変わり」と呼応しているようにも感じられます。）Bメロでまた新しい旋律が入ってきますし

（1:22~1:31）、その後ゲームで使われている音が入ってきたりします（1:32）。進んでいくと、またサビに

戻るんですけど、伴奏がこれまでとはちょっと違うし（1:33~1:53）、そのサビが終わった後には、また

それまでとは違うCメロが入ってくる（1:53~2:00）。このCメロは地声です。街歩きするとき周りの風

景が変化していくように、音楽が進む中でいろんな物事が起こっているんです。そのあとも、Aメロが戻ってくると、「あ、アレンジがゲーム音楽風に変わってる」と気付きます（2:05~2:26）。Bメロが終わると入るコインの音（2:37）は、ミュージックビデオのイントロ（CD版にはない）にも出てきています。次のサビが終わると間奏になりますが、そこでは音の数が減って、まったりした感じになる（2:58~3:08）。Dメロを聴いていると、終盤で「♪ダダダダダダダ」と盛り上がってくるので、「またサビが来るぞ」と思う（3:15~3:17）。案の定サビなんですが、このサビでも後半（3:28~3:38）でキーボードの新しいパターンが追加されている。

このようにいろんな刺激がどんどん入ってきて、飽きさせないような音楽の作り方がされています。曲のアレンジがコロコロ変わるんです。星野さんのほかの曲を聴いてみると、二〇一八年の「アイデア」という曲でも、曲調、アレンジがコロコロ変わっていきます。アーティストのほかの曲を知ることで、そのアーティストがどういう方法で、ひいてはどういう世界観で音楽を作っているのかがよりクリアに分かってきます。

さて、「創造」に戻ると、この曲の最後には分かりやすい転調が現れます。全体的に半音上がります（3:38）。この半音上がる転調のことを「トラック運転手の転調」と言ったりします。曲の最後のほうでキーを半音一つから二つくらい上げて盛り上げる手法です。トラックの運転手がギアを下げアクセルを踏み込んでスパートをかけるときに、エンジン音が急に高くなるのに似ているため、このように呼ばれます（川本聡胤、『J-POPをつくる！――まねる、学ぶ、生み出す』、フェリス女学院大学）。星野さんは「トラック運転手の転調」を他の曲――「地獄でなぜ悪い」「SUN」「Continues」など――でもしばしば使っています。なので、星野さんのファンであればなおさら「ここからさらに盛り上がるぞ」と期待すると思うんですけど、この曲はそうじゃないんです。まったりしたビート感になります(3:39~3:49)。テンポが半分になったように感じられるので、俗に「半テン」とか「ハーフタイムフィーリング」と言います。（これは完全に私の妄想ですが、それまで猛烈に集中していたクリエーターが、この部分ではコーヒーなんかを片手にちょっと一休みしてるような印象です。）この「半テン」によって期待が裏切られた感じがして、聴き手を飽きさせません。最後にまた盛り上がって、Xの部分(3:59~4:06)が戻ってきてこの曲は終わります。ちょっと注意しながら聴いてみると、このようなことが四分ほどの時間で起こっているとわかります。

最後にもう一つ、この曲を別の角度から楽しむためにできることとして、ほかの人がこの曲についてどう発言しているか調べるのも大事だと思います。音楽ライターやファンの書いたレビューを読むのも面白いですし、YouTube の公式ビデオに付けられたコメントも興味深いです。自分で考察を書いてみるのも、一つの曲の楽しみ方かなと思います。

ここまで、一つの曲をじっくり味わうために私がしてみたことを五つご紹介しました。細かい音のニュアンスを注意して聴いたり、ミュージシャン自身の言葉を読んでみたり、関連知識を得たり、同じミュージシャンの別の曲を聴いてみたり、あるいは、ほかの人がこの曲について書いていることを読むことで、聴き逃していたものが聞こえてくるかもしれませんし、そうこうしていると、単純接触効果で、その曲をもっと好きになっているかもしれません。

星野源「創造」にアプローチする――映像編

大﨑　続いて、私は映像のほうから「創造」のミュージックビデオにアプローチしていきます。

本論に入る前に、映画作品を分析する方法についてお話しします。ここではまず内容と形式という観点に注目しましょう。おそらく、映画作品の分析と聞いたときに、一般的に想像されるのはおそらく内容、物語の方だと思います。しかし、作品における内容と形式はセット、つまり具体的な形を持っています。映画作品の場合、それは具体的な映像や音です。

例えば、『フィルム・アート――映画芸術入門』（D・ボードウェル、K・トンプソン、藤木秀朗監訳、飯岡詩朗、板倉史明、北野圭介、北村洋、笹川慶子訳、名古屋大学出版会）という映画研究の入門書があります。そこでは四組の映画技法として、ミザンセン、撮影法、編集、音が挙げられています。

ミザンセンとは、画面内の構成要素、演出です。舞台設定、登場人物の衣装、あるいは振る舞いの演出、照明も含まれます。次に撮影法です。多くの場合、映画はカメラで撮影されているので、色調、遠近関係、被写界深度、フォーカス、フレーミングが考えられます。それから編集です。断片的な映像をどう組み合わせるか、配置するかということですね。そして音です。音量、音質、リズム、忠実度、空間、音源と音の関係性があります。こうした観点に注目しながら、映像の特徴に注目するのが、形式分析の第一歩です。それからショット分析という方法があります。断片的な映像、ショットを一つの出発点として、細かい部分と複数のショットから構成される全体を、相互に参照しながら、解釈・分析を進めていくアプローチです。

「創造」の分析に入る前に、簡単に映画からミュージックビデオへの流れを振り返っておきましょう。一九世紀以降の録音技術、撮影技術の発展のなかでも、大きな変化をもたらしたのは一九二〇年代のトーキー、映画に音が付いていく過程ですね。二〇年代、三〇年代には、映像と音声の関係性を探るような実験的な作品もありました。六〇年代になってくると、ミュージックビデオの源泉とも言える、さまざまな試みが出てきます。『ドント・ルック・バック』（一九六七年）はボブ・ディランのドキュメンタリー映画ですが、その中で、曲の歌詞を書いた紙をめくっていく部分があり、現在のリリックビデオに通じているとも言われています。より直接的には、クイーンの「ボヘミアン・ラプソディ」（一九七五年）のプロモーション・ビデオが挙げられます。そしてやはり重要な契機は、八一年、ミュージックビデオを放送するケーブルテレビチャンネル、MTVの放送開始です。ミュージックビデオが多くの予算をかけて作られていく時代を後押ししていたのが、このMTVでした。

ここで重要なのは、ミュージックビデオが音楽ありきの映像であることです。ここから、もう少し足を進めていきましょう。例えばマイケル・ジャクソンの「スリラー」（一九八二年）という物語性の強い作品があります。「ショートフィルム」とマイケル・ジャクソンは呼んでいるわけですが、そうした強い物語性が楽曲と絡まり合っているミュージックビデオに比べると、「創造」の物語はいかにも希薄です。星野源がスタジオと思わしき空間の中で、さまざまなことをする。細かな出来事が描かれてはいますが、それらのつながりは非常に薄い。一方で大きく変化する映像は強い魅力を持ちます。

この特性を考えるにあたって、ある映画研究者による「アトラクションの映画」（トム・ガニング「アトラクションの映画――初期映画とその観客、そしてアヴァンギャルド」中村秀之訳、長谷正人、中村秀之編『アンチ・スペクタクル――沸騰する映像文化の考古学』東京大学出版会）という概念を参照してみましょう。この語が示すのは、一九〇七年ぐらいまでの、初期映画と呼ばれる一群の映画作品です。これらは従来、後の物語映画に比べて未熟な段階だと考えられていたのですが、そうではなく物語映画とは異なるモードにあることが明らかにされました。つまり物語を語って観客を映画作品に没入させるよりも、むしろ見せることを通じて観客にショックや驚きを与える、視覚的なアトラクションとしての要素が強かったのです。初期映画は窃視症的な鑑賞ではなく露出症的な特徴を持っており、見ることそのものに重点が置かれていたわけですね。例えば『大列車強盗』（一九〇三年）には、列車を襲った強盗らしき人物が、脈絡なく突如カメラに向かって銃を撃つショットがあります。こうした直接的な刺激を与えて観客を引き付ける要素は、初期映画だけではなく、それ以降の物語映画にも見いだすことができます。

以上を踏まえて、ミュージックビデオ「創造」に戻りましょう。そこで明らかなのは、非常に素早いカットです。一度見ただけでは、ほとんど何が起こっているか分かりません。一度見ただけでは把握できない、多様なエフェクト、そしてそれによってめまぐるしく変化していく映像が続きます。そして冒頭では、星野源がカメラをグッと動かし、ハッキリとカメラに目を向けます。ダイレクトルック、いわゆるカメラ目線ですね。こうした要素から、「創造」もまた、アトラクション性の強い映像として認めることができます。

さて、このようにアトラクションの要素が強くなるとき、歌詞を通じて描かれている内容と、そこで提示される映像との結びつきが希薄化していることが分かります。そこで、音との関係性を考えてみましょう。

まずひとつ目、小寺先生の区分でXとされていたゲームキューブの起動音です。ここでは二度のサビのあとに、Xが挟まれるわけですが、映像が切り替わるタイミングで、音にも変化が付いていきます。「♪タタタタタタタ……」という音に合わせて、外側から映像が埋まっていって、中心に至ります。それと同時に、また左下から同じループが三度繰り返される映像になっています。私たちはこうした変化により、視線を誘導されます。そしてそれを三回も繰り返されるので、音と映像の同期はより強調されます。他方で、映像の把握は、常に遅らされる。つまり視線を誘導されているうちに、次々と現れる新たなフレームを十分に確認できなくなっていくんですね。最終的には、ひとつひとつのフレームの中で、星野源がスモークをたいて、映像内で何が起きているか分からないままに、文字通り煙に巻かれてしまいます。

続いてサビとAメロの間に注目してみましょう。ここでは、最初は粗い映像から始まり、そして徐々にモザイクが精細になっていきます。同時に、シンプルなゲームサウンドになっていて、Aメロに移る。そして、高音から低音のボーカルへ、歌い方がハッキリ変化しています。つまり、歌声の変化と映像の変化が重なっています。そしてAメロからBメロにかけて、聞こえている歌声が星野源の口元の動きと結びついていきます。こうしたリップシンクの映像が増えるだけでなく、さらに自撮り映像も挟まれることによって、歌声と映像の両方が星野源のそのままの姿だということが、自己言及的に提示されます。また、音声と映像の関係性という点でいえば、「世をずらせば真ん中」という歌詞の部分では、星野源が左右に手をずらしたり画面中央で手を下ろしたりと、歌詞の内容と映像の動きが同期しています。このように音声と映像をさまざまな仕方で同期させることで、まるで音声が映像に変化をもたらしているように見えるのです。

そして、音楽に構造があるように、映像にも構造があります。ここでは、高音と低音に注目してみましょう。サビが二回あったあと、Aメロに移行するとき。そこでは粗いモザイクから、徐々に映像がハッキリしていました。しかし、二回目のサビからCメロに移っていくときには、映像の変化はありません。つまり、必ずしもモザイクが高音から低音への変化を示してはいないわけです。ただその一方で、音楽の構造を踏まえて聞いていると、なんとなく、音楽も映像も展開の予想がつきます。

そして二度目の反復です。ここでは、Dメロに行く前に、間奏が少し入ります。ここでもう一度モザイクが使われています。「あ、さっき、これ見たな。星野源が出てくることによって、地声に移っていくんだ」と思って、モザイク処理が薄くなりだんだん星野源の姿が見えていくと、実はそこにいるのは、「ニセ明」という若いころの布施明を模した星野源のキャラクターです。こうして、映像がわたしたちの予想を裏切ると同時に、音声も高音から低音への移行ではなく、高音から高音という新しいパターンを見せつけるわけです。

このように「創造」のようなアトラクション性の強い映像は、集中した鑑賞を前提としておらず、断片的な映像になっているということ。そして、そこで流れる音と映像は一見すると無関係に思えますが、実は両者の同期を通じて、予想を裏切る音楽の展開を映像が支えていることがわかります。

ここから、改めて映像の特徴を考えてみましょう。映像後半の色合い、映像の乱れ、あるいは色ズレ、パーフォレーション――フィルムの縁にある穴のことです――などから、ビデオテープやフィルムなど、旧来のメディアが参照されていると分かります。こうした旧来のメディアと音楽との結びつきは、Vaporwaveを思わせます。Vaporwaveとは、二〇一〇年ごろからインターネット上で隆盛した音楽のジャンルで、音楽的な特徴としては、一九八〇年代、九〇年代のポップスやムード音楽のサンプリングなどが挙げられます。

ここで注目したいのは、「AESTHETIC」と呼ばれる視覚的な特徴です。例えば、古典的彫刻、古いPC、ゲーム機、ローファイなカセットテープ、ショッピングモールなどの消費社会的イメージ、そして、括弧付きの〈日本〉です。「創造」のミュージックビデオ本編に少しだけ映る部屋にも、よく見ると彫像が置かれていることが分かります。

Vaporwaveにおけるアートワークの特徴について、エラーとかノイズが雑多な要素をまとめ上げるつなぎになっているという議論があります（松下哲也「Vaporwaveと「シコリティ」の美学」『ユリイカ』第五一巻第二一号、青土社）。つまり、脈絡なく散りばめられた懐かしい要素にまとまりを与えているのが、メディアに由来するエラーとかノイズというわけです。この論考ではそれらが、「ありもしないノスタルジーを捏造する鍵」になっているんだと言われています。

そしてVaporwaveとノスタルジアは非常に相性がいい。一九八〇年代、九〇年代生まれのミレニアル世代は未来に不安を抱く中で、失われた過去に自分たちのノスタルジーのありかを見いだしている。つまり、過去を美化する、あるいは、ありえた未来というものに耽溺することで、懐古が行われているとされます（木澤佐登志「ミレニアル世代を魅了する奇妙な音楽「ヴェイパーウェイブ」とは何か」『現代ビジネス』二〇一九年、https://gendai.ismedia.jp/articles/-/59738?imp=0）。「創造」に関して言うと、すぐに思い浮かぶのは、さまざまに参照されているゲーム文化へのノスタルジアです。そして、もう一つが、旧来のメディアを思わせる加工です。では、こうした話を踏まえると、この「創造」のミュージックビデオは、Vaporwave のように、ノスタルジアを喚起させることに目的があることになるのでしょうか。私はむしろそうではないように思います。

映像を加工してアナログ映像の特徴を付加することは、物語を語る方法のひとつ、あるいは、映像に本物らしさを付与する特徴として用いられているわけですが、こうしたことはスマホでパシャっと適当に撮るような日常的な写真の加工にも見いだすことができます。日常的な映像に、特別なときに撮影される写真や、旧来のメディアを思わせる加工を加えることによって、非日常性を持たせる効果があるんですね。

つまり「創造」で行われているのは、Vaporwave のようなノスタルジアのねつ造ではなく、むしろ、ありふれたものに非日常性を加えるための加工です。この曲と任天堂との関係をふまえれば、既存の事物の創造的活用が楽曲のテーマなのは、おそらく疑いないでしょう。めまぐるしく変化していく映像は、既存の事物の創造的な活用、間断のないその繰り返しを表現しているのではないか。これを、この映像がもつノスタルジー的な要素についてのまとめとしたいと思います。

駆け足になりましたが、ここまで「好き」を見つけるためにじっくり見るというアプローチをとってきました。十分に論じられていないところも多くありますが、作品の気になるところや引っ掛かる部分に注目し分析することで、これまで見えていなかった側面が浮かび上がります。それが次の「好き」を見つけるステップになるのではないでしょうか。

制作者の意図と「好き」のしんどさ

Q

私は作品を見るとき、どうしてもストーリーや意味を見いだそうとする傾向にあります。ある歌を好きになれば、小寺先生の先ほどの分析というより、そのミュージシャンがどんな思いを込めて、その歌を生み出したのかを知りたいと思うのです。一方で、よく分からない抽象的な作品を前に、自分が自然に感じる感情を大事にしたい、意味を考えたくないというふうにも思います。現代社会で、よく分からないものに触れることは、なんとなく大事なんじゃないかと思っているのですが、先生方はどう思われますか？

小寺　まず、私からお話しします。今日私が示した分析では、「星野さんが何を考えて曲を作ったのか」には、全然触れていません。極論して言えば、「本当のところが分からない」からです。でも、もうひとつ重要なのは、作曲者が何を思って作ったのかだけが重要なわけではないということです。「曲そのものをどう分析するのか」と、「その曲を作曲者がどうやって考えて、何を思って、その曲を作ったのか」は、分けて考えないといけないですね。私個人としては、「この曲にはみんなが気付いていない意味があって、それを見つけることが大事なんだ」という欲望に最近の人はとらわれているのかなと思ったりもします。

大崎 前者の質問からお答えしますが、小寺先生と重なる部分が多いです。作った人の言葉は、そもそも本人がどこまで作品のことをコントロールできているか分からないわけですから。作曲者自身が位置付けられている社会全般の影響を受けていると考えると、その人自身の言葉からすべてが分かるとは、私も思いません。

それを踏まえたうえで、後者の質問ですが、確かに、よく分からないものに触れるということは大事だと思います。というのも、分かってるものに触れてしまうと、自分が変わっていく契機がないからです。なので、分からないものに積極的に触れていくことは、もちろん大事です。そしてそこからもう一歩踏み込んで、「どうして分からないんだろう?」と考えていくと、違った見方ができますし、もっとほかの分からないものに挑戦してみようという意欲も湧いてきます。なので、「分からない」ものに触れるのは大事で、「分からない」だけで終わってしまうのは、ちょっともったいないと思います。

小寺 まさにその通りです。よく分からないものと向き合って、アートに限らず、人と人とが触れ合うような日常の中でも、まだあまり知らない人とお話しするとか、よくやってることなんじゃないかなと思います。

Q

映画と音楽の楽しみ方について、私がしたことがなかった方法が提示されて面白かったです。現在コロナで大変な状況にある方も多いですが、こういった、映画や音楽などの芸術作品は、人間にとってどんな役割になっているか、お考えがあれば教えてください。

小寺　まさにリベラルアーツというシリーズのテーマが「自由に生きるための知性とはなにか」という、難しくて大きな問題をテーマに掲げているんですけど、私が声を大にして言いたいのは、「芸術は人間にとって大事です」ということです。でも問題はその先ですね。「芸術は大事です」で思考停止せずに、なぜ大事なのか日々考え続けています。

大﨑　重いテーマですね。コロナ禍で芸術作品が人間にとって果たす役割ですが、一つは、同じ対象を見ているという経験ができるということがあります。例えば、YouTube上では、Zoomを使った映像作品が一時期非常に増えました。あるいは、オンライン演劇の実践もあります。今までは一部の人に限られていたものが、仕方なくそうした方式を選ぶことによって、今までとは違ったあり方で他者とつながれるようになったわけです。この意味で芸術作品は、ちょっとロマンチックすぎるかもしれませんが、人と人とをつなげる契機にもなっていると思います。

Q

先生たちはお仕事として、映画や音楽と向き合っていると思うのですが、好きなことを仕事にすることで、良かったことや、しんどいなと思ったことがあれば教えてください。自分がどんな仕事をしたいのかよく分からなくなっているのでお願いします。

大﨑　しんどいことは、どんなことであってもあるんじゃないかなとは思いますね。自分の好きなことを仕事にできたとしても、絶え間なく自分と向かい合うことになりますから。

小寺　まさにその通りですね。音楽を勉強すればするほど、知らないことがたくさんあるんです。いかに自分が知らないのかということと常に向き合い続けるような状態に置かれるので、しんどいといえば、しんどいです（笑）。でもしんどいと思いつつやれてるのは、その先に自分の「好き」があるかもしれないと期待しているからです。なので、ぜひ、好きなことを仕事にする選択肢を外さないでほしいと思います。

Q

ちょうどゲームキューブ世代の私の周囲では、星野さんの「創造」は、「ノスタルジックなエモさ」が特に称賛されていました。けれど、今回のお話の結論は、むしろ、そういった捉え方とは逆のテーマで作られた作品ではないかという結論でした。創作者の意図と消費者の受け取り方のズレについて、先生方はどのようにお考えですか。

小寺　確かに懐かしいなと感じる部分はたくさんあったんですけど、やっぱりJ-POPというジャンルの世界で、何か新しいことにトライしようとしている印象が私は強かったです。そして創作者の意図と消費者の受け取り方のズレですが、これは起こらざるを得ないですよね。ズレはあってしかるべきですし、ズレこそが実は面白いとも言える。ズレがあるからこそ自分とは違うことを考えている人がいるんだなということを実感させてくれたりもするんじゃないかなと思います。

大﨑　逆のテーマとおっしゃいましたが、ノスタルジックなエモさを体感することは、必ずしも私の議論と齟齬があるわけではありません。つまり、「創造」にノスタルジーが認識されていることは否定できませんが、そこにとどまるだけではないということですね。

後者についても、制作者に何か意図があったとして、それをそのまま受け取ってほしいとは必ずしも思ってないでしょう。意図をしっかりと伝えたかったら、その意図を言葉で説明すればいいわけですから、作品を作っている時点で伝わらない可能性は織り込み済みだと思います。逆に、私たちがそれを分析するときには、意図されていない側面を見いだしていくのが、分析の意義なのかなと思います。

（構成：高島鈴）

※本章は立命館大学教養教育センターが二〇二一年七月三一日に開催した「SERIESリベラルアーツ：自由に生きるための知性とはなにか　人間5部作［3］わたしの〝好き〟を見つける」

（ゲスト：大﨑智史、小寺未知留）を再構成したものです。

？もっと考えてみよう

1 自分の「好き」な映画・音楽・文学について、どうして好きになったのか考えてみよう。それは自分が主体的に見つけたものだろうか、自分ではない「誰か」や「社会」の影響があったのだろうか。

2 逆に、自分が「わからない」「好きじゃない」映画・音楽・文学などについて、その理由を考えてみよう。

3 そのうえで、その映画・音楽・文学などについて鑑賞してみよう。誰かと話してみるのもいいかもしれない。

4 あなたにとって、映画や音楽、文学などの芸術作品とは、どのようなものだろうか。

⬅イベントの模様を動画で観る
https://youtu.be/roZ2LviU1jQ

トークセッション
PART2
人間を考える

07

まちあるきのすゝめ

――迷える身体に向けて

2020年4月に国内初の緊急事態宣言が発令されてから、外出自粛が当たり前のように叫ばれ、街を出歩くことや電車で移動することに、不安や迷いを感じる日々。こんな時だからこそ、「まち」をテーマに考えてみたいと思いました。

登壇者

加藤政洋（かとう・まさひろ）

立命館大学文学部教員。専門は人文地理学、沖縄研究。近年はおもに沖縄島中部の基地都市コザ、そして京都の料理文化について研究している。共著『おいしい京都学——料理屋文化の歴史地理』が近刊予定。

原口剛（はらぐち・たけし）

神戸大学文学部教員。専門は社会地理学、都市論。近年のテーマはロジスティクス等の概念をめぐる地理理論研究、および港湾労働史研究。著書に『叫びの都市——寄せ場、釜ヶ崎、流動的下層労働者』（洛北出版、2016年）など。

2021年9月26日開催

原口　今日はよろしくお願いいたします。僕は地理学を専門にしているんですけども、特に大阪の釜ヶ崎という、日雇い労働者が長く住んできた寄せ場の地域（ドヤ街とも呼ばれます）や、野宿の現場でフィールドワーク研究をしてきました。今日はその経験をもとに、いろいろと探ってみたいと思います。よろしくお願いいたします。

加藤　原口さんと同じく地理学を専門としております。今日のテーマは「まちあるきのすゝめ」ですが、わたしはとにかく歩くことが好きです。毎日一万歩くらいは歩いていますが、歩くときはいつもコースを変えて、日々の通勤でも歩くこと自体を楽しんでおります。本日はどうぞよろしくお願いいたします。

釜ヶ崎での原体験

原口　今日は「まちあるきのすゝめ――迷える身体に向けて」ということで、僕から三つほど話題提供をいたします。まず一つ目は、釜ヶ崎でのフィールドワークにおける原体験、二つめには、歩くこと、迷うことの意味、そして三つめ、Googleマップのようなパソコン上の地図がフィールドワークや歩く経験の代わりとなり得るのかどうかということ、以上三つを話題に挙げたいと思います。コロナ禍の状況で、歩くこと、フィールドワークは難しくなりました。僕は目的なく歩くのが好きなんですが、歩きたいのに歩けない状態がずいぶんと長く続いています。歩けないからこそ、歩く経験の楽しさ、豊かさを日々知らされているように思います。ただ今日、対話したいことは、今できることについてです。現地に行けないからこそ、その土地の書物を読んで、土地への想像力をかきたてる、培うこともできるだろうし、あるいはこの状況の中だからこそ、歩くことの意味を言葉にしてみたいと思うわけです。

まずフィールドでの原体験として、自分自身の体験、労働者と出会うまでのプロセスから話を始めてみたいと思います。僕が大阪に来て、釜ヶ崎に関わり始めたのは二〇〇〇年のことでした。僕は最初に釜ヶ崎を訪れるために新今宮駅を降りたときに、カメラを肩からぶら下げて降りてしまったんです。すると、いま思えば当たり前なんですけど、街に足を踏み入れた途端に「そんなものは持ち込むな」と労働者に怒られました。それが最初の経験です。その日はひたすら戸惑いながら、不安にも駆られながら、それでもなお歩いたと思います。

何回もさまよい歩いていくうちに、いろんなことに気付いていきました。例えば釜ヶ崎という街は、簡易宿所、ドヤと呼ばれる宿がホームになっています。そこに住む労働者は、部屋の中だけで過ごす人もいるんですけど、多くの労働者が街全体をリビングというか、食堂というか、社交場として使っているような状態があったんです。そこでカメラをぶら下げていったときに何で怒られたか、よく分かったわけですよ。人の家に上がるのに、いきなりカメラを持ってズカズカと入ったら怒られますよね。それと同じで、いわば、釜ヶ崎の街の中に入ることは、家に近い空間に入っていくことだったんです。それと同時に、道路が交通のためだけではなく、日々の社交のための空間となっていることへの驚きが芽生えたのが、釜ヶ崎の街に入り込むうえでの、ひとつのステップとしてあったと思います。

それから僕にとって一番大きかった経験は、労働者との出会いが生まれたことです。自分自身も社交の中に入っていって、労働者と話をする機会が増えていくと、労働者から、もういろんな労働の経験を聞けるようになってきた。そうすると、どんどんその物語に引き込まれていくわけです。僕はそこから、下から世界を見ること、あるいは道の上から世界を見ることを学んだ気がします。その「下から世界をみること」を自分なりに言葉にしてみます。

これは、泉北ニュータウンを建設する労働者の姿を捉えた写真です。このイメージから、二つの意味を読み取ることができます。ひとつは、見えない関係性を知るということ。建物が出来上がったときにはもうその作り手はいないわけで、僕たちはこの建物を誰が作ったのかを普段はあまり想像しない。それを知ることは、自分自身が誰の労働の上に立っているのか知ることだと思うんです。

それに関連して、よく覚えているエピソードがあります。僕は鹿児島育ちなんですけども、九三年、高校のときに、8・6水害というすさまじい水害がありました。その当時

泉北ニュータウンを建設する労働者（中島敏撮影、1969年）

は高校生で、崖っぷちに住んでいたんですけど、朝ようやく豪雨が去って窓を開けたら、もろに自分の部屋の目の前が崖崩れを起こしていました。ただ、これはものの見事に一年で復旧していった。それが、後に釜ヶ崎で学んでいくうちに、この復旧工事に釜ヶ崎の労働者が関わっていたと知ったんですね。このときに、釜ヶ崎に出会う以前から、実は釜ヶ崎の労働者の労働と自分自身は足元の見えないところでつながっていたと気付かされました。

あるいは労働者の話を聞くうちに、「掘る」ことで広がりを知る、あるいは捉えることができると気付きました。例えばいくつか地図の描き方があるとして、一つには、ありえない高みから地表をまなざして、そして広い空間をひとつ目におさめる捉え方があります。それに対して「掘る」というのは、それと逆方向で、地下の方向に、どんどん穴を掘って深みへともぐっていく。そうすることで、特定の地域、例えば釜ヶ崎という場所に関して、ひたすらマニアックにいろんなことを知ることができます。けれども、そのかわりに、ほかの場所に関しては知らないままとどまってしまう。でも、本当にそれだけなのか。

ここで三つめのイメージが出てきます。土地を縦に掘っていくうちに、流動とか移動とか横断とか、そういった契機が必ずあるんです。例えば、あちこちから出郷してきて今釜ヶ崎にいる労働者の出身地をたどると、横にずれていくわけですよね。あるいは、労働者が、例えば鹿児島の水害の復旧に携わったと知ったときには、また横にずれていく。すると、縦にまっすぐ深く掘っていくつもりが、どんどん横滑りしていって、思わぬつながりを発見する喜びがある。掘ることで拡がりを得るというのは、労働者と話をしていく中で、僕が学び取ったひとつの方法論です。

釜ヶ崎では「歩くこと」「出会うこと」の大切さを学びましたが、もう一つ「読むこと」を重ねて考えたいと思います。

フィールドワークは僕にとって、世界の見方を学ぶプロセスであり、それは過酷な現実を知る経験でしたが、同時にそれを上回るほどの喜びの経験でした。そのひとつが、読書する喜びです。僕は、フィールドワークって「読む」と「歩く」をどっちともやるのが大事だと思うんですね。フィールドでの経験を経て本を読めば、同じ本でも読み方が変わる。あるいは新しい読み方を身につけた後に街を歩けば、同じ街でも光景が違って見える。これがあるからフィールドワークはやめられません。

特に釜ヶ崎って、実は濃厚な読書空間なんですよね。街の周りには小さな古本屋が点在したりします。あるいは、雨で仕事に行けなくて、体を休める労働者がだいたい携えているのは、本だったりします。実は本と労働者や野宿者は、すごく近い存在なんじゃないかと思うんです。

そうした経験を思い返しながら、歩くこと、迷うことの意味とは何だろうかということで、今回手に取ったのが、レベッカ・ソルニットの二冊の本、『ウォークス——歩くことの精神史』（東辻賢治郎訳、左右社）と『迷うことについて』（東辻賢治郎訳、左右社）です。素晴らしい本なので、内容をちょっとかいつまんで説明します。まず重要なのは、移動と目的地への到着は、似ているように見えて全く違うということ。ソルニットいわく、「結局のところわたしたちの本当の問題は、未知のものを知ることができるか、そこに到達できるのかではなく、どのようにそれを探しにゆくのか、どう旅すればいいのかということなのだから」というのですね（『迷うことについて』三二一〜三二三頁）。歩くことの本当の問題は、どう目的地に着くかではなくて、未知のものにどう出会うか、そのためにどういう旅をするのか、なんですね。目的地に早く到着すればするほど、それだけ移動の時間が短くなり、そして未知のものに出会う可能性、あるいは移動する可能性は失われていくんです。さらにソルニットは、ヴァルター・ベンヤミンの次の言葉を引用したりもしてます。「街で道がわからなくなるのは面白くもないありふれたことだろう。必要なのは無知であること、それだけだから」「しかし、街に迷うこと――ちょうど森で自らを見失うように――には、かなり別種の修練が求められる」（同上、一三頁）。

この『ウォークス』という本は、分厚いんですよ。古代から「歩く」ことの歴史を掘り起こしている。そうして例えば、カントもそう、ルソーもそう、数多くの哲学者が、歩行を愛し、歩きながら考えてきたことを確認していく。歩くこととは考えることなんだと、そう気づかされます。なにより、数多くの抵抗者たちが、ときに歩行を武器として歴史を切り開いてきました。マーティン・ルーサー・キングの演説で知られるワシントン大行進のように、歩くことが武器にもなってきた。

そういった歴史が書かれているわけなんですが、ここで考えないといけないのは、歩くことに関してこんなにも分厚い本を、なぜソルニットは書かねばならなかったのだろう、ということ。実際、ソルニットはある種の危機感に駆られて、これを書いています。つまり「歩くことの歴史が存在するとするならば、その歴史もまた、崩落する崖のような地点にたどり着いている」（『ウォークス』二五頁）。これを危惧するからこそ、歩くことを分厚く論じないといけなかったんですね。それは一体どういうことなのか。

僕自身、今はフィールドに出られないので遠隔で地理の講義をしているわけですが、パソコン上でGoogleマップやストリートビューを使って講義を組み立ててみると、それなりに成り立たせることができる。しかも、いろいろな地図や情報を組み合わせることに、それなりに可能性を感じたりもしています。ときには楽しくて夢中になったりするんですけど、ただ同時に、ちょっとこれやばいんじゃないかな、って危機感もあるんです。例えば、街を眺めるときの視点。実はストリートビューの見方は、監視カメラの見方ととても近いんじゃないかと思うんです。どっちとも共通するのは、写真家のようにどこかにフォーカスを当てて写すのではなく、あくまで機械的に、無造作に風景を切り取っているわけですよね。だからGoogleマップやストリートビューの視点に慣れて、それを体に組み入れてしまったときに、実はひっそりと自分たちの知覚・身体が、監視カメラ的になっているんじゃないだろうか。

と、ここでもう一度ソルニットを参照してみると、そういった現象の背景に潜むのは、とにかく短時間、最短移動で移動することが「効率性」という言葉のもとで肯定されてしまう風潮ですよね。それだけではなくて、今現在の社会の中では、それは「生産的である」とさえ語られてしまう。とするなら、さまようことは、生産的ではない、あるいは無駄として省かれるべき行為とも位置づけられるのかもしれません。しかし僕たちは、冒頭に言ったような出会いの可能性を手放すわけにはいかない。だったらもう、開き直るしかないじゃないか、と思うわけです。非効率的であっていいじゃないか、あるいは生産的でなくったっていいじゃないか、と。その向こう側に、まだ僕が知らない出会い、知らない世界があって、それを知るためには、正しく迷うことが必要なんだと。そう叫びたい気持ちになります。

自分だけの地図を作る

Q 私たちが一人ひとりに自分だけの地図を作る方法とは。それを他者の地図と重ねるには。

加藤　歩くとは何かを考えると、基本的にはやっぱり、二地点間の移動なんですね。出発点があって到着点がある。たとえば公共交通機関を利用する場合と歩くことの違いって何なのか。私は東京の蕎麦屋が好きで、蕎麦屋酒をしたいがために京都―東京の二地点間を移動するんですが、新幹線で行ってしまうから、二地点間の間にあるはずの空間が省略されている。けれども、歩くことにおいては、移動を通じて空間の省略が起こらないわけですよね。歩くことと交通機関で移動することの大きな違いとして、空間の省略がまず起こっていないということが重要なのかなと思いました。

そしてもう一つ、歩くことには、止まる自由、とどまる自由があります。

原口さんが歩くこと、出会うことと読むことを並列して話したように、やっぱり歩くこと自体が読むことに通じているんですよね。空間の省略がきかない分、この二地点間を移動する中に、人は空間を読んで、何かを感じている。まさにそれは読書の経験で、読書もまちあるきも戻ることができるんです。何か思いついたときに、もう一度そこに行ってみたら、本を読むように、別の発見があるとか、行間が読める、空間のあわい（間）が読めることもある。だから歩くこと、あるいは読むことを通じての出会いは、そうした楽しみにつながっていくのだと思います。

迷うことの大切さ

Q 迷いの大切さについて述べられたと思うんですが、もう少し敷衍してご説明いただけますか。どうして迷うことが大切なんでしょうか。

Q 全盲の人や車椅子利用者のまちあるきの体験（体験する街）と、健常者の体験（体験する街）とは異なると思います。あるいは身の危険を感じながら夜を歩く黒人女性にとっての街。こうした体験の差異、他者の体験する街を発見する・知るにはどうすれば良いでしょうか。

加藤 最初の質問の「迷うことの意味」、これは重要ですね。二地点間の移動を目的とすること、移動自体を目的とする、つまり、到着地への移動が目的であるとき、やっぱり迷いっていうのは、その人を不安にさせるし、それこそ時間のロスですよね。それに対して、まちあるきというテーマに引き寄せて言うならば、迷うことは、さまざまな選択肢が生まれる瞬間でもあると考えることができると思うんです。「あっちに行こうか、こっちに行こうか、いや、こう行くべきだ」っていうような、まちあるきで迷うことには単純な機械的な二地点間の移動では起こり得ない面白さがあると思います。

そして後者、クリティカルなご質問をいただきました。例えばわたしのような人間がまちあるきをしているときは、どうしても視覚が優位になってしまう。原口さんは、その点、匂いや音が重要だということを、もう常々言っておられるのですが。他方で、例えば車椅子移動の方では、空間の経験のされ方が違う部分もありますし、エスニシティや「人種」によっても、空間の経験のされ方は違うと思うんですね。

先の質問にあった、他者の経験する地図との重ね合わせというのは、ストレートに重なるものではありません。経験される空間のあり方によって、同じ距離でも長く感じられたり、短く感じられたりするし、他者、モノ、場所、あるいは時間とのかかわりのなかで、地図は人によってずいぶん違ったものが描かれます。それを単純に機械的に、正確な距離として測られるものに変換するのではなくて、さまざまな重ならない経験のあり方をつなぎ合わせることで、より良い都市空間をつくっていけるのではないでしょうか。

原口　迷うことについて、自動改札機の話を思い出しました。僕もいまはもう自動改札機に慣れきってしまって、切符も使わずに、ピッと触ってスッと通ってしまう。それは慣れている人にとっては当たり前なのかも知れませんが、慣れるのは怖いことでもあります。自動改札機が強いるスピードを当たり前だと思う感覚が生じて、そこで戸惑う者とスルスル進めてしまう者を分断させてしまうんですね。斎藤貴男さんの『安心のファシズム――支配されたがる人びと』（岩波書店）という監視社会批判の本に、自動改札機が取り上げられていました。自動改札機が設置された際には、それが強いるスピードやスムーズさによって困難を被る人々、とりわけ障害を持つ人からの反対の声があったそうです。その声は、いまも耳を傾けるべきものですよね。

あるいは、似たようなケースで、すごく重なり合うのが、一九九〇年代の新宿駅西口で起きた野宿者のテント村の排除です。この排除は、「動く歩道」を設置する名目で起きたものでした。「動く歩道」も、ある種の速度やリズムを強制するものだと思うんですよね。そういったことが、日常のいろいろなところに転がっている。問題は、そのたびにそこから取り残される、あるいは排除される人々がいて、機械のリズムに合わせてサクサク進めてしまうことによって、実は自ら出会いの可能性を閉ざしてしまっている危険性もあると思うんですね。それに対置されるべきものとして、迷うことに重い価値があるんじゃないでしょうか。

それからもうひとつ、歩くこと自体が土地との対話なんだと思うんですね。歩くこと自体を目的とする、楽しみにすることに素晴らしさを感じます。例えば、今まで会った人の中に、やっと生活保護を受けて暮らすようになって、毎日のように図書館に通って、自分なりの勉強をしている方がいました。その学びって、何かのためにやる学びではなくて、学ぶこと自体が喜びだという、学びの純粋形態なんです。それを思うと、論文のためにに調査とかするように、学ぶことは手段になっている場合が多くて、反省させられたりもすることもあります。おなじように、迷うこと自体を目的化するような歩き方も、ひょっとしたらあるのかもしれないと思います。その場所がどう見えるのかは、人と出会って、聞いてみて初めて分かることだと思うので、その意味でも、どう出会えるのかが重要なんじゃないでしょうか。

無人化と監視カメラ

Q

この前ニュースで無人コンビニのことが話題になっていました。天井に驚くほどの監視カメラがあることで、欲しいものを棚から取ったら、勝手にスマホ決済ができるらしく、普通のコンビニ滞在時間二〜三分のところが数秒になるとのことです。ユーザーはストレスがなくすごいという評価だったのですが、個人的には気持ち悪いなと思いました。コロナになり店員さんがいない無人のお店がどんどん増えていってるような気もします。お二人のお考えをお聞きしたいです。

原口　僕はコンビニには思い入れがあります。というのも若いころ奨学金が切れて、コンビニで働いていたんです。コンビニは今、無人化の矛盾が一番観察できるところですよね。最近も無人レジを使ったときに、「あれ？　これ、どこかでやったことがあるぞ」と思ったら、昔、時給七五〇円とかもらってやっていた労働を、消費者の立場でやっていると気付かされたんです。今や消費者すら働かされてるんですよ。

それから、ついでに思い出してしまうのは、TSUTAYAでのバイト経験です。TSUTAYAは本当にやりがい搾取が激しいんですが、その反面、棚を自由に作らせてくれる。そのセンスを競い合って、店によって棚も違うという、レンタルビデオ文化にとっては非常に重要なものだったはずなんですが、これが無人化になると、多分オリジナルの棚が作れなくなってしまいます。なのでAmazonがおすすめしてくるものを、次々とアルゴリズムに従って選んでいくことになる。それはひどく惨めな経験だと思うんですよ。だから本当に無人化は不条理だと思いますね。

加藤　先ほど監視カメラの話になりました。斎藤貴男さんが論じていた時代には、監視カメラと呼ぶのか防犯カメラと呼ぶのか議論となっていたのが、いつの間にか防犯カメラで定着していますよね。これはコンビニの話と相通ずると思います。空間と機能の関係をどう捉えるかという問題は重要ですね。たとえば、安心・安全のために監視カメラ／防犯カメラを付けることは、もう一般的になっていて、設置に行政が補助金を付けることも行われているわけです。そのこと自体が、空間を安心・安全に移動する機能だけに還元してしまって、その他の行為や振る舞いが、究極的には全然認められなくなる。

監視カメラは、本来公共性が高くて、さまざまな可能性に開かれている空間を、移動する行為だけに還元する機械だと思うんです。コンビニの無人化も、本来ならお店の人とのやりとりとか、少したたずむ、いろいろ迷う、立ち読みするとかいろいろな行動がありえたものが、監視カメラによって買っていかに早く出るかという機能的な空間に還元されてしまう気がします。だから今起きていることには、通底するものがある。空間と機能を一対一で対応させていくことで、過剰な部分をそぎ落とす動きが起こっているんじゃないかと思います。

都市の魅力と郊外の虚しさ

Q
歩いていて、また、見ていて、より楽しいと感じられるのはどのような街でしょうか。

Q
なぜ都市が魅力的に映るのでしょうか。郊外から見た魅力は何でしょうか。

Q
郊外によく見られる、車がガンガン走ってて、道は車のためのものだっていう感じが満載な所をトボトボ歩いていると、虚しさというか絶望的な感じみたいなのがあるのですが、あれは何なのでしょうか。

加藤　簡単なようで難しい質問ですね。都市の魅力についてですが、わたしはド田舎で育って、大阪で初めて大都市を経験しました。あの経験は、いまだに引きずっていますね。空間の遊びがあるという点がやっぱり一番なんですよね。歩道橋の上でこんなことが行われている、公園の脇でそんなことが行われている、というように、機能と一対一であるというよりは、雑多さ、奥深さ、ゆとり、懐の深さが総体としてできあがっていて、空間にさまざまな可能性への開かれが見えるところがひじょうに面白い。

原口　都市の魅力って、時代によって違うし、同じ時代でも地方出身か、そもそも都市に生まれ育ったのかで、ずいぶん違うと思うんですよね。僕の世代だと、若いころにやたらと「東京生活」がドラマに映し出されていました。それに対して、自分の田舎の狭さやしがらみを感じているわけですから、そこから抜け出したいと思うわけですよ。そういった状況で感じる都市の匿名性は、やはり魅力ですよね。匿名性と言っても周りにはたくさん人がいて。いろいろな体との距離感がありながら「孤独である」状態というのは、僕は田舎から出てきたときに、すごく心地よく感じました。

もちろん個人的な経験なので、どれくらい普遍的に言えるのかは疑問符がつきますが、少なくともある時代までは「上京」という言葉が、何か共通の都市の魅力を語っていたのかもしれないですね。

加藤　でも個人の経験としては面白いですよね。都市の魅力が不特定多数の空間内共在とか、異質な者同士が隣り合うところにあるのは事実だと思うし。

原口　そうそう。それで、今度は郊外の虚しさ、絶望的な感じも、感じ方によっては心地よいものへと変えられるのかもしれませんね。うーん、どうでしょうか。それとも、もっと救いようのない虚しさとして受け取ったほうがいいんでしょうか。先ほど都市の魅力として、密度の高い集団に一人の身体として浮かび上がる孤独の心地よさを挙げましたが、郊外の場合だと、車と車の距離がベースになってしまいますね。郊外に虚しさや絶望的な感じがあるとするならば、そのような「集団性」のないむき出しの孤独であるがゆえに、のことかもしれません。答えは分かりませんが、いろいろと考えさせられます。

都市研究のバイブル

Q 一般教養が軽視される中で教養教育の捉え方は教員によって認識がだいぶ異なるように思います。それぞれの教養に関して、自身の考え方で構わないので教えてください。

Q 講師のお二人が都市研究をする際のバイブルのような書籍があれば教えてください。

原口　僕が最初に地理学について、こんな面白い学問があったのかと気付かせられたのは、大城直樹さんら編の『空間から場所へ——地理的想像力の探求』（荒山正彦、大城直樹編、古今書院）です。古い本ですが、今でも読みがいのある、そして勢いのある本です。

次の一冊は、酒井隆史さんの『自由論——現在性の系譜学』（河出書房新社）です。最初に読んだときは、こんなにも最先端の素晴らしい都市論が繰り広げられているのかと、雷に打たれたような感動をおぼえました。さいきん増補版が出ましたし、いまでも読む価値は十分にあります。

それから何年も繰り返し読んだ本は、デヴィッド・ハーヴェイの *The Limits to Capital* という本で、邦訳が『空間編成の経済理論——資本の限界（上・下）』（松石勝彦、水岡不二雄ほか訳、大明堂）ですね。

手に入りにくいんだけど、これが一番重要な本ではないかと思います。以上、三冊の自分の人生を変えた本、挙げさせていただきました。ぜひ読んでみてください。

加藤　ありがとうございます。本日の原口さんの「世界の見方を学ぶプロセス」って、かっこいいなと思いました。たぶん、教養教育はそのタネになる部分だと思うんです。そうした意味においては、わたし自身のものの見方を広げてくれた本として、学部時代のヴァルター・ベンヤミンとの出会いが大きかったと思います。『パサージュ論』（今村仁司・三島憲一訳、岩波書店）はぼくの学部時代に翻訳が始まった本ですね。都市への関心を深めてくれました。

そして原口さんと同じく、地理学を学んで都市をフィールドにしている者としては、デヴィッド・ハーヴェイに接したのは大きな経験でした。わたしの世代は、だいたいハーヴェイを読んでいるのではないかと思います。原口さんは *The Limits to Capital* を取り上げられたんですけど、ぼくのなかで一番重要なテクストは、*Social Justice and the City*、『都市と社会的不平等』（竹内啓一、松本正美訳、日本ブリタニカ）です。あの本は未だに都市を考えるうえで、いろいろとヒントを与えてくれるもので、いまも大切にしています。

コロナと街

Q コンビニの無人化は野菜の無人販売所とどう違うのでしょうか。

Q 感染症流行によって人びとの街における交流機会が減少しているのではないでしょうか。

原口 街と言ったときに、どこを指すか、あるいはどのスケールを指すかによると思います。盛り場、都心部は交流機会が激減したのかもしれませんが、例えば逆に身近な商店街などは、むしろ人が増えているところもある。

そしてもう一つ、北米ではパンデミックのさなかにBlack Lives Matterが巻き起こっていた。その背景を探った河出書房新社の本（『BLACK LIVES MATTER——黒人たちの叛乱は何を問うのか』）に、面白いインタビューが載っているんです。今、近隣というスケールでの活動や相互扶助の重要性が再び浮上していて、それが生活と地続きの運動基盤になっているという内容でした。「近隣」ときくと、ジェイン・ジェイコブズの『アメリカ大都市の死と生』を真っ先に思い出されるでしょうが、興味深いのは、ジェイコブズ的な文脈とはまったく違って、反警察の運動のなかで「近隣」で浮上しているんですね。そうした動向も、もっと注目していいと思います。

あと、無人野菜と無人コンビニの違いについて、大事だなと思いました。ジェイコブズで思い出したんですが、監視と見守りは、まず絶対違うものですよ。だけど意外と、どこまでが監視で、どこまでが見守りなのか、線引きが難しいと思うんですね。だからこそ見守りの名のもとに監視が入ってくるようなことも起こりやすい。

そう考えると、無人野菜は顔の見える関係のもと、人への信頼で運営されているという意味で、限りなく見守りに近いロジックが働いていると思うんです。でも、コンビニの監視カメラの場合は、明らかに監視の装置なのであって、それが表わすのは人間への不信ですよね。そのように考えていく必要はありそうです。

ちなみに、ここでなぜ僕がジェイコブズの名前を挙げたのかというと、その議論にはあまり語られていない「暗い側面」があるんです。つまりジェイコブズの議論には、「近隣の秩序」を強調するあまり排他的な主張に転化してしまう危うさがあって、じっさい「割れ窓理論」のような監視技術論に取り込まれてしまった側面もあります。だから、ある程度批判的に読まないと危ういんですね。そうでないと、「街路への眼」は、すぐさま監視カメラに変わってしまいます。

その意味でも、『無秩序の活用――都市コミュニティの理論』（今田高俊訳、中央公論社）を書いたリチャード・セネットの重要性を強調したいと思うんですね。セネットの『無秩序の活用』では、人が絶えず入れ替わり立ち替わりする都市のアナーキーな流動の中に公共性の萌芽をみようとしています。最近でも、*Designing Disorder*（Verso）、つまり「無秩序をデザインする」というタイトルの本が刊行されましたが、そこでの彼のインタビューを読むと、やはりかなり早い時期からジェイコブズの議論に対して危うさを感じていたようで、だからこそ『無秩序の活用』を書いたんだと語っていて、なるほどと思いました。そうしたことを含めて、ジェイコブズの読み方に関しては、これからみなさんと再検討していけたらいいと思います。

加藤 コロナと街という観点、流行性の感染症と都市を考えると、人類の歴史のなかですでにいろいろ経験は積んできているはずです。感染症が流行するたびに、空間管理のありかたが、徹底して進化してるのは間違いないんですよね。明治初期においてもそうです。大阪でも、コレラが流行した際には、街区それ自体を、今で言うロックダウンをし、警察官が封鎖し、食事は差し入れる形でやっていました。このように空間管理の徹底化とそのありかたが、今回さまざまな形で見えたのは事実です。本来、保障されるべき移動の自由が制約されたことで、たとえば通勤のありかたが、都市の空間構造をかえって浮き彫りにした。わたしのように家から大学まで誰に会うこともなく来れる人間は、さほど感染の不安はないなかで通勤できていますが、さまざまな集積の強度がたかい都市であれば、おのずと公共交通機関に頼らざるを得ないわけで、さまざまな不安がありますし、移動の自由も制限される。今回のコロナ禍によって、普段意識されることのない都市の負の状態が浮き彫りにされたのではないでしょうか。

もうひとつは、酒場に行っても喫茶店に行ってもセパレーションがあって、本当につまらない空間になったと思います。偽りのない感想です。酒場に通えなくなってからは、自分のこれまでの空間の経験が、かえってリフレクションされて、その意味をあらためて問うてみたくなりました。接触機会、不特定多数の人がひとつの空間内に共在するありかたは、いろんな意味で可能性が生み出されるということを、実感するきっかけになったと思います。ですから、今後の街のありようまではまだ展望できていないのですが、リフレクションする機会には確実になったな、と思っているところです。

ノスタルジーとGPS

Q

神戸に住んでいるのですが、元町高架下でどんどんお店が立ち退きになってしまって、味気なさを感じています。一方で、なくなっていくことについて、闇市的な雰囲気へのノスタルジーだけが語られることには違和感を感じています。なくなっていくことをどう捉えたらよいのか、そこで起こっていることにはどんな問題があるのか、ヒントをいただければと思います。

原口　ノスタルジーだけでは抵抗の力にならない、ということは、最近いろいろなところで痛感させられます。ノスタルジーに依拠した抵抗や議論は、結局のところ「好きか嫌いか」という審美性や好みの問題で行き止まりになってしまうんですよね。それに、ノスタルジーってもともと排外主義的な危険がつきものですし、意外と強権政治とも結びつきやすいんです。だから、扱うのはとても難しい。少なくとも、文化地理的な次元にとどまらない分析が必要なのかなと思っています。

Q Googleマップは、その後にまちに出れば「再会」を作ります。それも楽しいです。もう少し言うと、同じ所を歩くことの意義はどう考えますか。さらに言うと、まちあるきと「記憶」の関係について、お考えはありますか。

原口 人々の歩き方によって、誰の記憶と出会うかが全く違ってきますよね。記憶一般というのは多分ないと思うので、常に誰かの記憶とどう出会うか、なんじゃないでしょうか。

加藤 まちあるきにGPSを持って、自分の歩いたところをプロットする人がいるんですけど、わたしはあれに反対です。ふっと何かを見たときに、街の風景や記憶がよみがえることってあるじゃないですか。ログを残して機械に還元してしまうと、それがまったくなくなっちゃう。なのでわたし自身は、最近はもう写真も撮りません。ただ歩いて、何かふっと思い出す機会があればいいと思う。

原口 ただ、音楽を聴きながら、というのはいいんじゃないかな。まちあるきの気分にあわせたり、乗り合わせた電車の雰囲気にあわせた音楽を聴いたり。街にどういう音楽を組み合わせるかを楽しめるんだったら、それはそれでありかな、と思ったりもしますね。

加藤 フィールドワークに出かけたときの路線バスに乗る楽しみとして、利用者同士の会話がありますよね。普段の通勤で子供たちが何を話しているのかとか、そういうのが面白い気がします。

原口　ただ「歩きスマホ」だけは、姿を目にすると絶望的な気持ちになりますね。

加藤　あれは危険ですね。

原口　スマホに身体が従わされているわけで、身体を乗っ取られている証拠でしょう。

Q 「自由に生きるための知性」について、私たちは何ができるでしょうか？

原口　知ること、出会うことの可能性を終わらせないことだと思います。そのありようは人それぞれだと思いますが、僕の場合は、まだ知りたいことが少なくとも目の前にある。ひとつには、神戸港から見える世界が面白いなと思っています。港湾研究って、とくに労働史が見落とされがちなんですけども、少し知るだけでぐんと世界が広がるようなおもしろさがあります、興味がある人はぜひ声をかけてください。いろんな場所で一緒に掘り起こす作業ができれば、すごくおもしろくなるんじゃないかと思うんです。なにより港もまた、釜ヶ崎とおなじように、足を踏み入れた人を別の場所に連れて行ってくれるような場所です。そこからきっと、誰もみたことがないような地図が描けるんじゃないかと思っています。

加藤 「自由に生きるための知性とは何か」が大きなテーマになっていますが、わたしはしなやかな知性である必要はまったくないと思っています。ゴツゴツした不器用な感じでもいいので、そのゴツゴツ感を、知性に変えていってほしい。それは教養を学ぶことを一つのタネとして、さまざまな関係性を想像力豊かにひろげていくことだろうと考えています。まちあるきには、なんとなく街を歩くのではなくて、Googleマップとかストリートビューでは絶対に感じられないような、肌触りが身体と交差するところがある。そうした感覚を、ぜひ楽しんでほしいと思いました。コロナが収束したら、ぜひ街に出て、そうした感覚、空間感覚を楽しんでみてください。

（構成：高島鈴）

※本章は立命館大学教養養育センターが二〇二一年九月二六日に開催した「SERIESリベラルアーツ：自由に生きるための知性とはなにか　人間5部作［4］まちあるきのすゝめ——迷える身体に向けて」（ゲスト：加藤政洋、原口剛、モデレーター：山口洋典（立命館大学共通教育推進機構教員））を再構成したものです。

？ もっと考えてみよう

1 「歩くこと・迷うこと」という行為以外にも、効率性や生産性の面で無駄として省かれる行為には、他にどのようなものがあるだろうか。

2 「監視カメラ／防犯カメラ」のように、同じ機能で使われ方が違うものが、私たちの周りにないだろうか。

3 COVID-19により、政府による移動の自由が制限された。あなたやあなたの周りの空間（住んでいる町や通っていたお店や会社など）にどのような影響があっただろうか。

4 あなたにとって、Googleマップのようなパソコン上の地図がフィールドワークや歩く経験の代わりになるだろうか、ならないだろうか。そして、それはなぜあなたにとって代わりに「なる／ならない」のだろうか。

⬅イベントの模様を動画で観る
https://youtu.be/ighe77gjWX4

トークセッション
PART2
人間を考える

08

経済乱世を生きる

——成長と分配と

経済格差の拡大や分断は、COVID-19によってもたらされたのでしょうか？　なぜ富の分配はなされないのでしょうか？　なぜ格差や分断は拡大を続けるのでしょうか？　私たちはこの問題にどう立ち向かい、生きてゆけばいいのでしょうか？　そんなたくさんの問いへの応答です。

登壇者

熊澤大輔（くまざわ・だいすけ）

立命館大学経済学部非常勤講師。専門は恐慌・景気循環論、数理マルクス経済学。近年は国際貿易がもたらす労働配分や世界的な搾取などにも関心。著書に『最強のマルクス経済学講義』（共著、ナカニシヤ出版、2021年）など。

田中祐二（たなか・ゆうじ）

立命館大学経済学部名誉教授。専門は国際経済学、長期理論としての為替レート、北欧の国家と市民社会、自由の哲学。単著に『新国際分業と自動車多国籍企業――発展の矛盾』（新評論、1996年）、「高度福祉社会の成長経済」（『立命館経営学』2013年）、「国民的生産性格差と比較優位――Nordic Modelと対外直接投資」（『立命館経済学』2020年）など。共著に『地域経済はよみがえるか――ラテン・アメリカの産業クラスターに学ぶ』（小池洋一共著、新評論、2010年）、『地域共同体とグローバリゼーション』（中本悟共著、晃洋書房、2010年）。

2021年10月30日開催

田中　立命館大学経済学部の田中祐二と申します。この企画には「自由に生きるための知性とはなにか」という非常に難しい命題が掲げられていますが、みなさん方と一緒に議論できればと思っています。それでは早速、熊澤大輔先生から、先生の自己紹介と、最初の話題提供をお願いしたいと思います。

成長と分配の資本主義

熊澤　熊澤大輔と申します。私の専門は恐慌・景気循環論です。私は松尾匡《ただす》先生と田中先生のゼミ生で、一度民間企業に就職し、また大学院に戻ってきて研究を行っているところです。私が就職活動をした時に、ちょうど就職氷河期だったこともあり、恐慌や不況に興味を持ちました。

今日のテーマは「成長」と「分配」です。

現在、世界では様々な問題が生じています。環境問題ひとつとっても、温暖化、海洋汚染、森林破壊……その他にも格差や貧困、ジェンダーの問題もある。民主主義自体がうまく機能しなくなり、各地で戦争や紛争が起こっています。そうした中でコロナが発生し、コロナ不況もやってきた。これらの問題は、すべて成長と分配に関連しています。環境問題は成長の話、格差・貧困・ジェンダーは分配そのものの話でしょう。分配が偏っていくと、政治的な不安につながりやすくなり、戦争や紛争の一因になります。

さて本日は、まず資本主義のしくみについて説明し、成長と分配の関係についてまとめ、最終的にはコロナがどのように成長や分配に影響したのかについてお話できればと思います。

まず、資本主義社会の仕組みについてお話しします（図1）。その前に、もし、自分一人しかいないような場所で生きていたら何をする必要があるかについて考えてみましょう。ロビンソン・クルーソーのように、自給自足をしている世界です。彼はその日になにをするのか一人で決め、自然に対して働きかけて労働をします。果物を取ったり、火を起こしたり、水をくんできたり。これを毎日繰り返すことによって再生産をしている。一人だけだったら話は簡単ですが、資本主義社会では多くの人々が協力し合っています。産業革命以降の資本主義社会において、働く人は「労働者」と呼ばれます。労働者は一人ではなく、協業や社会的分業を行い労働をしています。協業とは多数の労働者が、経営者の指揮に従って働いていること。社会的分業とはそれぞれが得意なものに特化して、靴は靴屋、米は米屋といった風にそれぞれのモノを作ることです。自給自足社会と違い、それぞれ別のモノを作っているので、生きていくためには必ずそれらを交換する必要があります。そうやって交換を通じて、効率的に協業・社会的分業を行い生産をしているのです。

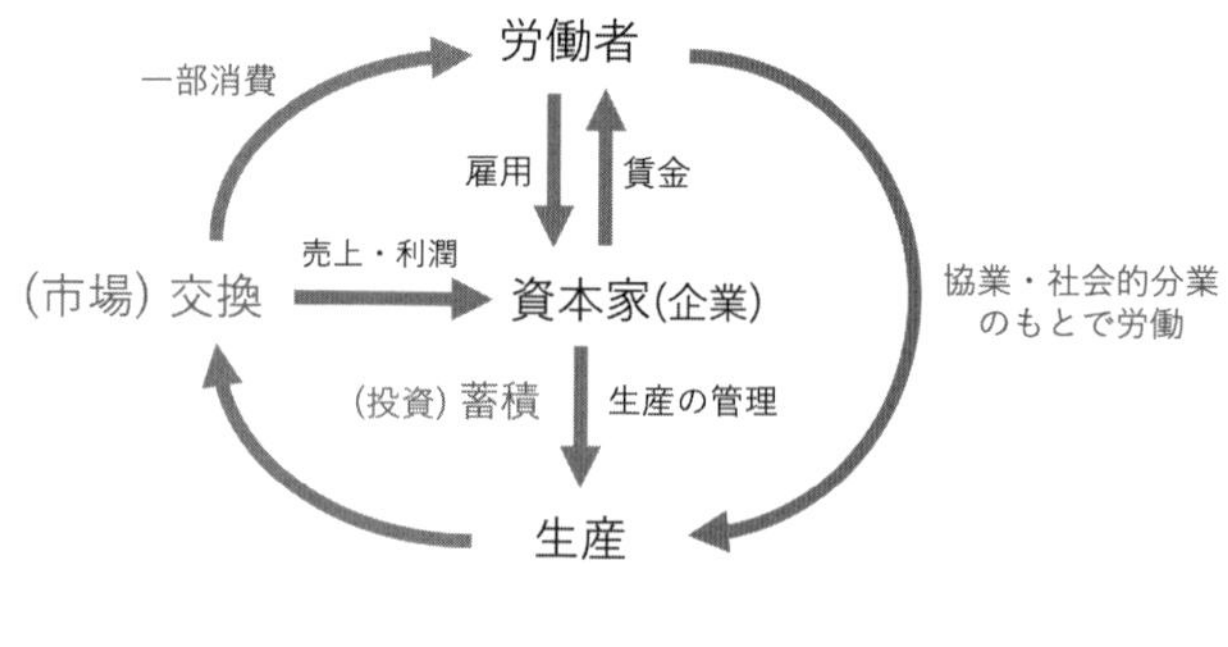

図1　資本主義社会の仕組み

多数の人々で生産していくならば、それらを分配しないといけません。その際に、交換を通じて分配を行うので、資本主義社会は市場社会という側面を持っています。労働者は、交換を通じて作ったモノの一部を消費して再生産を行っているのです。他方で、企業や企業の代表者である「資本家」は、機械や工場を持ち、生産を行い、市場を通して利益を得ます。資本家と労働者は、資本家が労働者を雇用する代わりに賃金を支払っているという関係を取り結んでいます。企業あるいは資本家の社会的役割は、生産の決定と管理、そして一番大事な役割が投資です。例えば、工場や機械の設備投資をすることで、生産規模の拡大を行うといったことです。この投資は「蓄積」と呼ばれることもあります。つまり、資本主義社会は、生産に関する決定を行う資本家と、それに従う労働者の二つに分かれている階級社会でもあり、蓄積（生産規模の拡大）を常に行い、市場を通じて財やサービスを交換している社会ということになります。

図2はイギリスの一人当たりGDPのグラフになります。横軸は時間を表しており、一二七〇年から二〇一六年まで。縦軸が一人当たりGDPです。一七六〇年代か

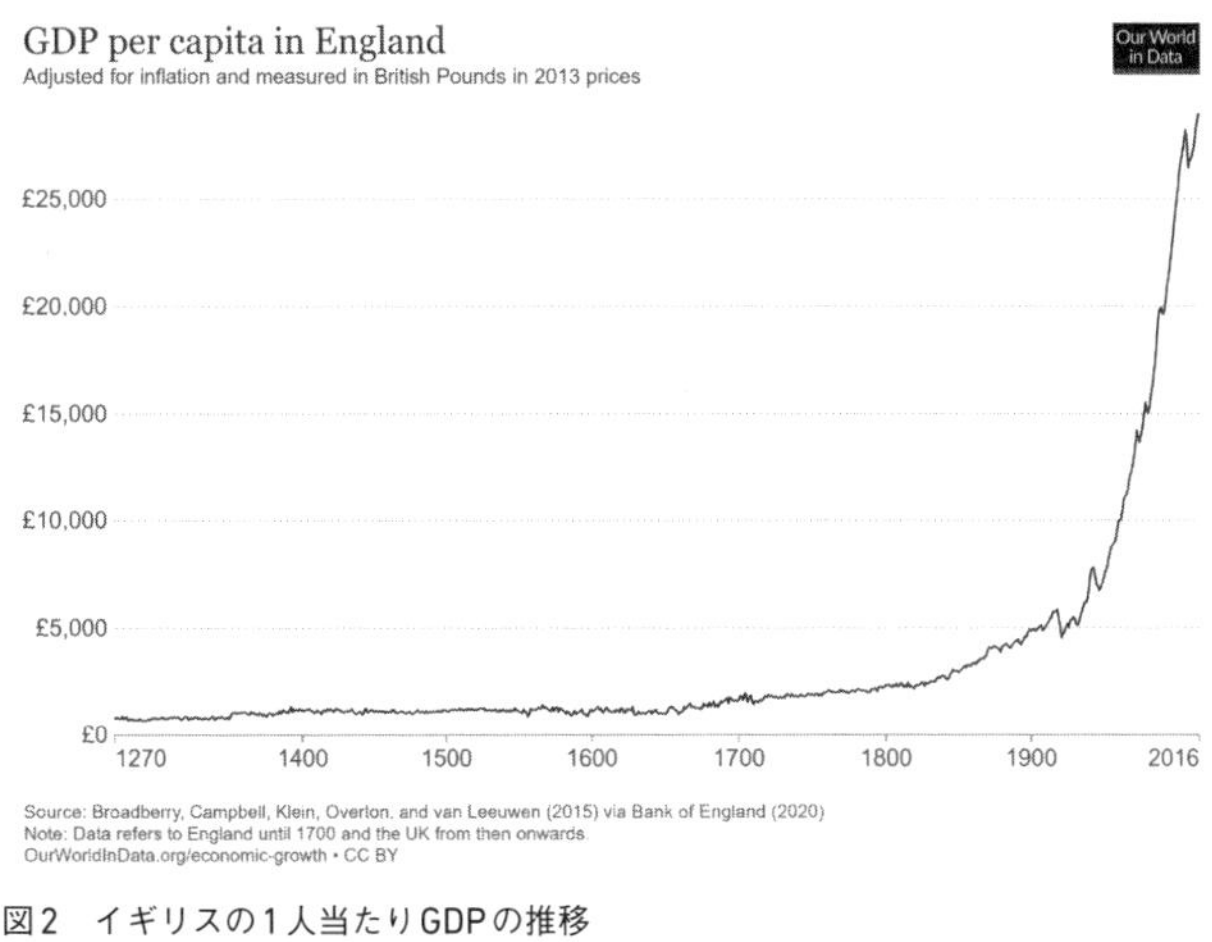

Source: Broadberry, Campbell, Klein, Overton, and van Leeuwen (2015) via Bank of England (2020)
Note: Data refers to England until 1700 and the UK from then onwards.
OurWorldInData.org/economic-growth • CC BY

図2　イギリスの1人当たりGDPの推移

ら一八三〇年頃、長い時間をかけて、繊維業が発展し、紡績機などが開発されていきました。この時期は産業革命期と呼ばれており、このあとに資本主義社会が成立します。見ての通り、産業革命後に急激に一人当たりＧＤＰが増加しています。これはイギリスの例ですが、他の国も見てみましょう。

図３は一八二〇年から二〇一八年の各国の一人当たりＧＤＰのグラフです。Western Offshootsとはアメリカやカナダを指します。次に西ヨーロッパの一人当たりＧＤＰが大きい。続いて、最近発展している東アジア。資本主義化した国は、一人当たりＧＤＰが伸びていることが見てとれるかと思います。

なぜ資本主義社会ではＧＤＰが増加するのか、そのメカニズムを考えてみましょう。単純化するために、世の中に財・サービスがひとつ（コメ）しかない社会を想定します。この社会は種モミ二万石と労働者二万四〇〇〇人を使って、八万石の総生産をしているとしましょう。生産できた八万石をすべて食べてしまうと、次の年にコメをつくることができませんので、来年同じ規模の生産をするためには二万石を種モミとして使うために残す必要があります。し

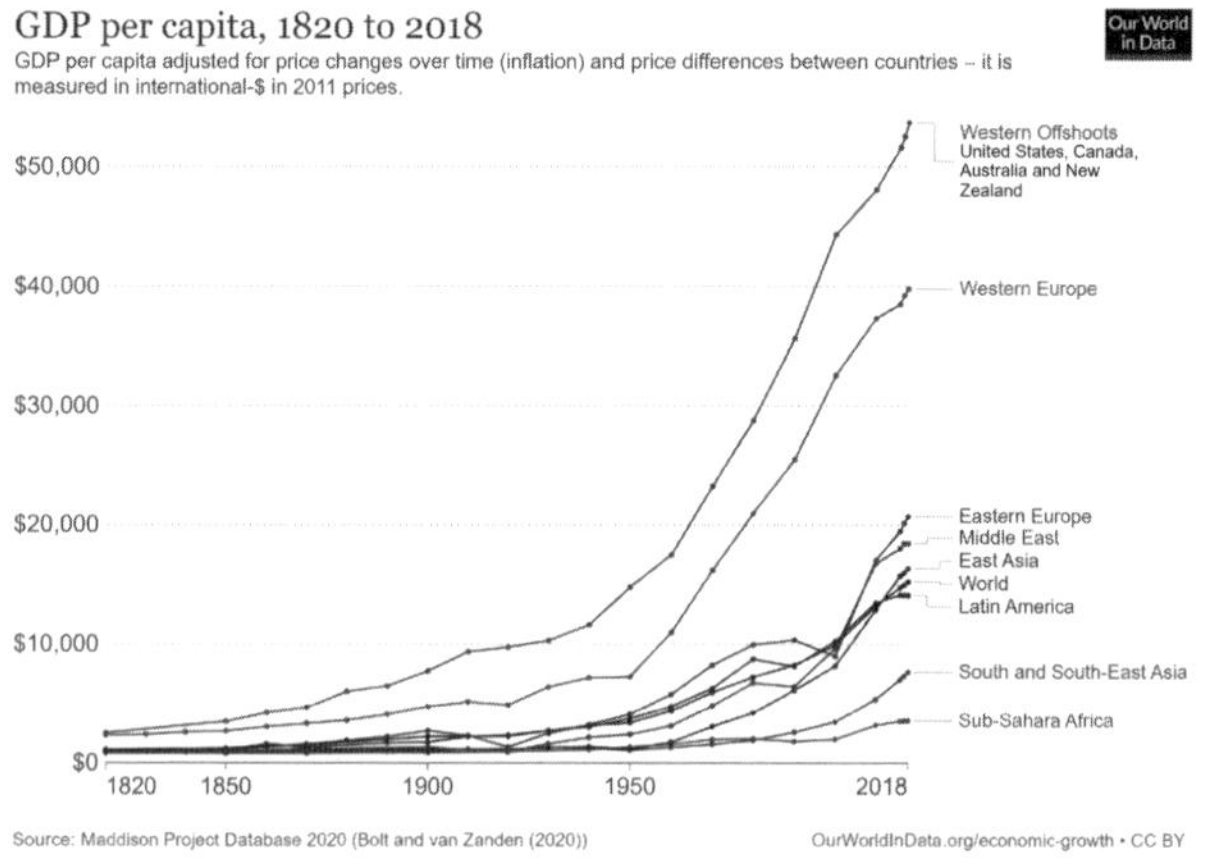

図３　世界各地域の１人当たりGDPの推移

たがって、人間が自由に使えるコメは残りの六万石になります。この六万石を「純生産」と言います（純生産を貨幣単位にしたものが所得です）。これは、人間が自由に食べられるコメの量を表しています。労働者二万四〇〇〇人が、純生産六万石のうち四万石を取得しているとすると、この社会では二万石のコメが余っていることになります。この二万石はいったい何に使われるのでしょうか?

物量単位だとわかりづらいので、仮に一石一円だとして貨幣単位に直して考えてみましょう。ここでは労働者は賃金をすべてコメの購入に使っているとします。貨幣単位に直すと、種モミ二万石は原材料費二万円となり、そして、労働者二万四〇〇〇人を使って、総生産額八万円を作りだしていることになります。八万円のうち原材料費は二万円、労働者二万四〇〇〇人の賃金はというと、賃金をすべてコメの購入に使っていて労働者のコメの受け取りは全部で四万石なので、四万円が賃金費用ということになります。そうなると、総生産額から原材料費や賃金費用を引いた余りの二万石は二万円の利潤（貯蓄）に相当するものだとわかります。企業あるいは資本家は手に入れた利潤である余ったコメを何に使うでしょうか。もちろん、自分達の贅沢な消費のために使うこともありますが、資本主義で特徴的なのは、この利潤の一部、場合によっては全部を生産手段の拡大に使うということです。これを先程は蓄積と言いました。このように、節約を行い、余った財・サービスを蓄積することで資本主義社会は成長し続けているのです。

次に、余ったコメをすべて蓄積に用いた場合の経済成長率を計算してみましょう（図4）。第一期では種モミ二万石によって、総生産八万石が作られ、そのうち二万石は次期の再投入のため残しておく必要があるので、六万石が人間の自由に使える純生産になります。そのうち四万石は労働者が受け取り、余った二万石が蓄積に向かうことになります。第二期では、もともと残しておいた種モミ二万石と、蓄積した二万石、あわせて四万石の種モミ、つまり、第一期の二倍種モミが用意されることになります。そうなると、総生産も第一期の倍の一六万石になります。今度は四万石の種もみを次期の再投入のために残す必要があるので、第二期に人間が自由に使える純生産は、第一期のちょうど倍の一二万石になります。さて、ここでひとつ分配の問題が出てきます。種モミを倍使っているということは、労働者も倍必要になるということです（あるいは、労働生産性が倍になる必要があります）。労働者を二倍雇えば、当然ながら労働者の消費も第一期の四万石の倍の八万石になります。そうすると、純生産一二万石から労働者の受け取り八万石を引いて、余ったコメは四万石になります。余ったコメも第一期の倍になっていることがわかります。このコメがすべて蓄積（投資）されることになるのです。そうすると第三期は、八万石の種モミが用意されていますので、第二期の倍の総生産がなされる……このように今のケースでは倍々に生産量や純生産、余ったコメなどが増えていくことになります。ここでは話を簡単にするために、毎期経済規模が倍になるような成長率一〇〇パーセントの例をだしていますが、実際には、国によってかなり違いますが、〇〜一五パーセントぐらいの経済成長率になっています。

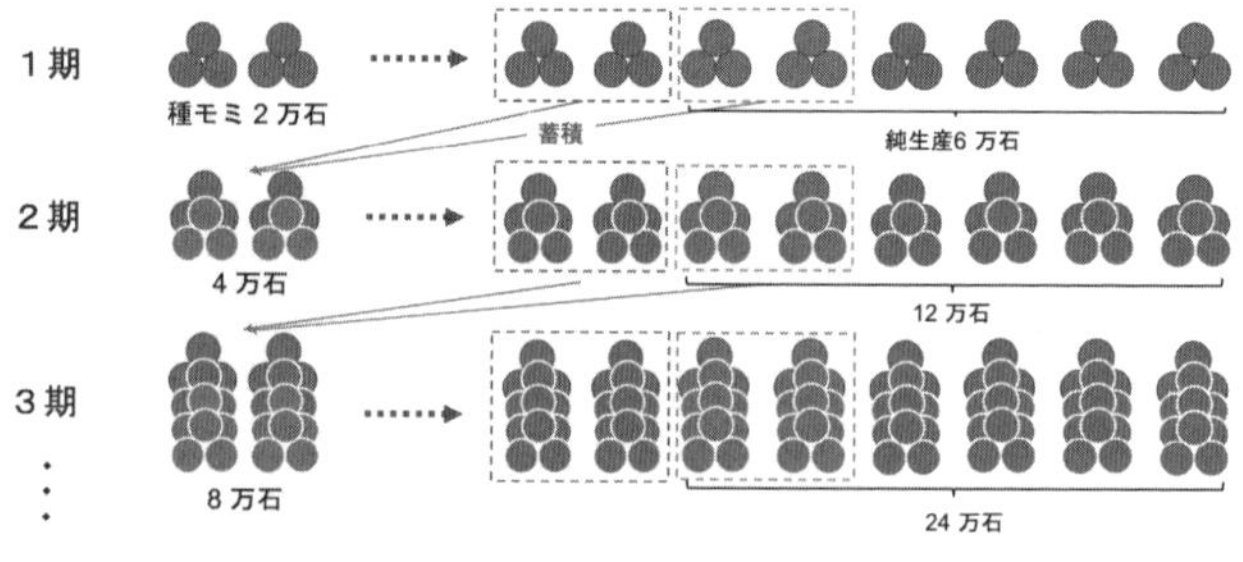

図4　成長のメカニズム

したがって、資本主義社会は、毎期蓄積を行うことで生産規模が拡大する社会です。ただし、短期的には好況・不況が起こって、成長のスピードは変化します。現在問題になっている様々な環境問題は、自然に対する制御能力がまだまだ低いために、成長を上手くコントロールできていないことによって引き起こされるものです。ですから、いかにこの成長をコントロールしていくかを考える必要があります。

ここでひとつだけお話しておきたいのは、最近よく話題になる「ゼロ成長」や「脱成長論」が現実的ではないということです。まず成長は、世界の絶対的な貧困を減らしています（図5）。成長をやめるということは世界の貧困を放置すると言っているのと同じです。また、先進諸国の成長は、主に技術革新によってなされています。例えば、希少な資源から別の代替的な資源を用いたり、エネルギーを再生可能な技術に変更することも成長に含まれるわけです。今後、さらに自然に対する制御能力を上げるためにもむしろ一定の成長は必要だということになります。

次に分配の話を考えていきましょう。図6は、英語圏

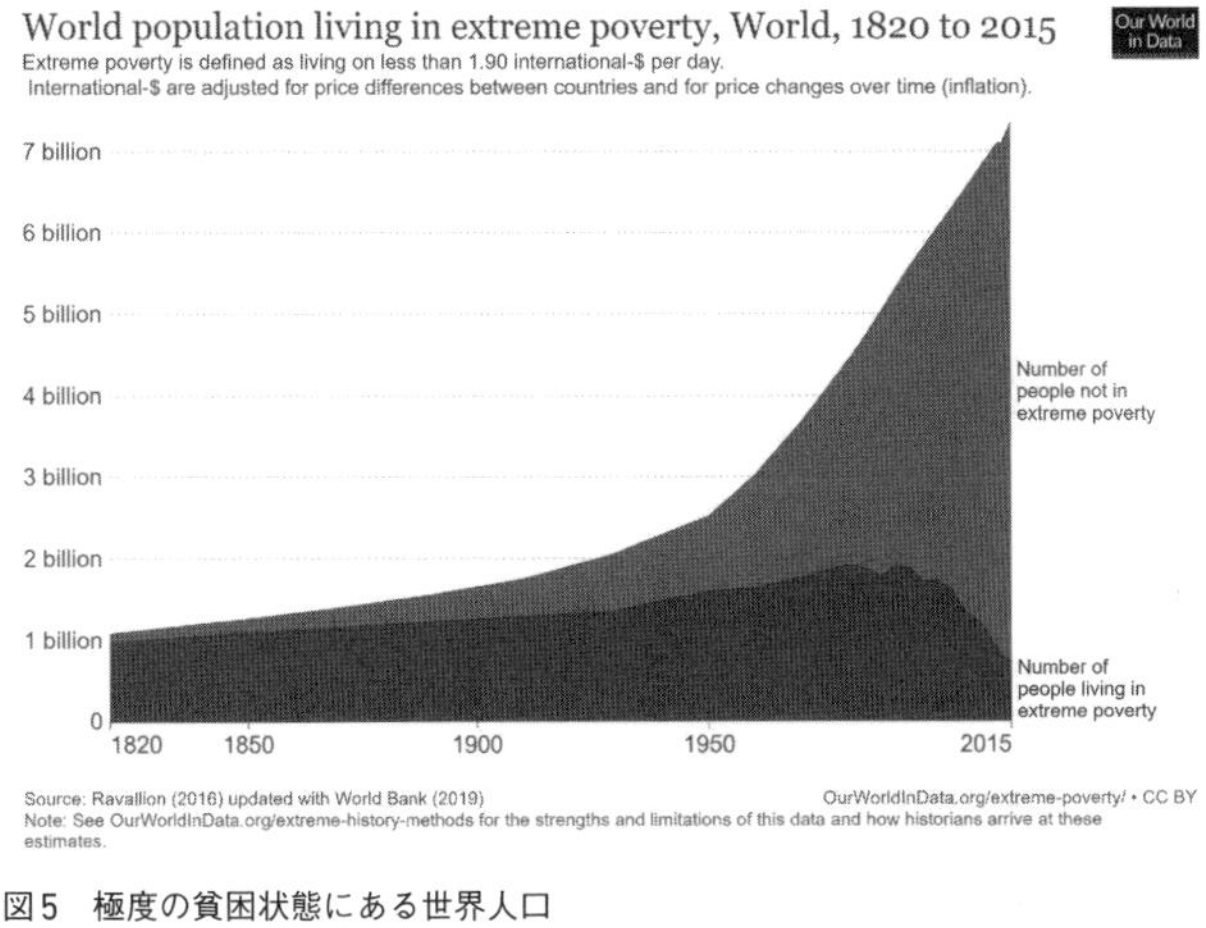

図5　極度の貧困状態にある世界人口

の国々、西ヨーロッパ諸国と日本のふたつにグラフが分かれていますが、トップ一パーセントの人々がその国の所得のどれだけ占めているかを表しています。縦軸がその所得シェアなので、上に行けばいくほど、トップ一パーセントの人々がより多くの所得を社会の中で持っていて、所得格差が大きいことを表しています。逆に、トップ一パーセントの人々の所得シェアが下がれば下がるほど所得格差は小さいということになります。この図では一九二〇年から二〇一四年までの期間を見ることができます。

英語圏の国々（図6左）を見ていくと、一度所得格差が小さくなりますが、一九八〇年あたりからどんどん格差が広がっていくのがわかります。アメリカでは二〇一四年には一九二〇年と同じくらいの水準になっていて、上位一パーセントの人が二〇パーセントもの所得シェアを持つようになっています。それに対して、西ヨーロッパ諸国や日本（図6右）の所得格差は下がり続け、よく見たらちょっと上がっているのですが、基本的には低い状態を維持しています。こういった違いはなぜ発生しているのでしょうか。その大きな理由として、政府が再分配をどれだけ行っているかの違いがあります。どれだけ政府が再分配をしてい

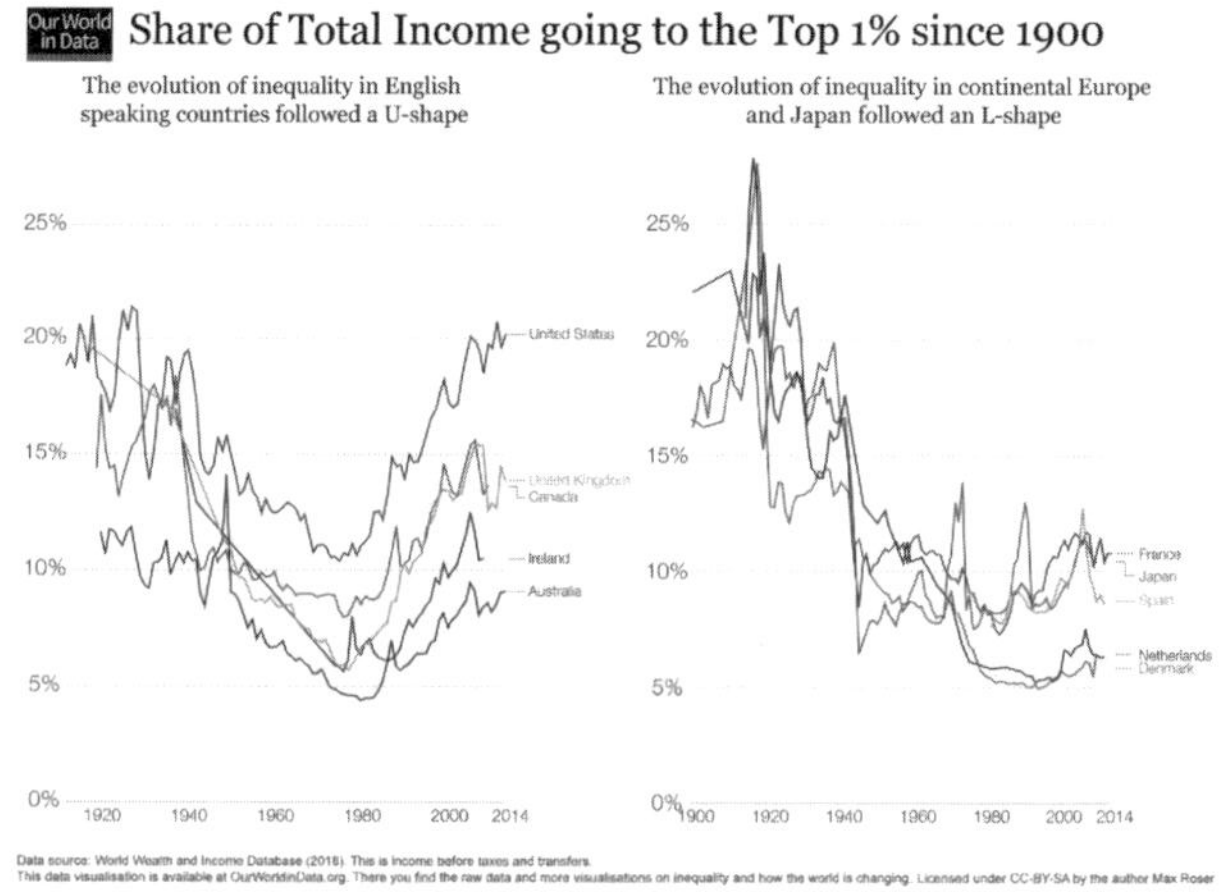

図6　トップ1%の人々の所得シェア

るかについては、様々な税を課して社会保障や公的年金などの給付を行ったあとの所得（可処分所得）と、政府が再分配する前の所得（市場所得）を比較することでわかります。当然ながら、富裕層から低所得層に再分配が十分になされている国ほど、所得格差は縮まるわけです。

この散布図（図7）は、再分配前と再分配後の所得格差を「ジニ係数」を用いて表してしています。ジニ係数は〇～一の値をとり、〇に近い程所得格差が小さく、一に近づくほど所得格差が大きくなる指標です。横軸には政府が再分配する前の市場所得で測ったジニ係数。縦軸は政府が再分配したあとの可処分所得で測ったジニ係数を表しています。斜めの点線は、再分配前も再分配後もジニ係数が変わらないケースということになります。これを見ると、多くの国では再分配をすると格差が縮まっていますが、そこには違いがあることがわかります。どれだけ格差が縮まったのかは、斜めの点線から各国の点がどれだけ離れているかで見ることができます。例えばカナダは右斜めの点線からさほど距離はないですが、ノ

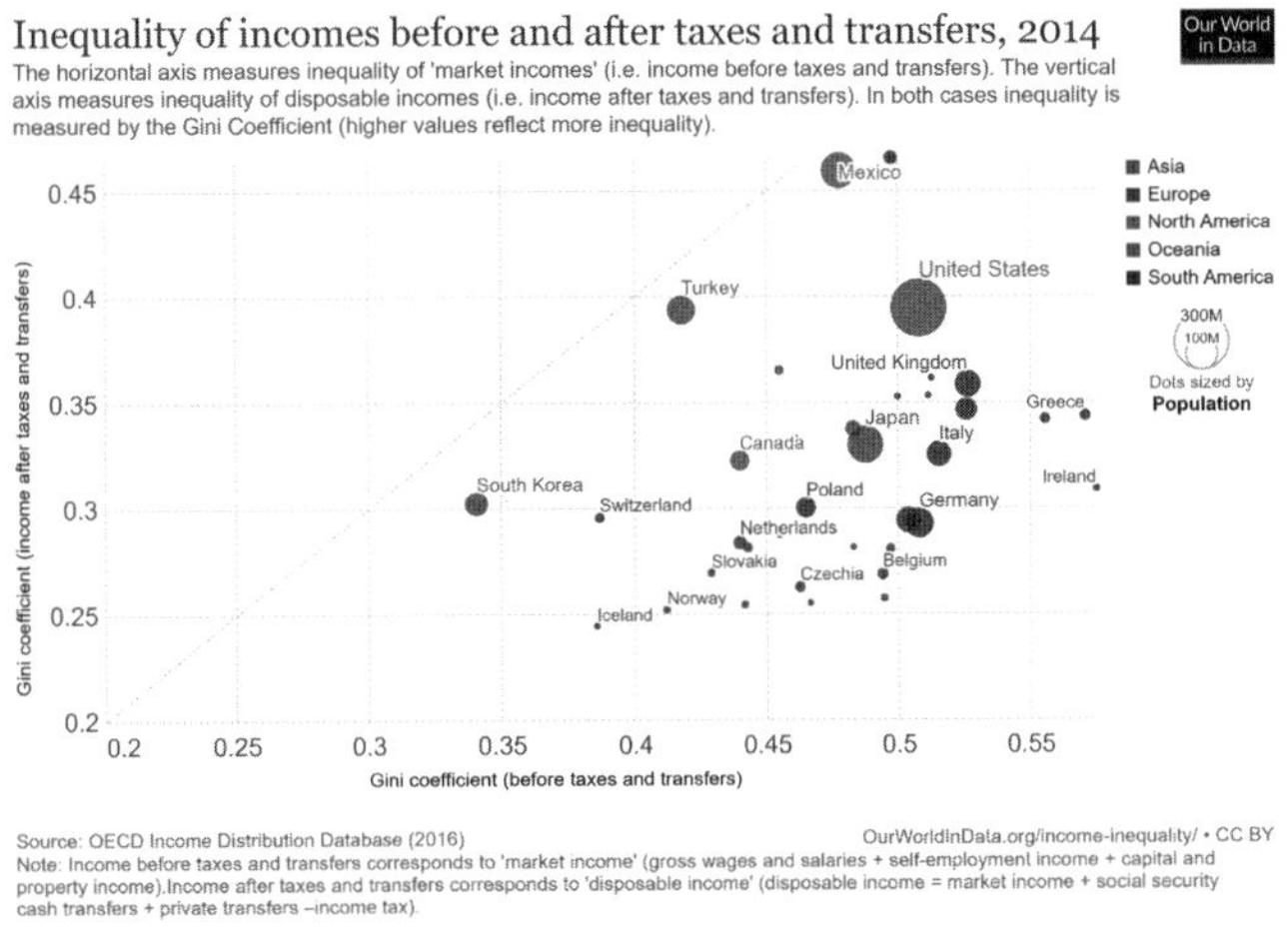

図7　再分配前と再分配後の所得格差の比較

ルウェーを見ると、斜めの点線からの距離がかなり大きく、カナダよりも再分配を強く行っていることがわかります。全体を見るとメキシコやアメリカ、カナダなど英語圏の国々では再分配後もあまり格差が縮まっていないのに対して、西ヨーロッパ諸国は格差をしっかり縮めていることがわかります。図6でみたように英語圏の国々と西ヨーロッパ諸国で所得格差の状態に違いがでているのは、各国の再分配制度の在り方が強く影響しているのです。逆に言えば、再分配をせずに市場に任せてしまうと、最近では格差が広がる傾向にあるということになるので、ますます政府の役割が重要になっているとも言えます。

ではこの分配の偏りをどのように是正していけばいいのでしょうか。よく成長と分配はトレードオフの関係にあると言われたりしますが、両者がどのような関係にあるのか実際に見ていきましょう。図8は、ＯＥＣＤ諸国のヨーロッパ地域について各地域ごとのジニ係数を横軸にとり、一人当たりＧＤＰの年平均成長率を縦軸にとって両者の関係を比較したものです。横軸はジニ係数ですので、値が小さいほど所得格差が小さく、値が大きくなると所得格差が

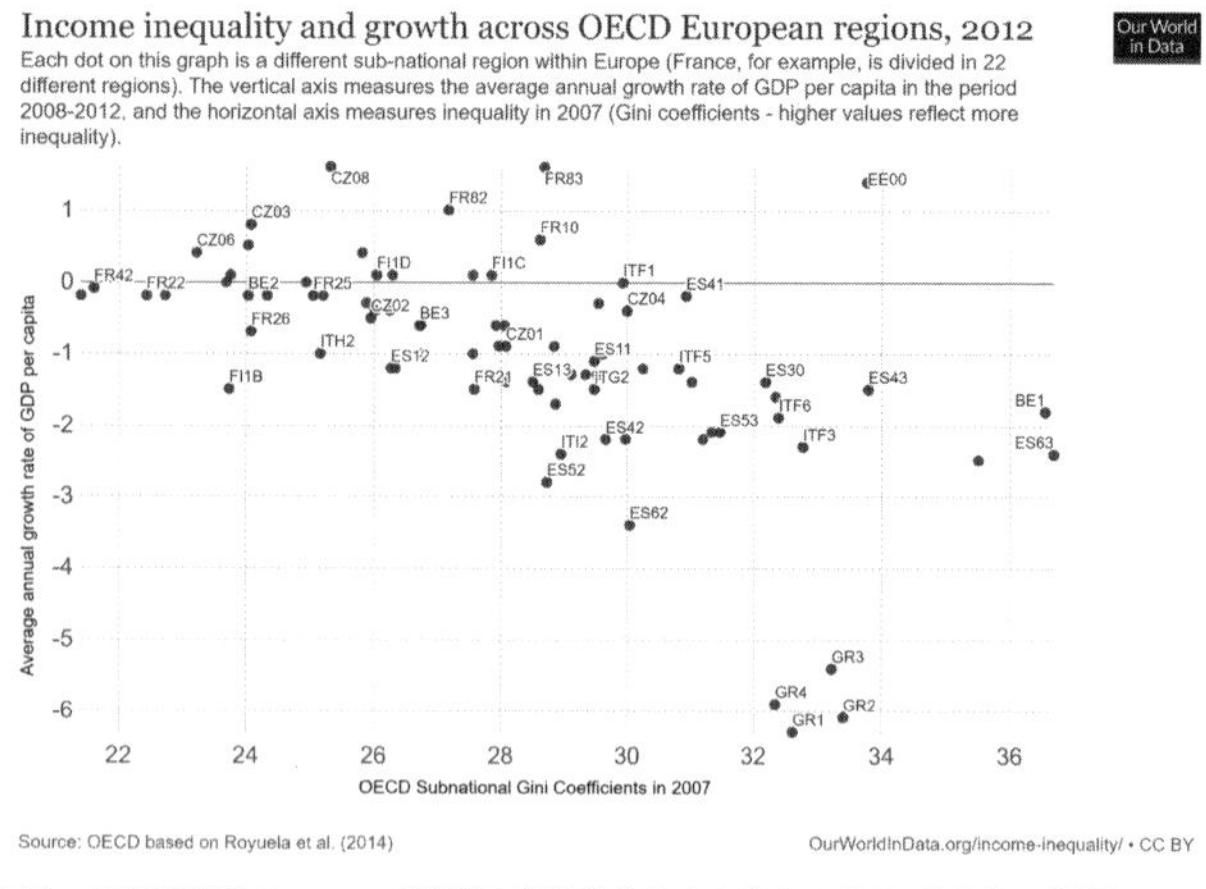

Income inequality and growth across OECD European regions, 2012

Each dot on this graph is a different sub-national region within Europe (France, for example, is divided in 22 different regions). The vertical axis measures the average annual growth rate of GDP per capita in the period 2008-2012, and the horizontal axis measures inequality in 2007 (Gini coefficients - higher values reflect more inequality).
Average annual growth rate of GDP per capita
OECD Subnational Gini Coefficients in 2007

Source: OECD based on Royuela et al. (2014)
OurWorldInData.org/income-inequality/ • CC BY

図8 OECD諸国ヨーロッパ地域の所得格差と1人当たりGDP成長率の関係

拡大していきます。

この図を見ると、一人当たりの年平均成長率が高い地域は所得格差が小さく、所得格差が大きい地域は成長率が低くなる関係があることが見て取れます。所得格差が小さいほど、一人当たりのＧＤＰの年平均成長率は高い傾向にあるわけです。これはあくまで、散布図で相関関係（一方が変化すれば他方も変化するような相互関係）を見ているだけなので、原因と結果の関係についてはこれだけではっきりとわかりません。ただ、ＯＥＣＤ諸国においては所得格差の拡大は一人当たりＧＤＰの成長を鈍化させているというレポートもあります（Cingano, F., 2014, "Trends in Income Inequality and Its Impact on Economic Growth", OECD SEM Working Paper, No. 163. 日本語版のレポートは https://www.OECD.org/els/soc/Focus-Inequality-and-Growth-JPN-2014.pdf）。世界全体でみると、成長と分配の関係は発展段階や所得の分布状態により異なるのですが（Ms. Valerie Cerra, Mr. Ruy Lama, and Norman Loayza, 2021, "Links Between Growth, Inequality, and Poverty: A Survey", IMF Working Papers, Volume 2021: Issue 068）、少なくとも成長と分配が単純なトレードオフの関係にはなく、格差を縮めるほど成長が伸びていく地域も多くみられるということは知っておく必要があるでしょう。

最後に、コロナが成長と分配にどのように影響したのかにお話していきたいと思います。図９はＯＥＣＤ諸国の二〇一九年と二〇二〇年のＧＤＰ成長率を比べたものです。

この図からわかるように、ＯＥＣＤ諸国のすべての国がコロナによって成長率が下がっています。当然といえば当然です。日本の位置を確認すると、消費税増税で二〇一九年の成長率も〇・三％と低かったのですが、さらにコロナ不況で成長率がマイナス四・八パーセントになっていることが分かります。二〇一九年に成長率が高かった国々でもコロナ不況によって成長率が下がってしまっています。もう少し詳しく見ていきたいと思いますが、図10はちょうどコロナ第二波（二〇二〇年四月〜六月）が発生した時のGDP成長率と、コロナの死亡者数（二〇二〇年八月三〇日）です。

図10の横軸がGDP成長率で、縦軸がコロナによる死亡者数なのですが、当然成長率はどこの国もマイナスになっています。でも、そのマイナスの程度が国ごとに異なっています。図9をみると

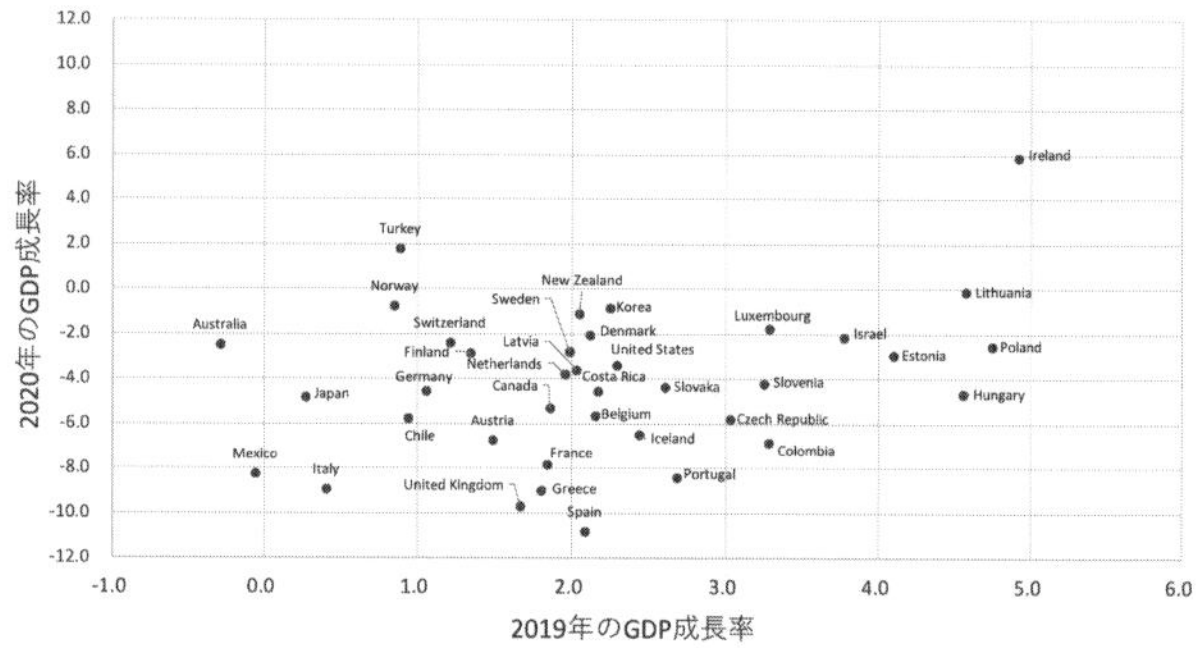

Source : OECD staticsより筆者作成

図9 OECD諸国のGDP成長率 2019年 vs. 2020年

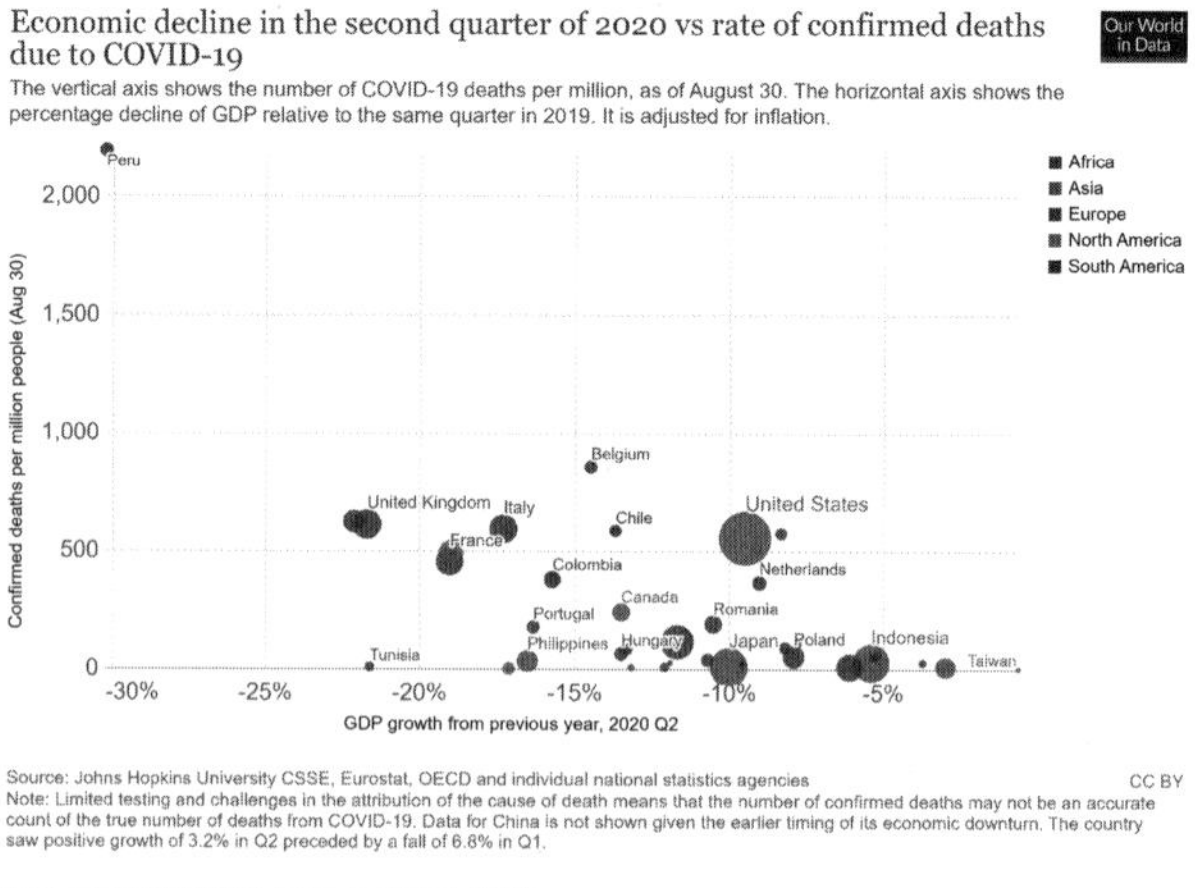

図10 GDP成長率とコロナの死亡者数

死亡者数が多い国ほど、ＧＤＰ成長率の落ち込みが激しい傾向にあることがわかります。コロナの死亡者数が少ない国は、感染対策を適切に行っており、長期間の経済活動の抑制などを回避することになり、成長率の落ち込みが小さい結果になっているのではないかと考えられます。

また、経済格差への影響についてですが、データがまだ出そろっていないのでハッキリしないところがありますが（Inequality and COVID-19 - IMF F&D https://www.imf.org/external/pubs/ft/fandd/2021/06/inequality-and-covid-19-ferreira.htm）、少なくとも日本国内の所得格差は拡大しているでしょう。例えば、コロナ不況により、日本銀行はたくさんお金を出す金融緩和をさらに強化しています。そのお金を使って企業が投資をするのかといえば、コロナで先行きがわからないので、設備投資などには回りませんでした。では中央銀行が出したお金はどこに行ったのでしょうか。その一部は株式や土地といった資産市場に向かっており、結局は、富裕層の不労所得を増やしたと言われています。一方で、不況によって、労働者はリストラや労働時間を減らされたりして賃金が下がっていますので、所得格差は広がっていると予測できます（コロナ第二波からコロナの変異が進み、感染力が強い株や毒性の異なる株が次々と現れています。コロナの株の種類により適切な感染対策が変化すれば、それら対策による経済への影響も異なってきますので、死亡者数と経済成長率などの関係なども株毎に分析する必要があります）。

これまでの話を聞くと、経済とは社会的な現象であって成長や分配といった大きな話を自身の日々の生活と結びつけて考えるのは難しいように感じたと思います。このような経済現象と私たち個人はどのような関係にあり、日々の暮らしにどう影響しているのでしょうか。私たちは、日々の生活を私的な欲求を充足させるために行って生きています。経済はその目的を達成するために、コントロールされるべきものなので、単なる手段に過ぎません。個々人の要求を充足させるための社会的な手段として経済を扱う必要があるのです。しかし、社会的なもの――経済もその一つですが――は、個々人の欲求と離れて勝手に独り歩きをしていき、私たちの生活とは無縁の存在となってしまうという性質を持っています。私たち個人を置き去りにして、むしろ社会的なものこそが目的になってしまうこと、これを「疎外」と言うのですが、疎外こそが、最近起こっている様々な問題の原因ではないかと考えています（疎外については松尾匡『図解雑学マルクス経済学』ナツメ社の第二章参照）。そして、今では手段であったはずの、社会的な制度や仕組み、経済の状態といったものが、私たちの欲求を満足させるという目的を完全に忘れ去ってしまい、逆に私たち自身の生活を抑圧しているように思えます。本来目的であったものが手段となり、手段であるはずものが目的になってしまうというような転倒した関係が至るところに見られます。

経済の話で言うと、本来、個人の生活を豊かにするために機械や工場などの資本ストックを拡大し、技術革新を行い、経済成長を促進しているはずなのですが、資本ストックや利潤を増やすことが唯一の目的となり、ギリギリまで賃金を引き下げて、個人の生活を困窮させてでも利潤を追求することが罷り通っています。本来目的であったはずの私たちの欲求の充足や生活は、今では無視されることになってしまい経済が独り歩きしている状態です。この疎外は経済の話にとどまらず、国家や主義・主張、宗教に至るまであらゆる社会的なものについて起こります。国家や政府のために個人は耐え忍び、個人の喜びは我慢すべきとの考えはまさにその典型です。疎外は、個人と社会との間でいつでも起こり得るものなのです。今日では、人々の個別的な生活の話と社会的な制度や政策の話が日々遊離していき、手の届かないものになりつつあります。本来、両者をつなぐ役割を果たしているのが民主主義という政治制度ですが、この制度はいま機能不全に陥っています。経済のような社会的なものを、個々人の欲求に沿う形にしっかりとコントロールする。そのために、社会的なことについて日常的に考え、自身や身近な親しい人達のために経済社会の在り方について話し合い、より適切な政策や制度を実現し、社会的なものを個々人のコントロール下に置く。そうやって、疎外をなくすことが、いま私たちに求められていることではないでしょうか。

田中　熊澤先生、ありがとうございました。資本の労働者・個人に対する抑圧のようなものがあり、そこからわれわれはどのようにして抜け出していくのかというひとつの課題があります。それが自由の問題とどのように結びつくのか。こうしたことも考えていく必要がありますね。

日本経済の弱点と福祉・成長

田中　それでは、私のほうからは「日本経済の弱点と福祉・成長」というテーマで報告をしたいと思います。

先進国になればなるほど、経済成長をするために福祉が非常に重要な役割を占めています。成長するためには、お金を投資に回さなければいけないのであれば、福祉が疎かになるのではないかと思う人もいるかもしれません。しかし最近は、福祉なくして成長なしとも言える状態が来つつあります。

この発表では北欧諸国と比較しながら、日本経済の弱点についてみなさんと一緒に考えていきたいと思っています。

さて、日本経済は、みなさんがご存知のように、自動車、鉄鋼、電機と寡占産業が発展している時には非常に優秀でした。一九六八年にはGDPの世界ランキングでアメリカに次ぐ第二位となりました。この年は、一九六四年の東京オリンピックの翌年から五七か月続いた「いざなぎ景気」のど真ん中の時期です。しかし二〇一一年にはアメリカに次ぐ第二位の地位を中国に明け渡します。

実際のところ、一九九〇年代初頭のバブル崩壊後を契機に、日本経済は成長を維持できず、いわゆる〇パーセントやマイナス、良くて一～二パーセントの状態が何十年も続いて今に至っています。その時期は、日本が得意とするタテ型の構造で維持してきた大きな企業組織をもつ、繊維産業、鉄鋼産業、電機産業、自動車産業といった四つの寡占部門が、われわれの社会ではピークアウトを迎えてきた時でもありました。あのエズラ・ボーゲルをして“Japan as Number One”と言わしめた日本経済がなぜこのような状態に陥ってしまったのでしょうか。

表1　1人当たりGDPランキング（2019年）

1	Qatar	114100.82	21	Germany	51190.89
2	Ireland	102622.45	22	Bermuda	50273.47
3	China, Macao SAR	93488.38	23	Canada	49884.06
4	Luxembourg	90479.40	24	Bahrain	46964.98
5	Singapore	82336.34	25	Taiwan	46761.25
6	Switzerland	75298.82	26	Finland	44928.51
7	Norway	73668.79	27	Belgium	44839.68
8	Brunei Darussalam	73249.19	28	United Kingdom	44274.96
9	United Arab Emirates	66112.72	29	France	43755.07
10	United States	62589.00	30	Republic of Korea	42219.47
11	Kuwait	62054.52	31	New Zealand	41522.47
12	Cayman Islands	61651.09	32	Italy	40732.03
13	Netherlands	55569.44	33	Spain	40366.40
14	China, Hong Kong SAR	54810.02	34	Japan	39704.23
15	Australia	54147.01	35	Malta	38910.08
16	Denmark	54027.15	36	Israel	38562.62
17	Austria	53344.51	37	Czech Republic	37521.23
18	Iceland	53011.75	38	British Virgin Islands	37368.71
19	Sweden	52433.33	39	Slovenia	34093.46
20	Saudi Arabia	51824.88	40	Estonia	33852.39

（注）*Penn World Table* version 10.0より作成。
（出所）各国のGDPは購買力平価（Purchasing Power Parity）によって調整された2017年U.S.ドルで表されており、単位はU.S.ドル。

まず今の日本経済の状態を見てみましょう。表1は二〇一九年の一人あたりGDPランキングです。人口の多い国のGDPランキングは大きくなりますが、人口で割ってみると一人当たりの平均が出てきます。二〇一九年の日本は三四位です。アメリカに次ぐ華々しいGDP第二位とはなんだったのかと感じます。一人当たり「所得」になると、二六〜三〇位ぐらいのところでしょうか。

さて、GDPとはなんでしょうか。付加価値の総額のことです。付加価値については、図11を見てください。商品一単位の価格の構成を見ると、その商品の中には、それまで商品をつくるのにかかった「コスト」である、部品や機械の一部があります。それから賃金を払います。全体の商品価格からコストと賃金を引いたのが利潤です。利潤は投資に向かうのもあれば、資本家の所得になるのもあります。われわれが「付加価値」と読んでいるものは、賃金と利潤を足し合わせたものです。日本のGDPとは日本中の一年間の全生産の付加価値を足し合わせた総額を言います。簡略化するために、コストを一定だと考えると、経済成長とはこの矢印の伸びをイメージしてください。コストが一定ですので、付加価値を伸ばすためには、技術革新などのイノベーションが起きるか、

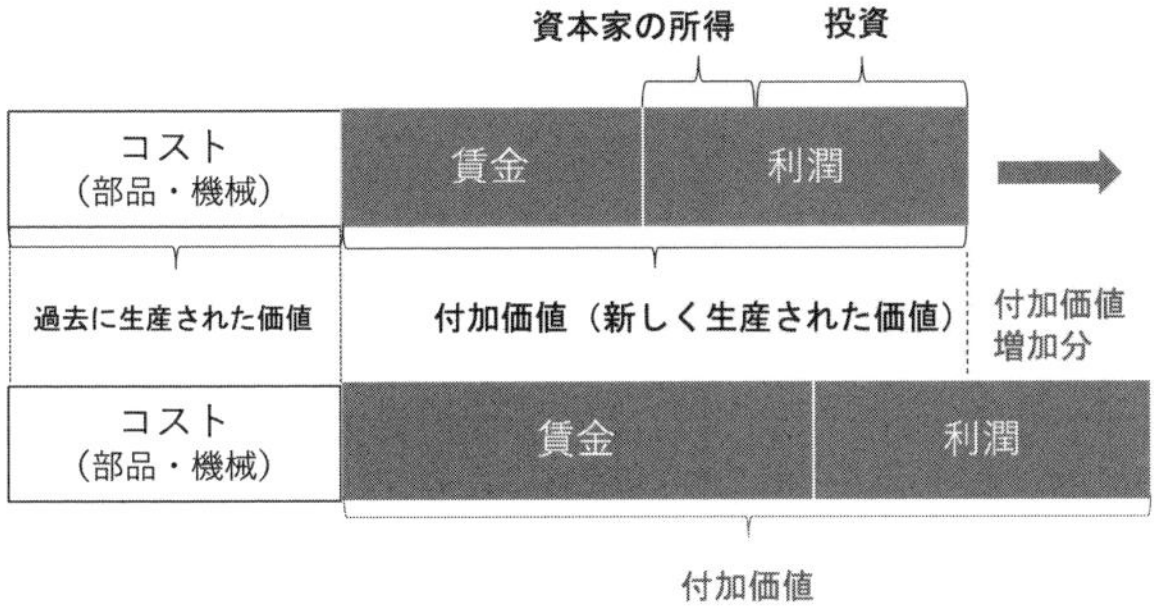

図11　付加価値（出所：筆者作成）

労働生産性が上昇しなければいけません。

図12では、各国の労働生産性をあらわしています。縦軸（尺度）で見た場合色の濃いグラフ（黒）が二〇一九年の労働生産性を表していますが、順位は二七位に落ち込んでいると言えるでしょう。

さらに一人当たりの付加価値生産のグラフを見てみましょう。図13は一九七〇年から二〇二〇年までのものですが、アメリカを一〇〇として、他の国がどれくらいの労働生産性になっているのかを見ています。そうすると、ノルウェーやスウェーデン、デンマークが比較的高く、フィンランドとイギリスがその下にあり、少し離れたところに日本があります。

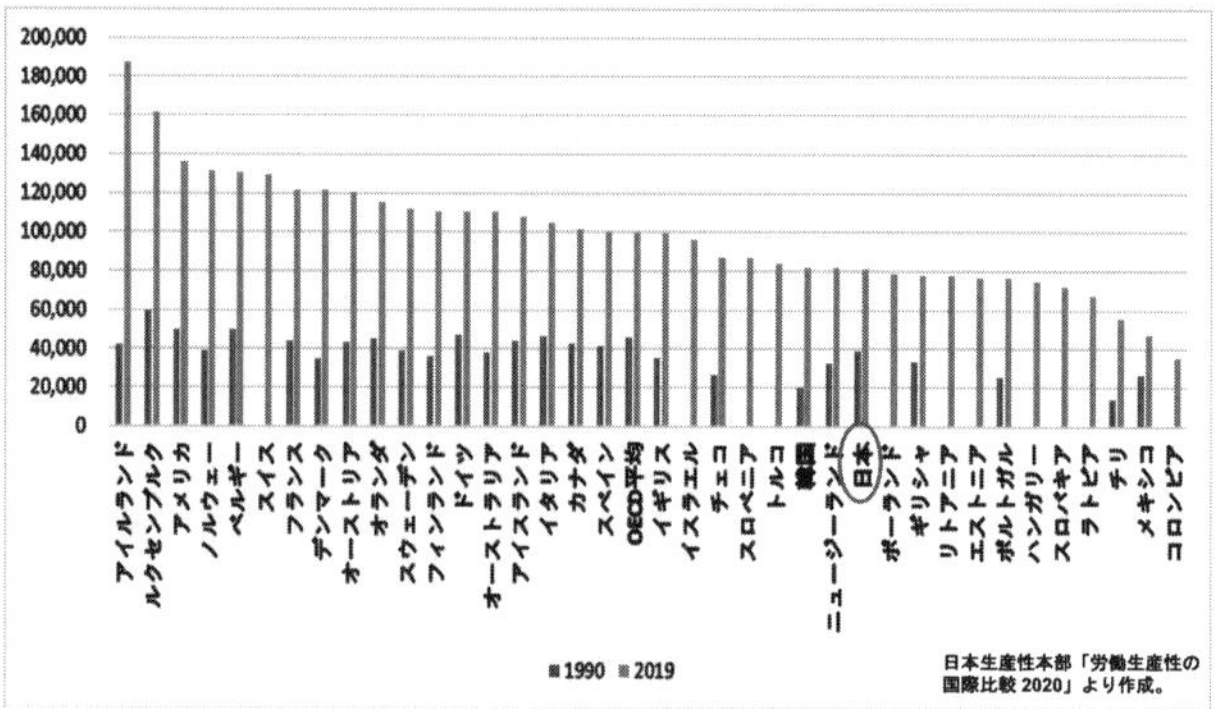

図12　労働生産性

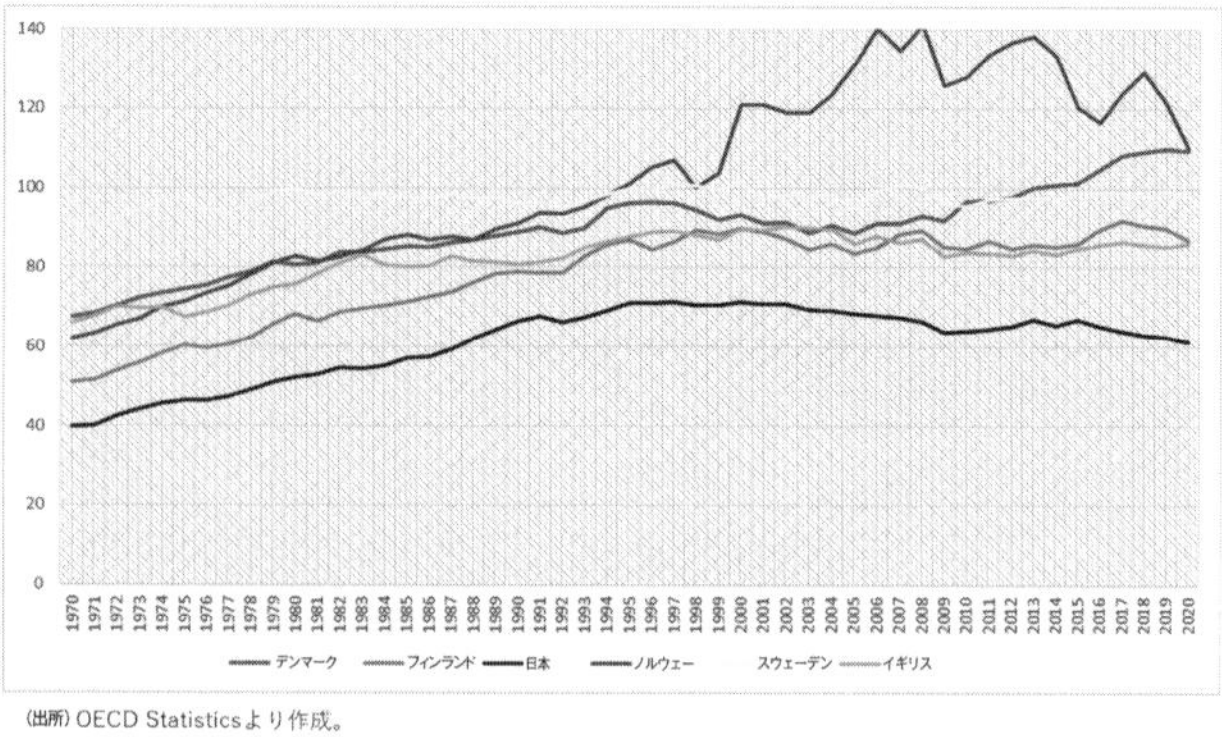

（出所）OECD Statisticsより作成。

図13　労働1時間当たりの付加価値生産（労働生産性）（対アメリカ比）

図14と15は、製品や生産設備のイノベーションをどれだけの企業が行っているのかの割合を示しています。製品イノベーションをやるということは、コストに対して付加価値を大きく増大させることなのですが、諸外国と比べると、取り組んでいる企業の割合が少ないと言えます。

さて、日本における産業の歴史について簡単に説明すると、終戦の一九四五年から、次から次へと交代でメインの産業が移り変わっています。まずは繊維産業、次に鉄鋼、次に家電、そして自動車と推移しています。このように付加価値を稼いでくれる産業を「比較優位産業」と経済学では呼びます。

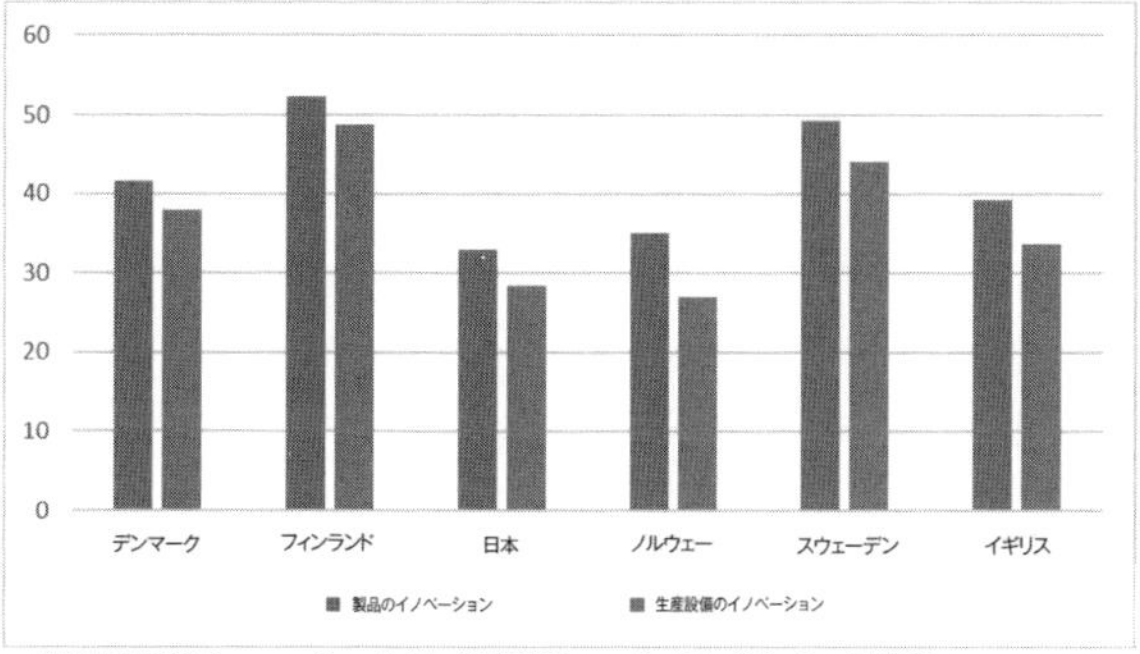

（出所）UNESCO, *Summary Report of the 2015 UIS Innovation Data Collection* より作成
（筆者注）「製品のイノベーション」は文字通り、スマホならその機能がより充実して高度化することを指し、「生産設備のイノベーション」は製品を作る工場設備のIT（Information Technology）化や、ロボットの導入により効率化することを意味します。

図14　製造業企業のうち製品のイノベーションor生産設備のイノベーションを行ったあるいは行っている企業の割合（%）

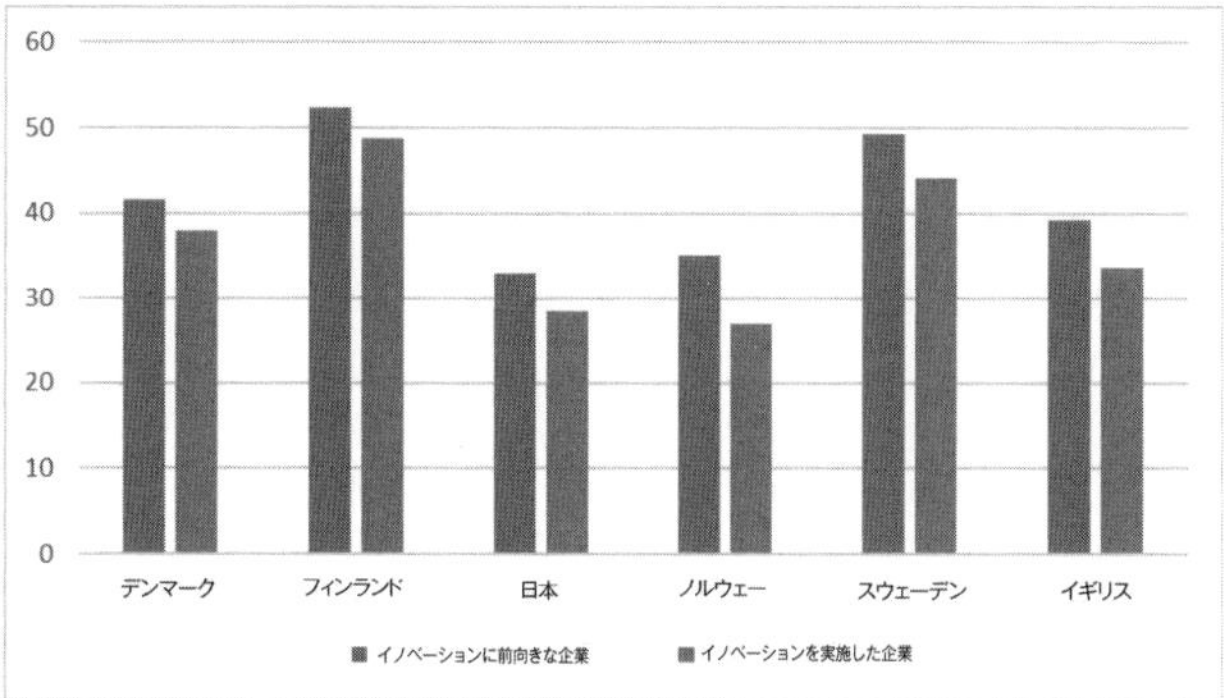

（出所）UNESCO, *Summary Report of the 2015 UIS Innovation Data Collection* より作成

図15　製造業企業のうちイノベーションに前向きの企業と実施した企業の割合（%）

「比較優位」とは他部門と比較して、他国より国内で割安に生産できることです。割安に生産できるので、この産業は海外に輸出できる国際競争力があるものです。その際には、割安で生産できる当該国へ外国から企業が入ってきます。しかしこの産業が比較優位でなくなってしまうとどうなるか。つまり人件費が高くなって、もう持たなくなってしまう。そうなると企業は外へ出て行きます。例えば、電機メーカーが日本から輸出ができなくなり、中国やマレーシアに出て行って子会社をつくり、そこから欧米へ輸出している。自動車メーカーも同様です。そうして会社は潰れないで残っていきますが、労働者は国内に残されます。残された労働者は、新たな成長産業へ移る必要があります。繊維産業をやっていた労働者が鉄鋼産業に就職するためには、今よく言われる「学び直し」あるいはリカレント教育が必要になります。リカレント教育は国が施すことになっており、デンマークでは「フレキシキュリティあるいはフレキシキュレーション」(flexicurity or flexicuration)という、産業が海外に出ていき失業したあとの労働者を、教育し再就職先を見つける国の制度があります。成長産業が転換し、資本が海外から入ってきたり出て行ったりするなかで、労働者は置いてけぼりになるのではなく、公的部門によってサポートされるのです。

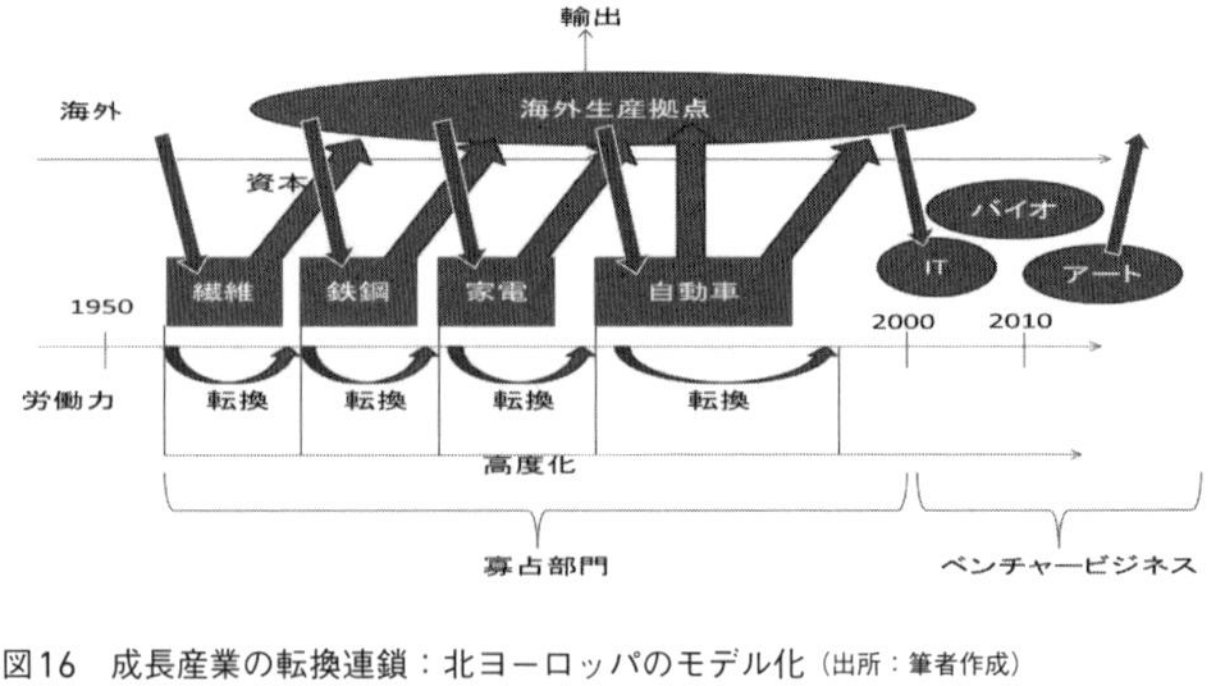

図16 成長産業の転換連鎖：北ヨーロッパのモデル化（出所：筆者作成）

図16を見てください。少しわかりにくい図なのですが、一九五〇年から二〇一〇年までの期間に主としてどんな成長産業（比較優位産業）が展開していったかを概念図として示しています。繊維産業、鉄鋼産業、家電産業そして自動車産業と大きな四つの寡占産業が順に展開し（連鎖的に転換し）、一つの産業が栄えると外国からも投資が盛んになり、逆に衰退すると外国へ資本は出ていきます。このようにして、成長産業は転換推移するのですが、労働力はそれにそって新しい産業に雇用されるために、新部門の技術や技能を修得する必要があります。つまり、リカレント教育の必要性で、今言われはじめている「学び直し」です。その点を、図の下部左の「労働力」が右横に転換しなければなりません。いま日本においては、自動車の次の成長産業を見つけられなかったと言えます。ＩＴやバイオ、アートなど、フットワークの軽い産業が発展をしなければならなかったはずです。この転換に日本企業は失敗していると言えるわけです。寡占部門からベンチャービジネスに移る過程においてどうもうまく行っていない。

図17も同じ図ですが、四つの寡占の企業の技術は日本の国の中にちゃんと残っていると言えます。例えば、東レのような繊維会社は炭素繊維を作り、飛行機の機体に素材を提供で

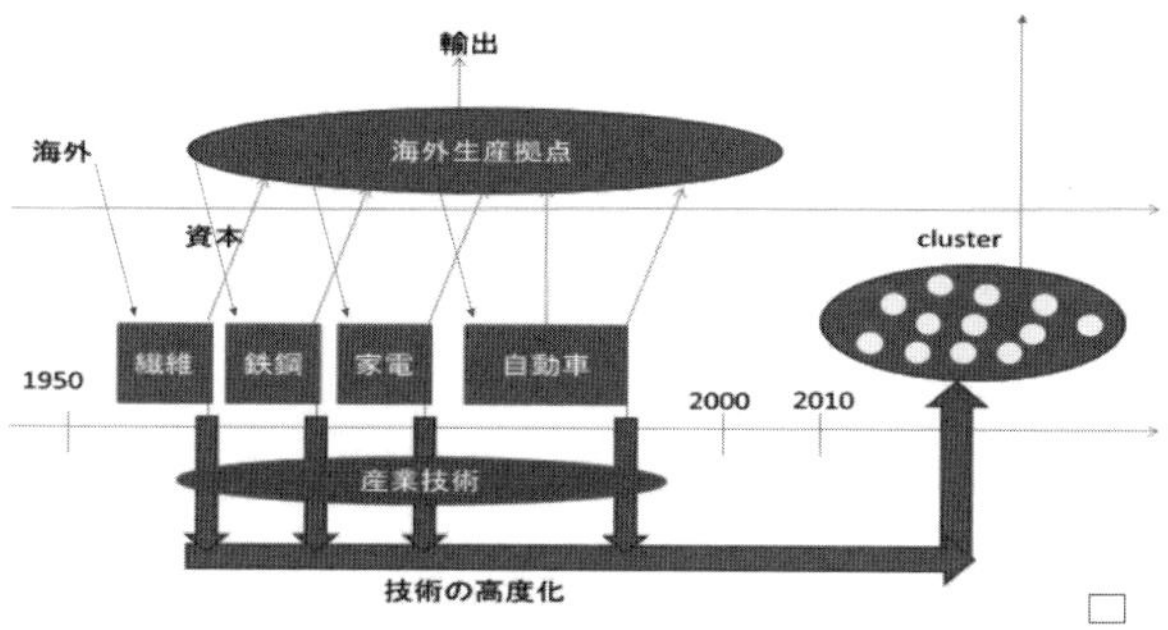

図17　技術の高度化とクラスタリング（出所：筆者作成）

きるようになっています。自動車はいわゆる自動運転や、水素で動く新エネルギー技術を発展させている。ところが新しく起ころうとしている産業にこれを商品として売り、成長として結びつけることがうまくできていないのではないでしょうか。

ではイノベーションによって成長産業をどのように作り出せばいいのでしょうか。最近のイノベーションは「オープン・イノベーション」と言われ、外国企業とのコラボレーションが主軸となりつつあります（図18）。多国籍企業の流入がキーポイントなのです。例えばシリコンバレーにはＩＣＴ（Information and Communication Technology：情報通信技術）のベンチャー企業がたくさん集まっています。そうした産業クラスター（特定の地域に企業が集積したもの）が、企業や研究所、外国の企業などとコラボレーションをすることによって成長をしていく基盤を作っていかなければならないのです。しかし日本では、外国企業が入ってきて、コラボレーションをすることがなかなかできていません（図27参照）。

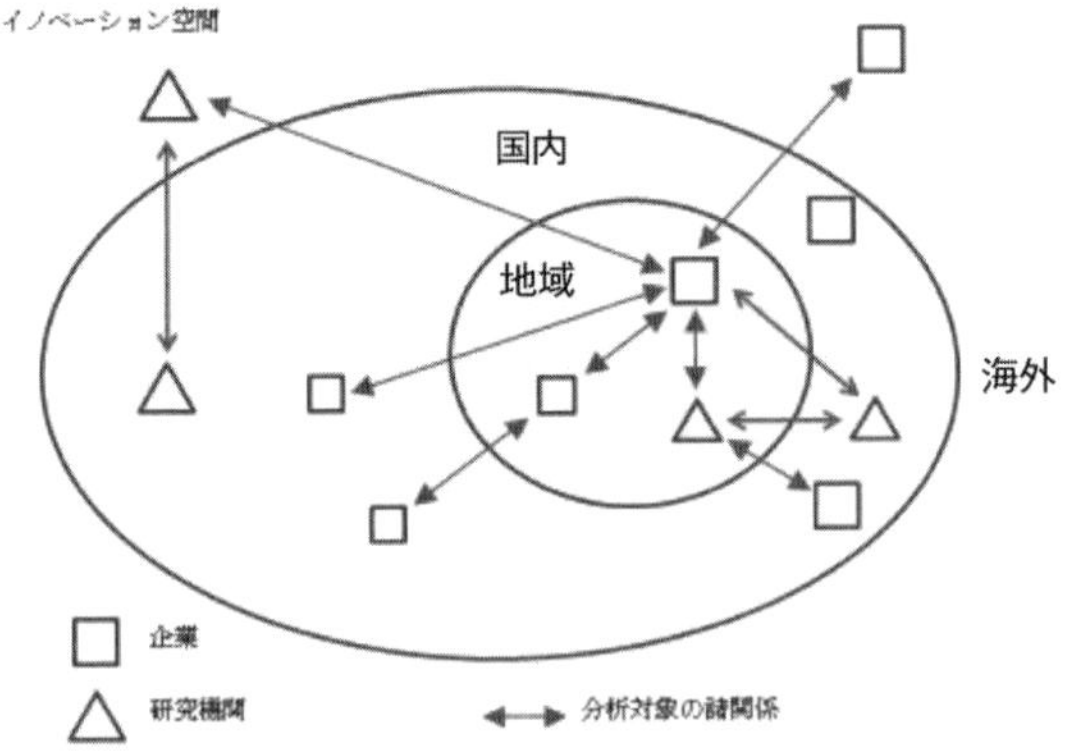

(出所) Cornett, A. P. and Sorensen, N. K. [2005], Karlsson C., Regional Development: A Survayof Innovation and Cluster in Western Denmark, in Johansson, B. and Stough, R. R. eds., *Industrial Clusters and Knouledge Management*, Edward Elgar, p.478

図18　イノベーション空間（企業や研究機関などの国際性）

さて、もう一度話を戻します。衰退産業は、より後進の国へ多国籍企業となって進出します。自国企業（欧米企業や日本企業）が、新興諸国（中国、インド、ブラジルなど）に進出し、中国などの貿易黒字を作り出してきました。そして衰退産業の国内に残った労働者を、国や地方政府は公的資金を使って失業保険のような生活の保障をして、新たな産業に就職できるように再教育をします。そうすると、単なる財政支出だけではなく、再就職をして納税してくれるので、財政はまた潤うことになるでしょう。このような循環をきちんとつくる必要があります。北欧はそうしたモデルがうまく進んでいるのです。産業側から見ると、より成長産業への転換連鎖がスムーズに進行することにより、迅速に高付加価値形成に乗り出すことができます。だから一人当たりGDP、あるいは一人当たりの所得は日本のように落ち込むことがない。労働者の側も、失業したとしても、その期間の保障があり、学校でリカレント教育を受けられるからそんなに怖くないのです。

　図19は日本経済新聞のデータですが、OECDの諸国で比べてみると、仕事に関する再教育へ参加する人の割合が高い国ほど、時間当たりの労働生産性が高いことがわかっています。ノルウェー、デンマーク、スウェーデン、このあたりの国がいわゆるリカレント教育をし、高い労働生産性を獲得し

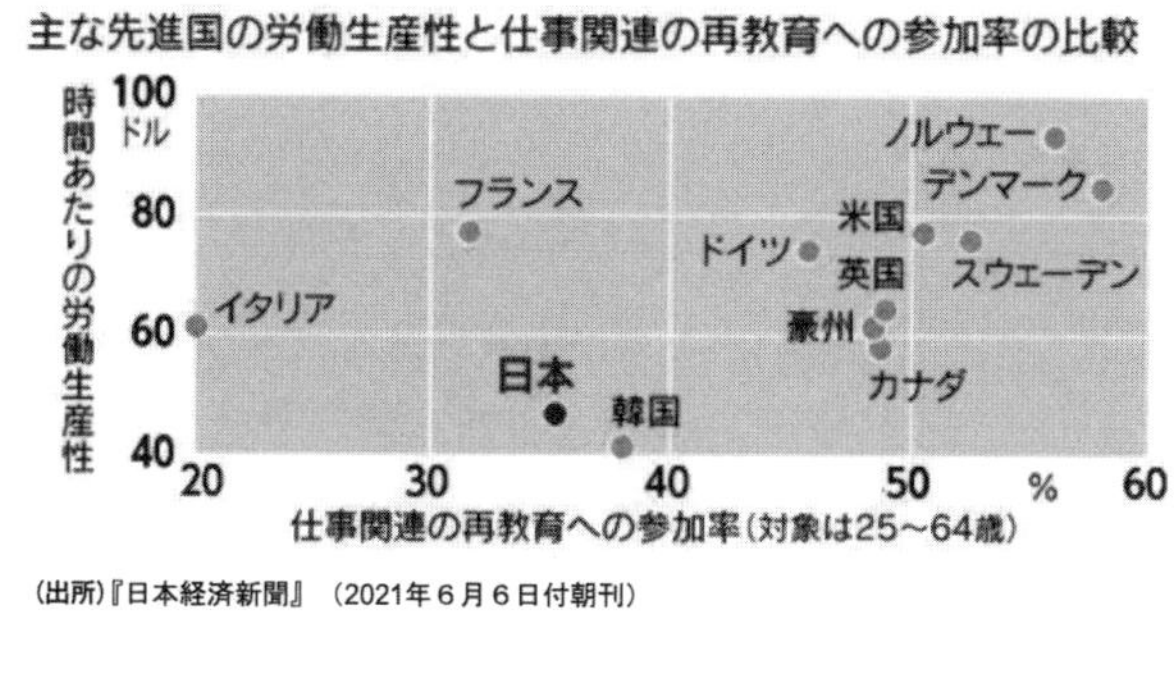

（出所）『日本経済新聞』（2021年６月６日付朝刊）

図19　学び直しが盛んな国は生産性も高い

ている。日本の再教育の参加率は三五パーセントで、OECDの平均よりも五ポイント少なくなっています。「所得格差を縮めるには公的支援の役割が重要だが、現状は心もとない」と記事には書いてあります。

さらに日本においてはジェンダーの問題も深刻です。女性が社会で働かないということは、半分の労働力を無駄にしていることになります。労働者が増えれば増えるほど、付加価値は増えていき、成長します。よく少子化になれば成長が難しいと言われるのは、人口が減るからです。したがって、女性の労働参加率、労働人口の減少が、直接成長率を引き下げることを考えておく必要があるでしょう。女性も男性も同じように能力を持っていることを考えると、イノベーション人材の母体数も拡大し、より豊かなイノベーションが期待できるでしょう。でも労働力率の上昇は、出生率を引き下げるのではないか？と思う方もいるかもしれません。これに関しては、ニッセイ基礎研究所の天野馨南子さんが、二四歳から五四歳までの女性の労働力率と出生率の関係を、OECD（経済協力開発機構）ファミリーデータベースから取って、相関図を出しています。図20がその図です。

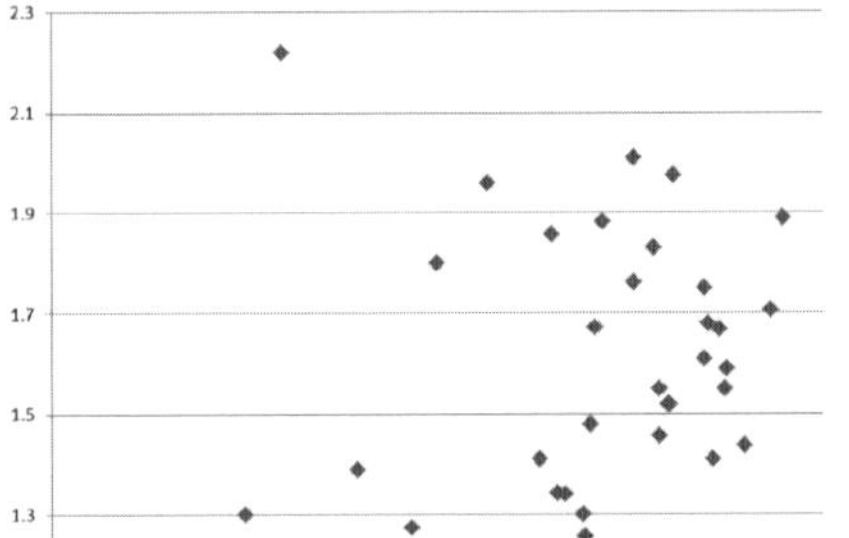

（資料）OECD Family Databeseより天野馨子氏作成。データは全て2013年のデータ
（出所）https://www.nli-research.co.jp/report/detail/id=52161?pno=1&site=nli

図20　OECD加盟国における女性労働力率と出生率の分散図（縦軸：出生率　横軸：女性労働力率）

横軸が女性の労働参加軸で、縦軸が出生率です。私は天野さんと同意見ですが、相関がまったく見られません。実は関係がないという話になります。その前提をおさえた上で、今度は日本の図をみてみましょう。

図21は『少子化社会対策白書』の図です。横軸が一九五〇年から二〇六五年までで、未来の人口とその年齢の割合を統計的な手法を使って推計しています。推計によると、〇歳から一四歳の人口がどんどん減っていき、一五歳から六四歳の労働人口も減っていき、高齢者が増えていくと、少子高齢化が進んでいくだろうと。図22は、

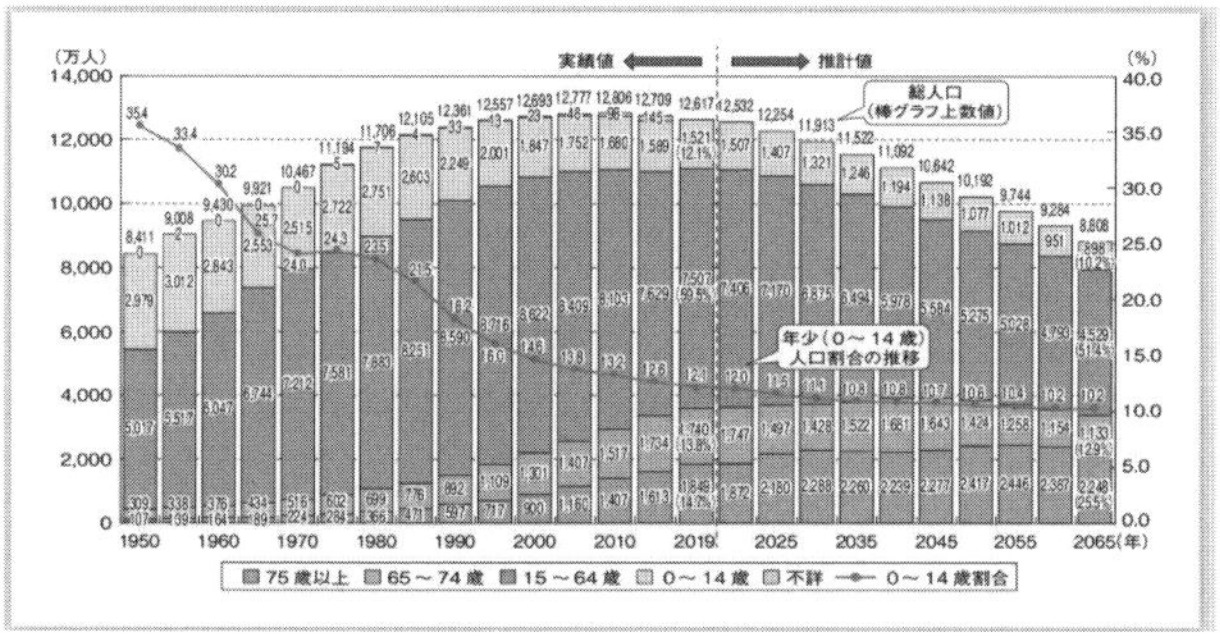

（出所）『少子化社会対策白書』令和２年版、第1-1-1図より。

図21　我が国の総人口及び人口構造の推移と見通し

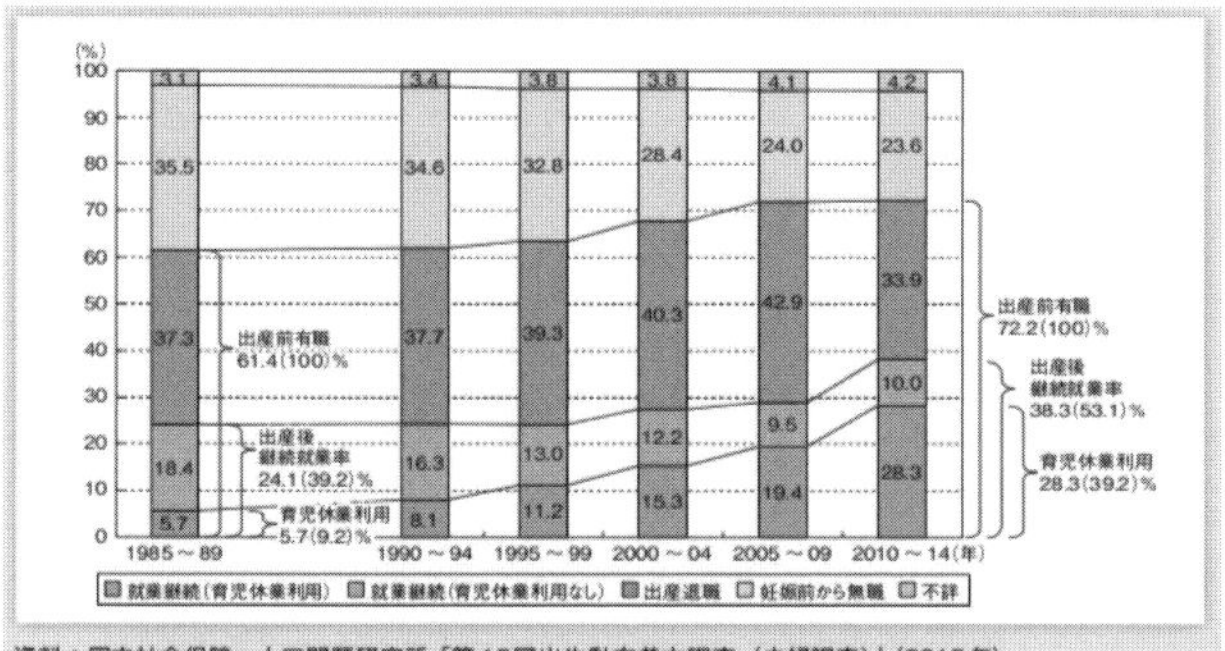

資料：国立社会保障・人口問題研究所「第15回出生動向基本調査（夫婦調査）」(2015年)
注：対象は第１子が１歳以上15歳未満の初婚どうしの夫婦の妻（年齢50歳未満）。図中の（　）内の数値は出産前に就業していた妻に対する割合。

（出所）『少子化社会対策白書』令和２年版、第1-1-23図より。

図22　第１子出生年別にみた、第１子出産前後の妻の就業変化

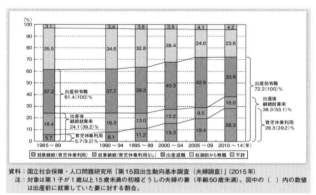

第一子出産年別にみた、第一子出産前後の妻の就業変化です。いわゆる第一子が生まれたあと、女性がどのように就業したのか、あるいは辞めたのかについての図です。この図をみると、社会政策や労働問題関連の運動の成果による育児休暇の充実などをつうじて、このグループの出産後の就業継続率が大きく伸びていることがわかります。しかしながら、大幅に改善した出産年の二〇一〇〜一四年の期間でさえ、結婚および出産で五七・五％が退職するに至っている。この状況は、結婚および子育てと女性就業との両立の困難が継続して存在していることを物語っていると言えます。先の先進国を中心としたＯＥＣＤの傾向とは少し異なった状況があるように見えます。この両立の困難は、次の表2が示す傾向が影響していると考えられるからです。つまり、日本においては、子供のいる世帯の貧困率が大きく、国際的に貧困率の低い国の順に並べた場合、北欧などの国がおおむね上位一〇番まで入っているのに対して、日本は三四位とネガティブな数値が出

順位	国名	割合	順位	国名	割合
1	デンマーク	8.2	19	ベルギー	32.2
2	フィンランド	14.9	20	チェコ	32.8
3	ポーランド	16.4	21	ラトビア	34.5
4	エストニア	21.6	21	アイルランド	34.5
5	ノルウェー	21.8	23	メキシコ	34.7
6	アイスランド	23.0	24	オーストラリア	36.7
7	英国	23.2	25	イタリア	37.0
8	ハンガリー	23.5	26	スロヴァキア	37.3
9	オーストリア	24.1	27	スペイン	40.2
10	スウェーデン	25.8	28	ルクセンブルグ	41.1
11	フランス	25.9	29	チリ	42.6
12	ギリシャ	27.7	30	リトアニア	45.8
13	オランダ	29.5	31	ニュージーランド	46.1
14	ドイツ	29.6	32	アメリカ	46.3
15	ポルトガル	30.2	33	カナダ	46.9
16	トルコ	31.4	34	日本	50.8
17	スロベニア	31.6	35	韓国	56.6
18	イスラエル	31.8	OECD平均		32.5

（備考）1．OECD, Family database (2019)"Child poverty"より作成。
2．「貧困率」は，OECDの作成基準に基づき，等価可処分所得（世帯の可処分所得を世帯人員の平方根で割って調整した所得）の中央値の半分に満たない世帯員の割合を算出したものを用いて算出（相対的貧困率）。
3．基本的に2016年の数値であるが，ニュージーランドは2014年，アイスランド，日本及びトルコは2015年，チリは2017年。

（出所）『男女共同参画白書』令和2年版、第Ⅰ-5-10表より。

表2　子供がいる世帯の貧困率の国際比較

ています。

男女別に見た生活時間の図を見てみましょう（図23）。有償労働時間は、会社に行って働いて対価としてお金を受け取る時間。無償労働時間は、日常の家事、買い物、世帯員および非世帯員のケアやボランティア活動をさします。日本と諸外国でダントツに違うのは、日本の男性の有償労働の時間です。有償労働が非常に多く、無償労働時間が非常に少ない。たぶんこのあたりが、日本の結婚・子育て両立の困難の原因ではないでしょうか。それに加えて、保育園がなかなか入れないなど、公的部門の不備もあり、少子化が加速しているのではないでしょうか。

これまでのお話をまとめたいと思います。経済成長にはいったいどのような条件が必要なのでしょうか。図24を見てください。

さて、さきほど述べたように、経済の発展を起動する条件として、ベンチャービジネスの件数が増えるなど、イノベーション活動による成長部門の創出があります。そして得意な分野（比較優位産

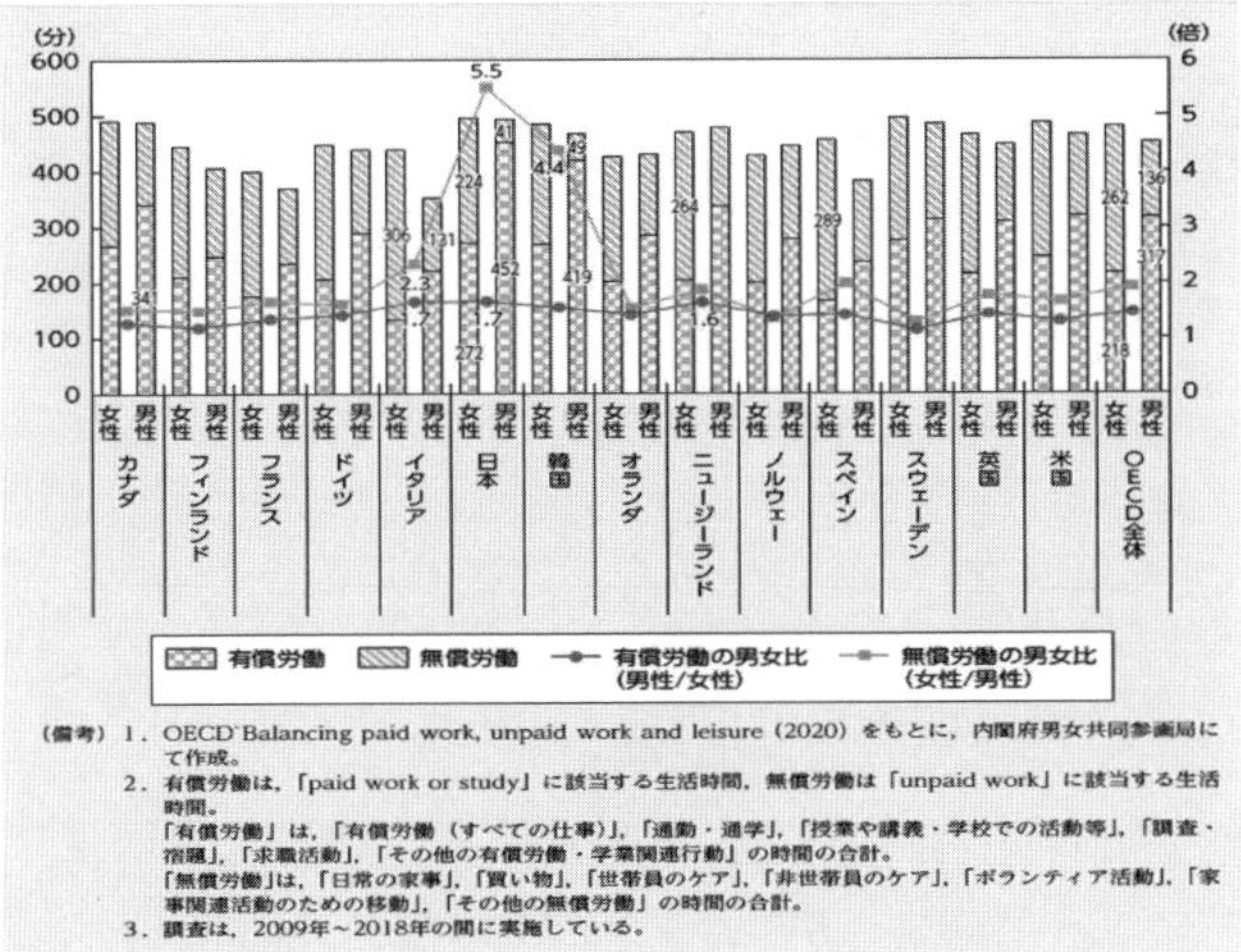

（備考）1．OECD"Balancing paid work, unpaid work and leisure (2020)"をもとに，内閣府男女共同参画局にて作成。
2．有償労働は，「paid work or study」に該当する生活時間，無償労働は「unpaid work」に該当する生活時間。
「有償労働」は，「有償労働（すべての仕事）」，「通勤・通学」，「授業や講義・学校での活動等」，「調査・宿題」，「求職活動」，「その他の有償労働・学業関連行動」の時間の合計。
「無償労働」は，「日常の家事」，「買い物」，「世帯員のケア」，「非世帯員のケア」，「ボランティア活動」，「家事関連活動のための移動」，「その他の無償労働」の時間の合計。
3．調査は，2009年～2018年の間に実施している。

（出所）『男女共同参画白書』令和２年版、コラム１．生活時間の国際比較、図表１より。

図23　男女別に見た生活時間（週全体平均）（１日当たり、国際比較）

業）への構造転換を進める。構造転換が進んでいくなかで、得意分野の輸出が増え、不得意分野では輸入が拡大するので、貿易依存度が大きくなるでしょう。同時に、イノベーションにはコラボレーションも必要です。成長部門が、海外の研究所や企業とのコラボレーションをすると、海外からの直接投資が増えます。したがってここでは、貿易依存度の拡大と直接投資流入が重要です。

　また構造転換をする中で、労働者のリカレント教育（学び直し）も重要であり、ここをフレキシキュリティのような形で公的部門がサポートする必要があります。加えて日本の場合は、男女共同社

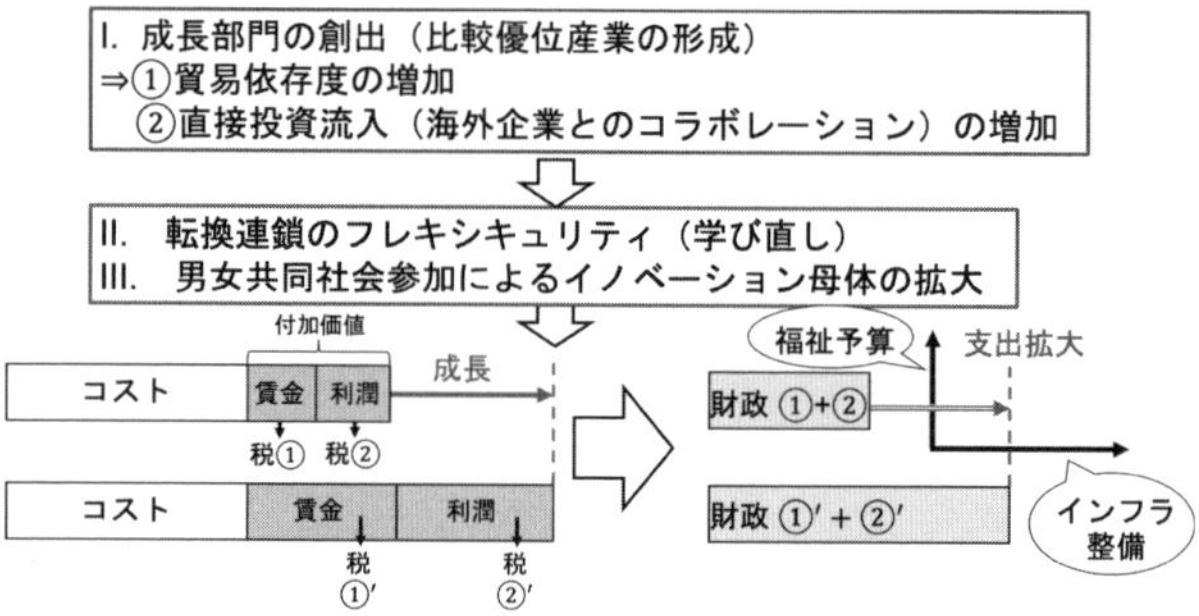

図24　付加価値の生産と消費の均衡化（総括図）（出所：筆者作成）

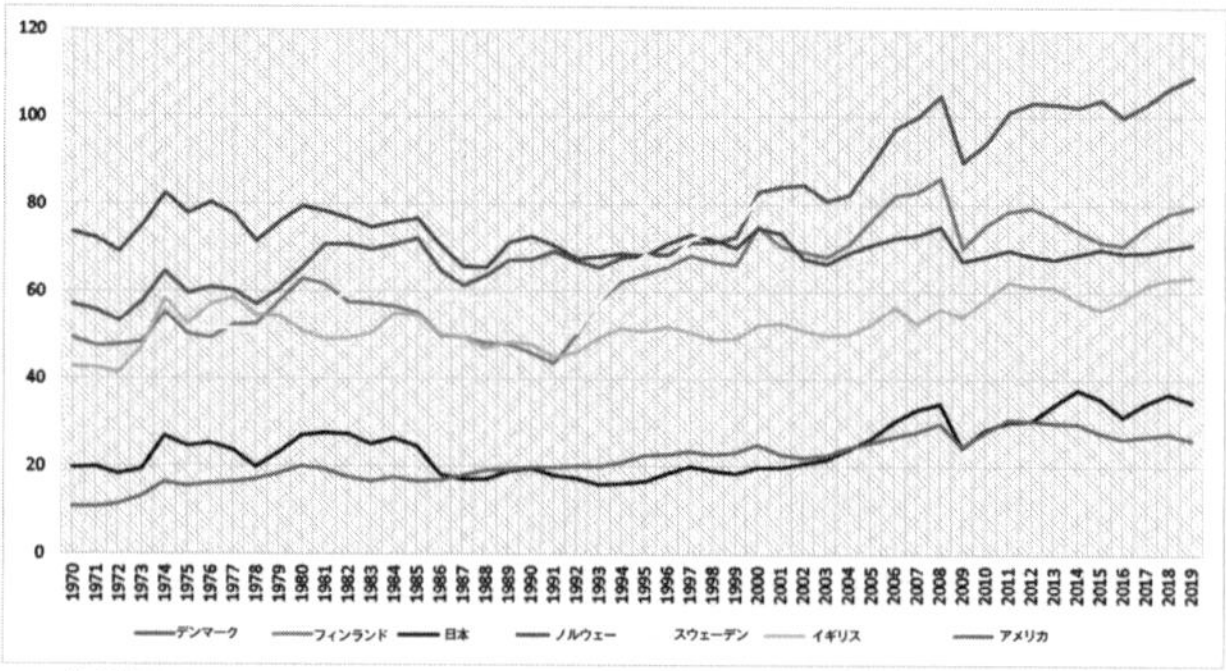

（出所）World Bank national accounts data, and OECD National Accounts data files より作成

図25　貿易依存度（（輸出＋輸入）/GDP）

会参加による母体の拡大も必要でしょう。

　現在の経済成長は、これらの条件がおおむね揃わないとできないものになっているのではないでしょうか。先程も申したように、付加価値は賃金と利潤に分かれます。賃金の一部は所得税や地方税になり、利潤は法人税になる。それが財源となって財政が成長すると、拡大分は福祉へ還元されるでしょう。

　では、日本の貿易依存度はどのような状態でしょうか。貿易依存度は輸出と輸入を足したものを、GDPで割ったものです。

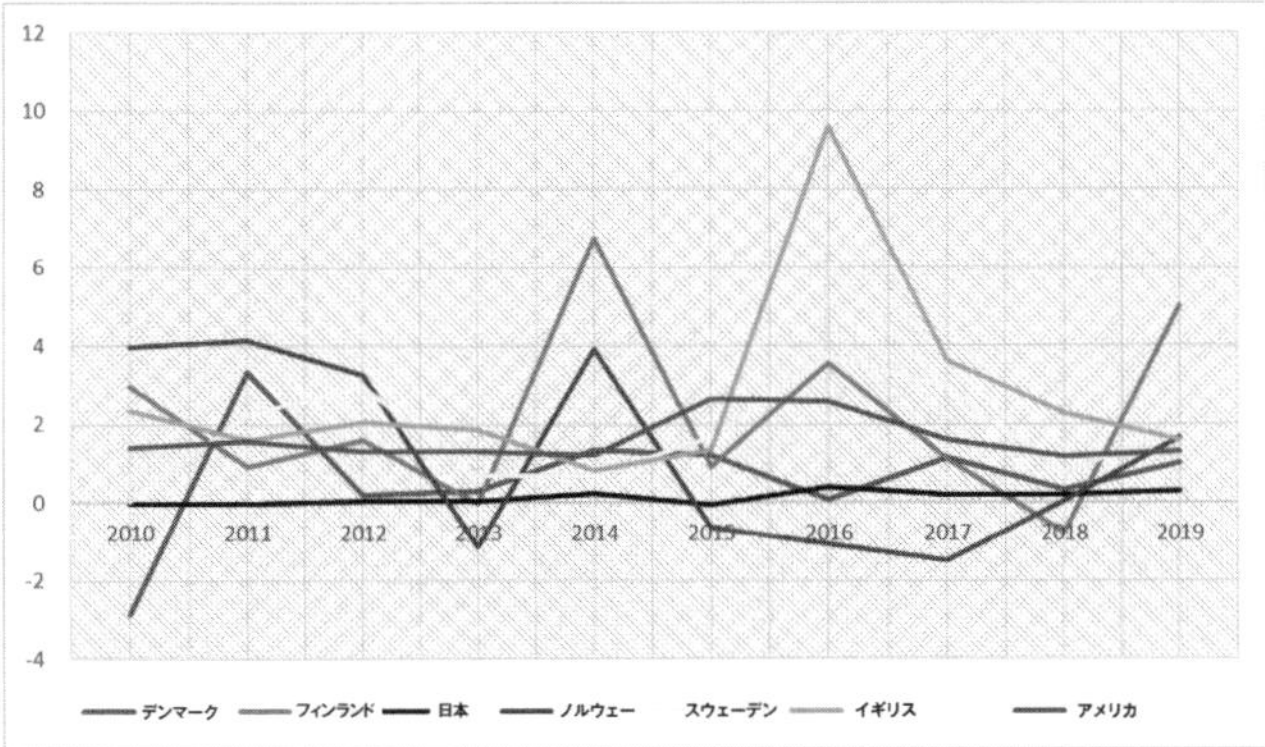

(出所)*OECD International Direct Investment Statistics 2020*より作成
(筆者注)対外直接投資とは、企業が利潤目的で他国に投資をすることを言い、流入とは当該国に外国から入ってきた(1年間のこの形態での資本流入)ことを表します。そこで、経済発展の促進や当該国と外国の企業同士のコラボレーションやオープンイノベーションが起こることになります。技術開発や技術移転に関わることです。

図26　対外直接投資流入(海外企業の流入の対GDP比率)

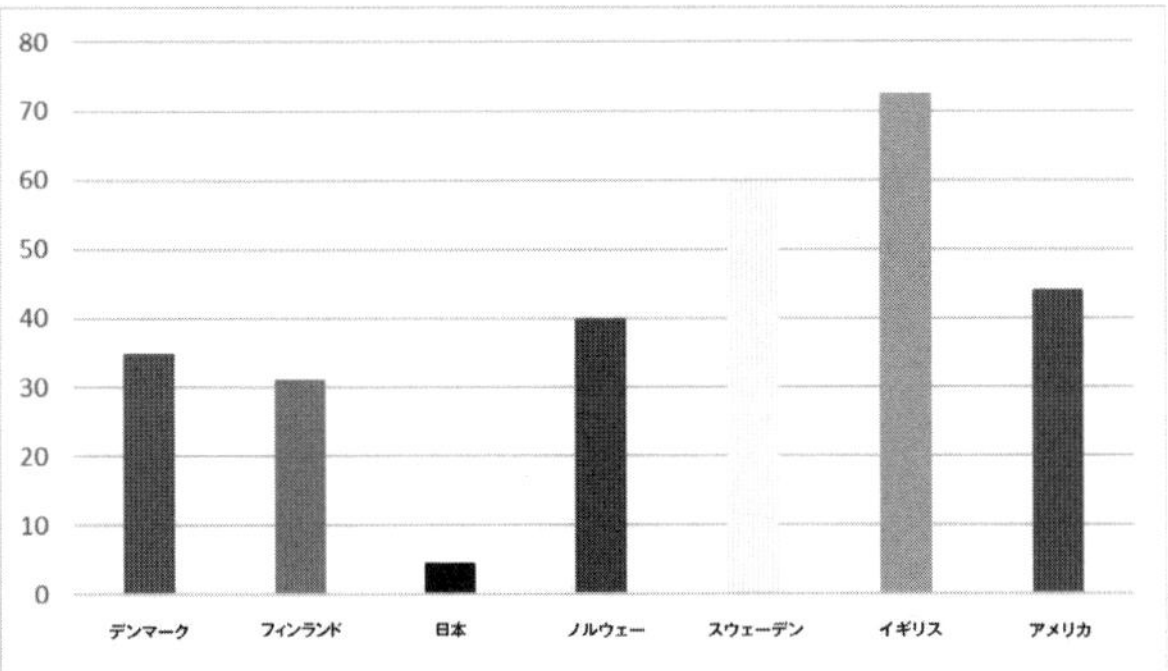

(出所)*OECD International Direct Investment Statistics 2020*より作成
(筆者注)直接投資流入残高とは、これまでの直接投資流入の累積値で、撤退した場合はその額だけ差し引かれます。

図27　直接投資流入残高の対GDP比

比較優位産業が盛んであるかどうかがわかります。

日本が北欧諸国と比べると、かなり低い貿易依存度であることがわかるでしょう（図25）。続いて海外企業の流入の対GDP比率の図をふたつ見てみましょう（図26、図27）。前者はフローですが、後者はストックです。日本が圧倒的に低いことがわかります。先述しましたようにオープン・イノベーション活動が進んでない理由のひとつです。

最後に、財政のバランスを見てみましょう（図28、図29）。コロナ以降、どの国も赤字ですが、日本はその前から常に赤字になっていることがわかります。長期債務、いわゆる政府の借金も、他国と

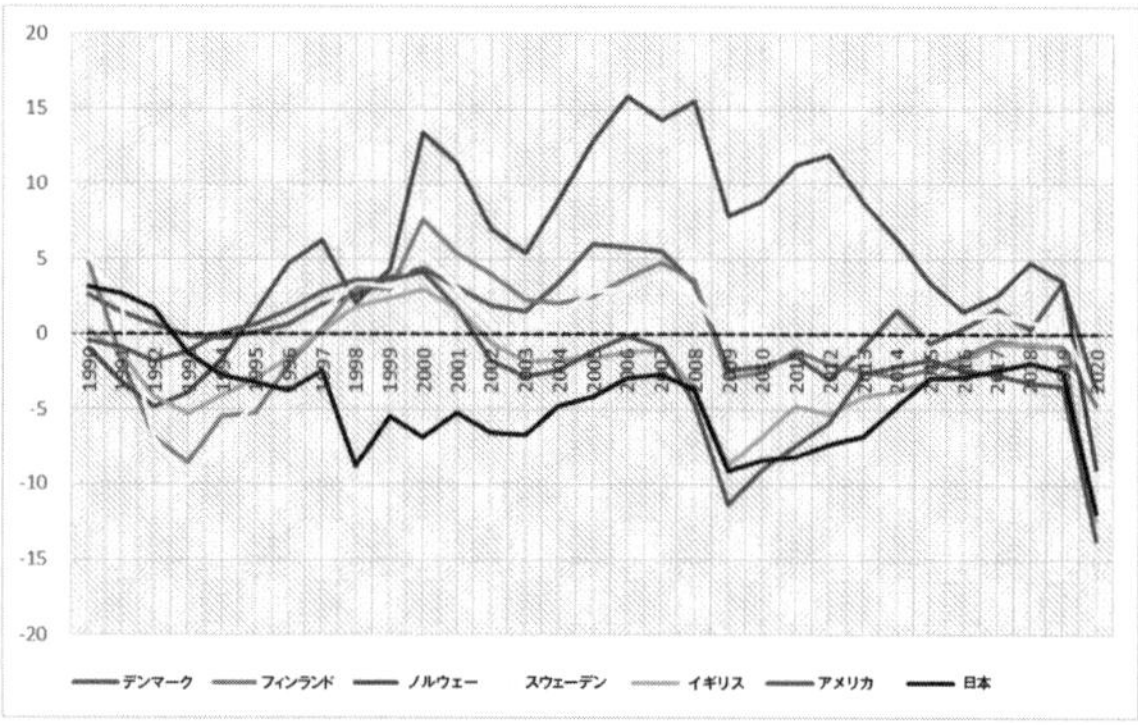

（出所）M. Ayhan Kose, S. Kurlat, F. Ohnsorge, and N. Sugawara (2017), A Cross-Country Database of Fiscal Space, Policy Research Working Paper, 8157より作成。

図28　財政基礎収支の対GDP比率（%）

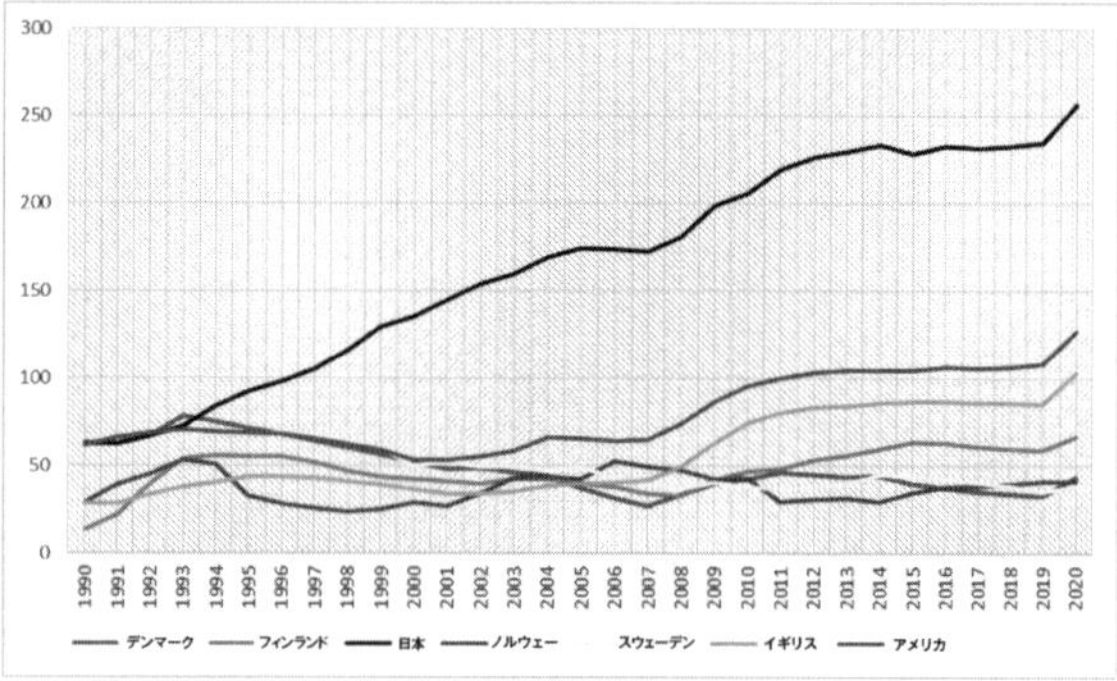

（出所）M. Ayhan Kose, S. Kurlat, F. Ohnsorge, and N. Sugawara (2017), A Cross-Country Database of Fiscal Space, Policy Research Working Paper, 8157より作成。

図29　政府債務の対GDP比率

比べてダントツで高い。これをなんとかする必要があるでしょう。

最後に、ここまで公的部門の必要性についてお話してきました。日本は災害が多い国です。東日本大震災のときも、阪神・淡路大震災のときも、一番忙しかったのは市役所でした。つまり地域です。中央集権的な政府では、公共サービスを市民社会に接近させ、それに溶け込むような公共政策は難しいと感じています。ですから、地方分権的な公共行政の形が必要なのではないでしょうか。以上で私の発表を終わります。

財政赤字、移民、ジェンダー、雇用

熊澤　田中先生、ありがとうございました。それでは早速、質問にお答えできればと思います。今日の田中先生のお話とも関連する質問ですね。

Q

収入の不平等は課税によって解決できますか。社会民主主義を実施している北欧諸国は健全な社会福祉制度を持っており、国民は自分たちの生活に満足しているが、これは財政赤字危機を引き起こすのだろうか。それともこのモデルは世界が目指すべき目標ですか。

田中　いわゆる高福祉だと、財政赤字になり、福祉国家が破綻してしまうのではないか？　という質問ですよね。ですが基本的に北欧は、福祉一辺倒ではなく、成長によって付加価値を生むことも重視しています。福祉はたしかに付加価値を消費しますので、付加価値を作ろうという方針ですね。先程お話したように、労働者が比較優位産業に転換できるように、リカレント教育（学び直し）の機会を得られるシステムをつくっている。実際に財政の基礎収支であるプライマリーバランスを見ても、北欧では均衡しています。リーマンショック前では先進国であるにもかかわらず、五パーセント前後の成長をしておりましたので、成長の点でも見習うべき国々であると思っています。

熊澤　「財政赤字危機を引き起こすだろうか」と質問にありますが、日本においても財政赤字の問題が指摘されていますよね。田中先生はどう考えていますか。

田中　税収の話になると思います。北欧の場合は、付加価値税も高い。その代わりに、医療や教育、福祉サービスがほとんど無料で受けられる。熊澤先生の報告にもあった、不平等の指標を示す「ジニ係数」においても、北欧においては低いわけです。税源をちゃんと確保しているというのが私の認識です。

熊澤　北欧諸国は成長と分配がうまくいき、景気も非常にいいような状態が続いています。しかし日本はずっと不況ですよね。不況になると、税収は下がり、財政支出は増える。それをいい循環にどうやって持って行けばいいのかが日本の課題であると。次の質問を見てみましょう。

Q

労働人口が減ることにより国内の人間だけでは、イノベーションを起こすことが難しくなると理解しました。やはり外国人移民については積極的に受け入れたほうがいいと思いますか？　田中先生のお考えを聞かせていただきたいです。

田中　その通りだと思います。同じ民族で構成するよりも、違った民族と交わることでイノベーションが発展する例が歴史上多々存在します。例えばギリシア時代に戦争によって捕虜が増え、違う民族と交わることで、技術が生まれてきた部分もありました。アメリカの大学では、世界中からいろんな人たちが集まっています。そこから豊かなアイディアも生まれている。移民はイノベーションの面からも必要な存在であろうと思います。

Q

女性が社会進出することが、少子化問題や労働生産性に貢献することがわかりました。そのために無償労働、家庭内などのケア労働をいかに減らしていくのかが重要なポイントだと思います。先生方は男性としてどのようなことができるとお考えですか？

熊澤　なかなか鋭い質問ですね。田中先生、どう考えられますか。

田中　日本はジェンダー平等の後進国であり、ジェンダー・ギャップ指数が世界でも一二〇位くらいという非常に恥ずかしいランキングになっています。われわれはいわゆる市民社会としての、同権、対等な感覚を持っていこうとしなければいけないでしょう。私は、こういう報告をしておいて、こんなことを言ってはいかんのですが、やっぱり昔の人間だなと自分で感じるんですね。私の息子を見ていると、家事も妻だけに任せるのではなく半分担っていて、料理もうまくなっているというんですね。そうした意識の転換も重要ですね。その上で経済学のアプローチとして、保育所をつくる、法律をつくる、公的な部門を整える重要性を主張していきたいですね。

熊澤 私もここ二～三年でジェンダーの話がどれほど重要であるのか認識できるようになってきました。もちろん無償労働を男女で分担する、男性の意識改革も必要ですが、それだけではなく家事労働を社会化し、有償労働にしていく重要性も感じています。女性の市場への参加も促されるでしょう。女性政治家の議員数にしても日本は世界に稀に見る少なさですので、強制的に変えることで、意識改革を進めることも大事でしょうね。

Q 失業対策として成長産業への再教育を充実させて行く必要があるのでしょうか。

田中 はい。そうすべきだと思います。例えばスウェーデンにはボルボという会社があり、工場部門を中国に売り払ってしまいました。基本的に賃上げができなくなったので、労働者によって見放されてしまったためです。労働者はもちろん失業するわけですが、先程言いましたように公的な補助があるので失業は怖くない。再訓練を受けて、新しい産業へ就業する。最初は二年ほどで再訓練が終わる想定でしたが、実際は一年未満、あるいは半年で新しい職場に付けるようになっていって、新陳代謝がうまくいっているようです。こうしたきめ細かいサービスを中央集権でやることは難しいので、私の発表の最後には地方分権、地域分権の重要性を申し上げました。

熊澤　最近よく「ジョブ型雇用」と言われますよね。ひとつの会社に長期間勤める、「メンバーシップ型雇用」と比較すると、ジョブ型は流動的であり、キャリアを積むために転職するのが一般的です。その分、失業する機会も多いですが、スウェーデンでは新たなスキルを身につけたり、しばらく生活できる社会制度が整備されている。しかし日本に限っていうと、非正規雇用という形で、流動的な雇用システムをつくっておきながら、保障はなにもない制度をつくってきました。流動的な雇用システムとそれに対応した社会保障はセットで必要でしょう。

田中　まったくその通りです。ジョブ型雇用には危うさがあるので、セーフティーネットも充実させていく必要があるでしょうね。

自由に生きる知性とはなにか、を考える

熊澤　まだまだ質問はあるのですが、時間も迫ってきているので、このあたりで終わりたいと思い

ます。最後に、田中先生にまとめをお願いしたいと思います。

田中 トークセッション全体のテーマである「自由に生きるための知性とはなにか」について考えてみました。

本書の「コラム2」でも取り上げたように、エーリッヒ・フロムは『自由からの逃走』（日高六郎訳、東京創元社）において、「積極的な自由は全的統一的なパースナリティの自発的な行為のうちに存する」と書いています（「消極的自由」は「コラム2」で「一次的絆」からの解放として扱っています）。自由が満面開花したら、なにか楽しいことが沢山おこるわけではない。「積極的自由」とはいったいなんでしょうか。労働であれ、そのほかの活動であれ、自発的で目的意識を持ち、アイディアをその中でものやサービスに対象化して仕上げること、または目標を達成することではないでしょうか。目的意識を持つことは、人間だけの取り柄であり、動物にはできません。今日のわれわれの発表を聞き、「それなら、こんな解決策があるのではないか」と考えたり、皆で話し合ってアイディアを出したり、政府に訴えていくような行為も、フロムがいう自発的行為に当たると思っています。

スウェーデンにはオンブズマン制度が発達しています。内閣府の説明はこのようなものです。「オンブズマン制度は、一九世紀初めにスウェーデンにおいて初めて設置された制度で、高い識見と権威を備えた第三者（オンブズマン）が、国民の行政に対する苦情を受け付け、中立的な立場からその原因を究明し、是正措置を勧告することにより、簡易迅速に問題を解決するものです。第二次世界大戦後、ヨーロッパをはじめ世界各国に設立され、行政苦情の救済の仕組みとして、広く普及しています」。情報を集め、行政の苦情、弱者救済に対応する仕組みをつくる中で、政治の至らぬところをどのように工夫すればよいのか仲間と一緒に考え、構想を練る行為、まさにオンブズマン制度こそが、フロムのいう「積極的自由」でしょう。自由に生活するための知性とは、そういったところにあるのではないでしょうか。こうした話し合いを行うためには、本日取り上げた格差・貧困、福祉の充実などの世の中や経済の仕組みを知る必要があります。

さて、このシリーズは最後に経済で締めくくることになったので、ちょっと重い話になったかもしれません。経済や政治のような生活に密接に関わる必要事項ではなく、自由に自らの内面からふつふつと湧き上がってくる何かに動かされて行動することも、自由に生きることだと言えるでしょう。ロダンの彫刻は、彼の内面から湧き起こるなにかをあの彫刻に対象化し、「考える人」をつくった。満足のいく作品が完成すれば、自己実現の世界に浸ることができるという意味でも、大きな自由の獲得でしょう。絶えず自己投影しながら作品を制作したロダンもフロム的な意味で自由であるだろうと思います。ベルリンフィルでタクトを振ったカラヤンや、スタジアムや駅の建築士も同様でしょう。そしてわれわれの生活、学校や職場においても、自由に考えて目的意識的に行動することは案外たくさんあります。例えば、このような講義を自発的に企画した立命館の職員の方々も積極的な自由を行使しているとも言えますし、今日のような土曜日にこの企画を聴講しているみなさんも自由の入口に立っているでしょう。このように生活の隅々に、積極的自由は転がっています。もっと身近に、食事会でもレクレーションでもいい、自由な発想でアソシエーションをつくって企画することから自由の入り口がはじまります。

さて、このような活動の発想は、どこから生まれるのでしょうか。今私が考えているのは二つです。ひとつは日常的にパターン化された慣習や形式に対して、自分の考えとのズレや違いを大切にして発信すること。このシリーズの「家族」をテーマにした回では、横田祐美子先生が、年賀状の宛名順や結婚式の座る位置など、家族にまつわる習慣や慣習の中に、差異を導入する必要性についてお話しています。フロムは常識や科学、精神の健康、正常性、世論などといった「匿名の権威」と戦うことが、自由への道だと説明しています。

ふたつ目は、個性あるいはアイデンティティをベースにすることとです。本書トークセッション06「わたしの〝好き〟を見つける」で小寺未知留先生が「音楽とアイデンティティ」と称して次のような引用を提示しました。「嗜好は「自然な」あるいは「素朴な」ものではなく、人々の自己定義のしかたに重要な役割を果たしています。この見方は、基本的に、消費を実利主義的な欲求の達成として考えるのではなく、アイデンティティの構成としてとらえなおすことを意味します。ブルデュー『ディスタンクシオン』」の考えを受け、嗜好の役割は、「自然」なあるいは「個人的な」ものではなく、社会的差異化の手段として理論化されてきました」。いかにも、芸術分野の捉え方がよく出ていると思います。むしろ社会的差異を考えないと、発想豊かな、あるいは創造的な作品が生まれないと、考えてもいいのではないでしょうか。賢い消費者とは、これまで押し付けられてきたものではなく、斬新なものを自ら追求している者であるとも考えられます。アート分野は目的意識的活動を行うことにより自己実現するという意味で、いわゆる外化や疎外が一番少ない領域だと私は思います（疎外は熊澤先生のところでも出てきますので併せて考えてください）。

以上、この企画が、みなさんが人生を享受される上で、何かしらのお役に立てることができればわれわれとしてもこれ以上の喜びはありません。

熊澤　ありがとうございます。私からも一言。資本主義体制は、常識的で決まり切ったものだと感じるかもしれませんが、たかだか二〇〇年足らずの社会システムです。もっとよりよい体制はないだろうか、当然考えていくべきでしょう。

最近では環境問題に対して、若者の様々な声が上がっています。市場だけによって決まる投資の在り方を修正していこうとする動きもあります。どのような社会がいいのか自発的に議論をし、合意形成をする機運の高まりがあるのではないでしょうか。

ロダンが石を掘って、自由にそれを作り出していったように、私たちも社会や経済に対して同様のことをやっていく必要があるのだと感じています。これからどういった社会を作り出せばいいのかぜひ考えてみてください。

さて、お時間ですので、今日はここまで。田中先生、ご参加いただいたみなさん。本日はありがとうございました。

田中　この企画に参加し、聴講していただき、心より感謝申し上げます。どうもありがとうございました。

（構成：山本ぽてと）

※本章は立命館大学教養養育センターが二〇二一年一〇月三〇日に開催した「SERIES リベラルアーツ：自由に生きるための知性とはなにか　人間5部作［5］経済乱世を生きる」（ゲスト：熊澤大輔、田中祐二）を再構成したものです。

? もっと考えてみよう

1 日本の成長産業を現在の寡占部門（繊維、鉄鋼、電機、自動車）から、新たな成長産業を作り出し、移行させていくにはどのような施策が必要だろうか。

2 社会的なものにからめとられず、個人のために社会があるという状況、つまり社会的な制度や政策を活用し、個人それぞれが充足する状況をつくりだすために、「わたし」ができることはあるのだろうか。

3 格差の拡大を小さくするために、何ができるだろうか。政府の立場と、わたしたち市民の立場、それぞれで考えてみよう。

4 日々の生活のなかで、「いま、自分は自由にものを考え目的意識的に行動することができている」と感じられることはあるだろうか？ また、どうしてそのように感じられるのか理由も考え、周囲の人たちとも語り合ってみよう。

⬅イベントの模様を動画で観る
https://youtu.be/CAwlOji3lf4

Column 02

自由に生きる知性とはなにか

田中祐二

1 歴史の発展過程と人間個人の発達過程——両過程は自由への道

ドイツの哲学者・生物学者で有名なヘッケル（Ernst Heinrich Philipp August Haeckel）は一九世紀の中頃に、ヘッケルの反復仮説として有名な「個体発生は系統発生を繰り返す」と言いました。個体発生とは生物学用語で、受精卵や芽や胞子から細胞分裂を繰り返して独立した一個の生物体となることを言います。かたや、系統発生は生物の進化の筋道である生物種が生じ系統として確立することを指します（八杉竜一『進化学序論——歴史と方法』岩波書店、一四九〜一六五頁）。

この考え方にならって、そして大きく範囲を狭めて、われわれは人間の一生と人間の歴史を考えていきましょう。人間の一生を個体発生的、人間の歴史を系統発生的と強引に置き換えてみるのです。お母さんのおなかの中で発生が起こり生まれ出て肺呼吸が始まる時点を出発点とします。それから、両親、保育所や幼稚園の教育・保護から学校教育を経て、一人前として社会に出ます。他方、人類の歴史においては、原始時代から奴隷制（これは地中海地方に特徴的に現れる古典古代の時代をイメージしたもので、日本では奴婢という方が認識しやすいかもしれません）そして封建制から資本制と発展してきました。ここでアナロジー（類似性あるいは、もう少しわかりやすく相似的類似性と考えよう）を確認しておきましょう。お母さんのおなかの羊水の中にいる胎児は、胎盤やへその緒をとおして必要な酸素を吸収しており、水中で生活する魚などはえらの毛細血管で水中の酸素を取り込み、体内の二酸化炭素を排出しています。赤ちゃんは生まれると肺呼吸に移り一人の人間の誕生ですが、系統的進化を考えればえら呼吸している生き物は一部進化して、陸上に上がり肺呼吸をすることになります（もっとも、両生類のような動物もいますが）。また赤ちゃんは歩くようになるまで、まるでは虫類のような「ハイハイ」を経て二足歩行が始まります。この時期は系統的には、は虫類から哺乳類や鳥類ということになります。

次に、右に説明しましたように、歴史の発展過程と人類の成長・発達過程を見ながら、個体の精神的発達や成長を考えるとアナロジーが現れます。このアナロジーを使いながら自由を論じたのがE・フロム（Erich Fromm）です。歴史的に考えると、フロムは封建制以前の社会では自然や氏族や宗教との一体性のもとで、人々は安定感や帰属感をもち、権力への欲望と服従への憧れまでももつことになると言います。このような個人が個性化して完全に解放される以前に存在する絆を「一次的絆」とフロムは呼んでいます（エーリッヒ・フロム『自由からの逃走』日高六郎訳、東京創元社、三五頁）。みなさんも、このような歴史段階の後に市民革命を経て個人の自立（自律）や自由を享受する市民社会が発展すると予測していることでしょう。自由の登場です。

一方で、個体的側面を考えますと、先ほど述べましたように、胎児から人間へと急激な変化を経て母親の体から幼児は独立することになります。しかし、物理的分離が起きただけで、相変わらず幼児は食事や移動などで母親その他の家族の世話・保護のもとにあります。ここから子供は肉体的および精神的発達が進むと共に個性化の過程を歩み、母親をはじめとする家族からの自立が始まり、いわば「一次的絆」からの切断つまりそこからの解放・自由化が起こります。フロムがいったように、頼れるひとからの切断は不安と恐怖を発生させ、安定感を求めるために組織に無条件にそして従順に従属することを選択したり（フロムは宗教、日本人は往々にして法人組織）、アセモグル - ロビンソン（Daron Acemoglu and James A. Robinson）がいう「規範の檻」（この場合の規範は伝統的なそれで今や人間の自由を束縛するにいたるものとして扱われています）のような世の中の慣習や常識に抗うことなく従うことで、恐怖心を消し去り安定感を得ることができることになります（対等の議論の時でも、「同調の圧力」を感じて自分の意見を捨てる場合もあります）（ダロン・アセモグル、ジェイムズ・A・ロビンソン『自由の命運——国家、社会、そして狭い回廊（上）』早川書房、五八頁）。

2 自由の享受と積極的自由

テーマの「自由に生きる」ということを考えると、以上のような心の安定感を求めて組織や慣習に無条件になじむ（逃げ込む）とすれば、真逆のことをやっていることになります。せっかく、「一次的絆」から解放されて自由になれる空間に出られたのに（これをフロムは「消極的自由」と言っています）、安定を求めて保護下に入り込むのは、いわば「自由からの逃走」ということになります。それでは、「自由に生きる」とはどういうことを指すのでしょうか？

坂下史子先生と南川文里先生の「差別ってなんだろう？」（第2部トークセッション01）に関して、トマス・ジェファーソン（Thomas Jefferson）は「黒人は白人より劣るので解放は難しい」といったそうですが、ジェファーソンとその言に賛同する多くの人々は非科学的通念にとらわれていることになるでしょう（規範の檻）。黒人に能力がないのではなく、黒人を被抑圧状態において能力を高める諸制度から遠ざけたいわば偏った「社会的制度」それ自体が黒人をそのような状態にしたという客観的いきさつを考えないで、それに賛同し「おかしいヤツだと思われない」ようにする社会的通念の中で、黒人でない自分に安定感を与えていると言えます。事実は通念とは逆の事態を示しています。

みなさんは若いので、一九八五年の大ヒット曲「ウィ・アー・ザ・ワールド」を知らないかもしれません。知らないひとは、あるいは知っているひともう一度、YouTubeで、聞いてみましょう。ライオネル・リッチーから始まってレイ・チャールズに終わるリレーをどうぞ楽しんで下さい。飢餓で苦しむアフリカへの支援のための企画ですので才能あふれる黒人アーティストが多いのは当たり前ですが、通常の企画でもこれぐらいの人種的割合は珍しくありません。多様性のもとで、多人種が力を合わせて世界の経済的矛盾の緩和に取り組むことは、それぞれの個人にとって積極的自由を獲得する手段であり目的だと言えます。これは、マイケル・ジャクソンを中心に彼らが企画してその専門性をいかして取り組みました。少なくない数の忙しいアメリカの大アーティストたちのこと、幾日も日がとれないので、たぶん一夜で繰り返しの練習と調整・仕上げを行ったのでしょう。

そこで考えなければならないのは、このような世界的人気アーティストは批判を浴びにくいということがあります。しかし、われわれ一般人が表立って運動に加われば白い目で見られることが多々あります。第2部トークセッション03で、富永京子先生は「脱原発運動」「Fridays For Future」「障害者運動」「性的マイノリティの活動」などに無関心でいられないのに一歩を踏み出せない、つまりこれら社会の矛盾に対して立ち上がりたいと思うのに「デモに行ったり、ネットで声を上げたりすると、就活に差し障るかも」（本書一八〇頁）と考えたり、「頑張れ」、「人のせいにするな」あるいは「迷惑を掛けるな」といったわが国に存在する根強い「自己責任」という「規範の檻」が、一歩を踏み出して自分でポジティブに考えて連帯の輪に飛び込み自由を獲得することを阻んでいると言います。フロムは常識や権威といった「匿名の権威」におびえることなく積極的自由を達成するには、「自我の統一」（これは、自らの意志に従う積極的行為つまり合目的活動によって自己実現を達成することと理解しています）のもとで、「それは保護にではなく、人間の自発的な活動にもとづいている。それは人間の自発的な活動によって瞬間ごとに獲得される安定である。それは自由だけが与えることができ」（フロム前掲書、二八九～二九〇頁）ると主張しています。この場合、保護とは「一次的絆」による場合もあれば権威や常識に守られること、あるいは「匿名の権威」や「規範の檻」に逃げ込むことを意味していると考えられます。

3 積極的自由の享受のための知
——必然性の洞察と自由

前任校時代に、実際にわたしが経験したことを話しましょう。一九九〇年代初頭のこと、札幌市に住んでいました。事務職員の方と三人で寒い冬に近郊の有名スキー場である留寿都（ルスツ）にスキーに行ったときのことです。雪がひどくなりましたので、ゲレンデ横に小さな簡易テントを張り三人がやっとのスペースに入りました。思っていたより暖かいとはいえ、雪山のテントで震えています。温かいものを飲みたいのですがリュックには、粉スープと固形燃料とが入っているだけでした。そこで、新雪を溶かして水にして、ノートのページをちぎってその水が入るようにお椀状にして、この紙製のカップに新雪水を入れ、下から固形燃料の炎で温めました。沸騰したところで、粉スープを入れ、無事パンプキン・スープができあがりました。みんな、温かいスープと愉しい会話に心身も温まり、再びゲレンデに出て行きました。

なぜこのようなことができたのでしょうか？　紙カップを下から固形燃料の炎に当てればノートの紙で作ったカップは燃えないのでしょうか？　燃えません。紙の発火点はおおよそ三〇〇度ですが、紙カップに水が入っている限りは、水温が〇度から沸点の一〇〇度まででしか上昇しませんので、カップの紙は燃えません。そこで、おいしいスープを楽しめたのです。水の沸点と紙の発火点という簡単な豆知識が、スキーを愉しいものにしました。この知識を知らなければ、スープを湧かして楽しむ自由を享受できなかったことでしょう。

また、人類はコロナ禍にいますが、細菌学、化学、薬学および医学の知識は、その発症メカニズムを瞬く間に解明し（発症の法則性・必然性の解明）、ワクチンや治療薬の開発に着手し、われわれの健康に極めて重要な貢献をしたことは、目下みんなが実感しているところでしょう。ヘーゲル（Georg W. F. Hegel）は、人間の意志が何にも拘束されずに行為を自由に決めることを「自由意志論」として退けました（彼によれば、これは自由意志ではなくて「恣意」だと言うことです（ヘーゲル『ヘーゲル全集 第一一巻 哲学史（上）』武市健人訳、岩波書店、五六頁、一四五〜一四六頁）。意志の自由は、上記のような法則として発見されて存在する法則・必然性を無視するのではなくて、それ自体を認識・洞察することによりそれを利用して人間が働きかけて生活を豊かにすることとして考えられていると思います。こういった自由を「必然性の洞察」と言って「自由意志論」と未だに対立していると言えます。

最近特にSDGs（Sustainable Development Goals）が盛んに言われていますが、これは国、企業か個人かを問わず、そして地球環境だけでなく貧困や成長など経済領域に至るユニバーサルな考えと行動提起です。本企画の「食のミライ」では、「食料不足、地球環境問題、日本農業の危機状況、食生活における格差、食における倫理と肉食の是非、科学技術の急速な発展と人間の関係。そうしたことを考えるには、多様な学問分野を綜合し、俯瞰できる姿勢が必要とされるのではないでしょうか」と企画趣旨の中で問題提起されています。まさに必然性の認識ですね。登壇者の新山陽子先生は、食、特に牛乳製造と配送の仕組みと価格構造による製造元の畜産危機が発生しており、それとは別のところで、食品大量廃棄が起こっているという、マクロ的に極めて矛盾した状況が現実に起こっているという指摘をされています（本書二四一〜二四六頁）。これでは持続可能どころか破綻の危機、無駄の発生による環境破壊そのものです。フードシステム論によれば、大型小売店の価格戦略（小売店同士も競争しているので価格引き下げ）で、牛乳一パック一七〇円水準まで小売価格が低下しているのですが、生産から小売りまでのそれぞれの適正な利益を見込んで価格を算定すれば二四〇あるいは二五〇円になるそうです。しかし、大型小売店と弱小生産者間の競争は極めて不完全・不平等なもので、これによって日本畜産業の危機が訪れていると言います。こうしたコスト圧縮の矛盾が起こっているかと思えば、この低価格も手伝って家庭から廃棄される残飯は年一一兆円になるそうです。

このように、SDGs運動に取り組もうとすれば、現実に世の中で起こっている事実の諸矛盾を的確に捉えて、地球環境実態の諸科学（ルールや法則性）を利用して解決に向かうように行動すべきではないでしょうか？おもえば、人類はこのように科学することで発見を繰り返してそれまでは不可能であったことから解放されて自由をわがものにして、発展してきました。最後に、ヘーゲルのこの言葉をみなさんにご提示しましょう。「世界史は自由の意識、自由の精神の発展と、この意識によって産み出される［自由の］実現の過程とを叙述する」（ヘーゲル『ヘーゲル全集 第一〇巻 歴史哲学（上）』武市健人訳、岩波書店、一〇二頁）。

簡単にまとめると以下のようになるでしょう。自然科学だけでなく社会科学、例えば政治経済現象もまた、その分野の独自のルールや必然性で運動しているので、その現象から来る矛盾を自発的に考えて何とかしようと思えば、それに関する知識はもとよりルールや必然を知らなければなりません。これが、自由に生きる知の第一歩です。しかしそれを利用して、社会的課題（矛盾）を自分のものにして自発的活動計画（大部分はデモなどの連帯行動をともなう）をたてて何らかの行動に移るということ、ここまでが「自由に生きるための知」の範囲であろうと思います。そのためには、世の中の古めかしい常識のような「見えない抑圧」に抗う自信と勇気が必要になるかもしれません。

Bon voyage！

トークセッション
PART3
学びを続ける

09

その相談、あの本なら、こう言うね。

——本が答える人生相談

勉強、進路、恋愛、就職、お金、人間関係etc. 青春を生きるわたしたちの悩みは尽きません。誰もが抱えている悩みごとに、読書の達人たちが書籍の紹介を通じてお答えします。「あの人のこの本に解決の糸口が！」となることに期待を込めて。

登壇者

瀧本和成（たきもと・かずなり）

立命館大学文学部教授・文学研究科長。専門は日本近代文学。近年の研究テーマは20世紀初頭の文学研究。編著書に『森鷗外——現代小説の世界』（和泉書院、1995年）、『鷗外近代小説集 第2巻』（岩波書店、2012年）、『京都 歴史・物語のある風景』（嵯峨野書院、2015年）など。

山本貴光（やまもと・たかみつ）

文筆家、ゲーム作家、ユーチューバー。東京工業大学リベラルアーツ研究教育院教授。著書に『マルジナリアでつかまえて』（全2巻、本の雑誌社、2020/2022年）、『記憶のデザイン』（筑摩書房、2020年）、吉川浩満との共著に『その悩み、エピクテトスなら、こう言うね。——古代ローマの大賢人の教え』（筑摩書房、2020年）など。

吉川浩満（よしかわ・ひろみつ）

文筆家、編集者、ユーチューバー。著書に『理不尽な進化 増補新版——遺伝子と運のあいだ』（ちくま文庫、2021年）、山本貴光との共著に『人文的、あまりに人文的——古代ローマからマルチバースまでブックガイド20講＋α』（本の雑誌社、2021年）など。YouTubeチャンネル／ポッドキャスト「哲学の劇場」を山本と運営。

2021年3月7日開催

自己肯定感を上げるには？

山本　今日のセッションではみなさんからお寄せいただいた質問にお答えします。時間も限られているので、キビキビと進めてまいりましょう。

Q

自己肯定感がかなり低く、自分に自信が持てません。就職活動がそろそろ本格化していくので、自分に自信を持って面接などに臨めるようにしたいです。

山本　多くの方が同じようなお悩みをお持ちだと思い、選ばせていただきました。では早速ですが、瀧本先生、いかがでしょうか。

瀧本　就職問題で悩んでいるということですね。自己を否定的に捉えたり、批判的に見る視点は、自己形成や自己成長、自立への過程で大変重要なものだと思います。しかしながら、あまり否定的に捉えすぎると息苦しくなりますので、過度に否定に向かわないための楽天的態度を推奨したいと思います。

楽天的態度を学べる最も有名な書物を挙げるなら、武者小路実篤『人生論』（新潮文庫）でしょう。非常に肯定的に自己を捉え、個性をより発展的に生かそうとするととても明るい人生論です。一節だけ紹介しますと、「友情の価値は両方が独立性を傷つけずにつきあえるという点にある」と。このように自己の自律（自立・独立）を核に人間関係や社会、ひいては世界を肯定的に捉え直すことのできる一冊です。

私自身が大学時代の孤独な時に励まされたのは、ヴォルテールの『カンディード』（植田祐次訳、岩波文庫）です。一七五九年に初版が出ています、最も典型的な楽天家である主人公カンディードによるピカレスク（悪漢）小説です。天真爛漫な主人公カンディードを紹介する折、「この最善なる可能世界においては、あらゆる物事はみな最善である」と述べられています。この作品は、閉塞的抑圧的な社会状況下での抗い方を示してくれています。どんな時代でもユーモアとウィットに富んでいれば、勇気や元気を獲得でき、そこに生きる意味を見出すことができることを教えてくれます。カンディードという名前は、ラテン語で無邪気や天真爛漫、真っ白な紙を意味する言葉で、純粋に生きることを諷刺のきいた文章で表現しています。

山本　次は私がお答えしたいと思います。「自己肯定感がかなり低い」とおっしゃっていますよね。実は私も同じなのでよくわかります。自分よりも周りの方がもっと優れているのではと、相対的に自分の価値を低く見積もることがあると思うんですね。そんな時に読んで欲しいのが、アメリカの作家リディア・ディヴィスさんが書いた『ほとんど記憶のない女』（岸本佐知子訳、白水Uブックス）です。この本に収録されている「ある友人」というわずか二ページの短編があります。冒頭に私の言いたいことが書いてあるので、朗読してみますね。

「私はある友人について考える。彼女という人間は、本人が考える彼女であるだけでなく、彼女の友人たちが考える彼女も彼女なら、彼女の家族が考える彼女も彼女だし、通りいっぺんの知人や見ず知らずの他人から見た彼女もまた彼女だ。いくつかのことがらについては、彼女の意見は友人たちとまるで異なる。たとえば彼女は自分のことを太りすぎで教養がないと思っているが、友人たちから見れば完璧にスリムで、仲間うちの誰よりも教養がある。別のことがらについては、彼女とみんなの意見は一致している。たとえば彼女は陽気でおもしろく、絶対に遅刻せず、他人の遅刻も嫌がり、部屋はいつも散らかっている。みんなの意見が一致することがらは、本当の彼女を言い表していると言ってもいいのかもしれないが、ひょっとすると本当の彼女などというものはどこにも存在しないかもしれない」

……といった話が二頁続くわけです。言いたいことはお分かりいただけたのではないかと思います。自分の価値は自分だけで決まるものではない。当たり前ですが、誰が見るかによってもまるで違って見えます。これを踏まえて言うと、自己肯定感というものは自分だけでは生まれにくい気がするのです。月並み過ぎる言い方になってしまいますが、誰かと話し合い、お互いにどんな人だと思っているのか、少しずつでも伝え合えたりするとよいのではないでしょうか。

もう一冊紹介したいのは、トッド・ローズ『ハーバードの個性学入門――平均思考は捨てなさい』（小坂恵理訳、ハヤカワ・ノンフィクション文庫）。原題の"The End of Average"が語るように、平均の考え方はやめましょう、という内容です。

この本で紹介されている興味深い事例があります。米軍の飛行機が、ある時期やたらと墜落した。

なぜなのかを調べていくと、どうやら飛行機を造った時代のパイロットの平均的な体格に合わせて飛行機が設計されていた。時代を経て、人々の体格がよくなり、設計当時の体格には合わなくなっていたのです。さらに調査を進めてみてわかったのは、平均的な人間というものは一人もいないということです。手の長さも背の高さも、体の大きさも人それぞれに違うので、平均的な人間にあわせた設計だとパイロットのミスが増えてしまうことがわかった。その結果、今私達が使う椅子にも応用されているような、自分で高さその他を調整できる仕組みが出来たそうです。「平均」という発想に、我々は囚われすぎているのではないか？　そうした思い込みを、憑き物落としとしてくれるような本なので、よかったら読んでみてください。

では、吉川くんはいかがですか。

吉川　実はですね、瀧本先生の二冊の話を聞いて、もう話したくて仕方なくて。

山本　先に振ればよかった（笑）。

吉川　まずは、武者小路実篤。この人のことは黙っていられなくて。私事で恐縮なんですけれども、武者小路実篤記念館の近所に住んでるんです。何度か見物に行ったんですが、彼が筆で書いた色紙があって――私は書について詳しくなく、素人感覚で言わせていただくのですが――ぜんぜん上手くないんですよ。墨の半分ぐらい水でぼやけているし……。でも、堂々としていてなんらの気後れも感じられない。最後に「八三歳、実篤」とか書いてあって、なんで年齢？　とか思うんですけれども。あれを見ると、やっぱりポジティブなのが一番だなと思います。

山本　記念館に行って字を見るとさらにいいですね。

吉川　元気が出ます。全然恥ずかしがる必要ないんだなと。そして、二冊目の『カンディード』ですが、私も大好きです。偉い先生がカンディードに、いろいろと理屈を言うんですが、彼は「お説ごもっともです。でも私は自分の畑を耕さなければなりません」と返すんですね。偉い先生がなにを言っても、自分は自分の畑を耕しますよっていうのはすばらしい。すみません。いきなり興奮してしまいました。

　では、私の紹介する本ですが、みなさんが期待していなさそうなものを選びました。『マンガでわかる！幼稚園児でもできた!!タスク管理超入門』（岡野純、インプレス）です。

　別にみなさんのことを幼稚園児並みだと言いたいわけではないんです。でも結構、幼稚園児並みなこところもありませんか？　私にはあります。集中力がぜんぜん続かなかったり、書類や課題を出すのを忘れたり……。そういうところで、地味に自己肯定感が削られていくんですよね。自業自得な面もあるから余計につらくなってしまう。だから例えば、牛乳を買いに行く、課題を出す、バイトの時間を確認する等々、そうしたひとつひとつのタスクを書き出してクリアしていくと、少しずつ「自分は大丈夫」と感じられるようになると思います。

もし幼稚園児並みは嫌だという人はデビッド・アレンの『ストレスフリーの整理術――はじめてのGTD』（田口元監訳、二見書房）をおすすめします。まあ、こういう身も蓋もない話も大事だということで。

山本　私の仕事のひとつはゲーム作りですが、ゲームでも小さな目標をたくさんつくり、プレイヤーに小さな達成感を味わってもらう方法を使います。小さな目標をクリアしていくうちに、気が付いたら遠くまで来ている。そうやって長い時間ゲームで遊んでもらうんです。小さな目標を立ててクリアすることは、本当におすすめしたい方法です。

Q

理不尽さを感じる女性、弱さをさらけ出せない男性

子供の頃から親に、あなたは女の子なんだからお兄ちゃんと競っては駄目よと言われてきました。幸いに、中高ともに女子高だったので、兄以外の男と張り合わずに勉強や遊びに励むことができました。ただ大学に来て何かと男というだけでのうのうと生きてこれたんだろうなという学生に会い、むかついています。コロナにより就職難で、女子学生の方が厳しい状況にあるというニュースも見てげんなりしています。女性であるからという理由だけでしんどい思いすることに理不尽さを感じています。私たちが元気になれるような奮い立てるような書籍があればぜひ教えてください。また男性の特権に気が

ついていない人たちに啓蒙となる書籍があれば教えてもらえたら嬉しいです。

Q

人に頼ること、弱さを見せることについての相談です。僕は親しい友人や家族に自分の弱いところを見せたり、頼ることがうまくできません。話を聞いて助言をするような聞き役に回ることが多く、自分の話をするときも、なんとなくかっこつけてしまって今あるもやもや不安を素直に話すことができません。もっと素直にこの先どうしたらいいかなとか、もう全部投げ出したいとか、弱さをさらけ出すことができたらなと思うのですが、なかなか難しいです。

山本　女性と男性、それぞれからこうした質問をいただきました。

まず私が紹介するのはキャロライン・クリアド＝ペレス『存在しない女たち——男性優位の世界にひそむ見せかけのファクトを暴く』（神崎朗子訳、河出書房新社）です。現代社会の仕組みや、私達が日常で作っている道具が、いかに男性を基準につくられているのか、データとともに書いてあります。例えば、北欧の国で雪かきをする際、それまでは歩道より車道の方が優先されていました。でも実は男性の方が車を使う割合が多く、女性の方が歩道を使う割合が多かった。そこで試しに歩道から先に雪かきをしたら、女性のケガがぐっと減ったようなんですね。つまり交通機関でも男性が基準になっていた。あるいはピアノの鍵盤を見ても、男性に合わせて作っているので、手が小さな女性には弾きづらい。そうした事例を端から端まで書いている本です。人を奮い立たせてくれる本ではないかもしれませんが、まずは現状を確認し、お互いに共有することは大切だと思い選んでみたのでした。

次に男性からの質問。人に頼ったり弱さを見せるのが難しいというお話でした。私もどちらかというと、人に悩み相談をしないほうなので、お気持ちはよくわかります。こちらの質問にぴったりの本として、一九九一年生まれの作家である大前粟生さんの『ぬいぐるみとしゃべる人はやさしい』（河出書房新社）をご紹介したいと思います。大学生が主人公で、ぬいぐるみと喋るサークルに入っている。サークルの人たちは、他の人に悩み相談をすると傷つけてしまうからと、部室にいる百何十匹ものぬいぐるみから一匹選んで、人間ではなくそのぬいぐるみに向かって喋るんです。大前さんは、私達が日頃たくさん経験しているにもかかわらず、多くの場合見過ごしているような、傷ついたり傷つけられたりする場面をたくさん書いています。質問者の方にも、ヒントがあるのではないでしょうか。大前さんの書いた『おもろい以外いらんねん』（河出書房新社）も、お笑いが人を傷つける場合もあることを、ジェンダーも含めて書いた作品です。

吉川　このテーマは本当に重要だと思います。まず一つ目の相談。「子供の頃から親に、あなたは女の子なんだからお兄ちゃんと競っては駄目よ」と言われてきたと。これはいわゆる「呪いの言葉」と言われるもので、言われた子どもは呪いをかけられてしまい、大人になってもそこから脱却するのが難しくなる。そして呪いをかけた大人本人も実は呪いにかかっているんですね。そうしたやっかいな呪いに応えてくれる本があります。上西充子さんの『呪いの言葉の解きかた』（晶文社）です。

漫画やドラマや文学作品、実際の事件を例にとりながら、さまざまな呪いの言葉が私達を不自由にさせていることを指摘します。そして、そうした言葉にどう切り返すのかの文例集になっている。労働、ジェンダー、政治といった、とりわけ難しい三分野に直接切り込んでいます。

また、堀越英美さんの『モヤモヤしている女の子のための読書案内』（河出書房新社）もおすすめです。こちらはジェンダーや労働、容姿についての「呪い」を考えるきっかけがたくさん詰まっています。

もう一冊、メアリー・ビアード『舌を抜かれる女たち』（宮﨑真紀訳、晶文社）を挙げます。山本くんが紹介してくれた『存在しない女たち』が、存在そのものを軽視されたり、無視された話だとすると、『舌を抜かれる女たち』は発言権を奪われた女性たちの話です。古くはローマ神話から、ヒラリー・クリントンまで。不当に公の場で語ることを封じられたり、低く見積もられたりする歴史が描かれています。

さらにおすすめしたい本があります。「男性の特権に気がついていない人たちに啓蒙となる書籍を教えてもらえたら嬉しいです」と、とても頼もしいことをおっしゃっているので、ダイアン・J・グッドマン『真のダイバーシティをめざして——特権に無自覚なマジョリティのための社会的公正教育』（出口真紀子監訳、田辺希久子訳、SUP上智大学出版）をご紹介します。差別問題というのは、差別する側のマジョリティが変わらないとなくならない。では、マジョリティをどう啓蒙していけばいいのか。まさにご質問にぴったりの研究が紹介されています。この本で面白いのは、社会から抵抗にあうことが前提として織り込まれていて、その抵抗をどのように解除していくのかが書いてある点です。

最後に男性の問題について、最近読んだ良書をご紹介します。まず、恋バナ収集ユニット「桃山商事」の清田隆之さんの『さよなら、俺たち』(スタンド・ブックス)。「俺たち」と言うのは、いわゆる男性同士、ホモソーシャルの価値観です。清田さんは恋バナを集める活動をしてきて、自分はある程度ジェンダーの問題に関して理解があるつもりだったのですが、自分の無自覚な価値観に気がつき、変わっていく過程が書かれていきます。あともう一冊、尹雄大《ユンウンデ》さんの『さよなら、男社会』(亜紀書房)も同様のテーマについて描かれています。男性自身が、さよならと声をあげた二冊です。

山本 たくさんご紹介いただきました。それでは瀧本先生お願いします。

瀧本 前者の質問は、後ほど取り上げる質問とも併せて答えさせていただきたいので、後者の質問を先に回答したいと思います。

私が研究しています日本文学で最も古い文献(作品)に『万葉集』、『古事記』、『日本書紀』などがあります。その中に収められている和歌について、立命館大学ご出身の漢文学者白川静先生は、「歌」の源泉は「訴える」ことと関係があるのではと述べています。「うったえる(うったふ)」が、やがて「歌」となったとする説です。それは口を開いて叫ぶ行為と重なります。文学は、日本では和歌のような韻文の世界から出発していると思われます。叫ぶ(訴える)行為(自分の溜まっているものを吐き出したい思い)が、歌や詩になって行ったのでしょう。ですから相談をいただいた方も、自分でなにか訴える（叫ぶ）ことができるような手だてを身につけられると良いと思います。私がお薦めしたいのは日記です。ぼく自身、現在（いま）は楽天的な人間なのですが、大学一、二回生の頃は暗くて、友達もいなくて、クラスコンパに行っても話し相手が誰もいなかった。そんなときに日記を書き始めたんです。日記と言っても毎日書くわけでもないですよ。まずはその日食べたパンの絵を描いたり、値段をメモしたりするところから日記を始めました。

日本近代文学のなかで日記と言うジャンルの代表作に、石川啄木の『ローマ字日記』（岩波文庫）があります。一九〇九（明治四二）年の日記で、作品名の通りローマ字で日記を書いています。なぜローマ字で書いたのか。妻に読まれたくなかったからではないかといわれています。当時はローマ字を読める、書くことができる人はかなりの知識人ですから。

さて、啄木は二六歳でこの世を去りますけれども、「ローマ字日記」は焼却するよう遺言したと言われています。推測ですが、『ローマ字日記』を読んだら誰も焼けないと思います。なぜならとても優れた日記だからです。

冒頭部分の一節だけ読んでみましょう。「なぜ　この日記をローマ字で書くことにしたか？　なぜだ？　予は妻を愛している。愛しているからこそ　この日記を読ませたくないのだ。——しかし　これはウソだ！　愛してるのも事実、読ませたくないのも事実だが、この二つは必ずしも関係していない。そんなら　予は弱者か？　いな、つまり　これは夫婦関係という　まちがった制度があるために起こるのだ。夫婦！　何というバカな制度だろう！　そんなら　どうすればよいか？　悲しいことだ！」

このように啄木は赤裸々に自己の内面を語っています。啄木の心の襞が見えてくる日記です。彼が心の内奥をどのように日記に書き遺したか。啄木の日記に触れることによって自らを曝け出すヒントになればいいなと思います。

もう一冊日記を紹介したいと思います。それは『二十歳の原点』という本です。当時立命館大学文学部の学生だった高野悦子という女性の日記です。彼女は、二〇歳で自殺をしました。彼女の死後、両親が日記を見つけ、それが新潮社から刊行されたのです。本日の参加者に立命館大学の学生さんが多いと思いますので、彼女が二〇歳という年齢で何を考え、何に悩み、自分自身をどうやって乗り越えようとしたか、そしてなぜ乗り越えられなかったのか。彼女のそうした葛藤を読み取ってもらいたいと思います。高野悦子が悩んだ問題は、現代の君たちと重なる部分も多いと思います。

最後にリルケの『マルテの手記』（大山定一訳、新潮文庫）を紹介したいと思います。私の読書体験の中でベストスリーに入る本でもあります。この本は速く読むのではなく、ゆっくり読んで欲しいと思います。私は大学に入った頃までは速く読むことがむしろ自慢だった時期もあるのですが、この本と出会って、読むという行為に変化が生じました。この作品と出会い、早く読むことがいかに味わい深い鑑賞を拒んでいるかということに気づいたのです。この作品は、毎日一ページだけゆっくり読むと決めて読書をしました。禁欲的な読書の楽しみ方を初めて知った作品です。この手記の中でリルケがどのように自らを捉え、自己と向き合っているか、とても参考になるでしょう。

吉川　ありがとうございます。日記を書くことがおすすめであると。非常に興味深い。

山本 この流れで瀧本先生の日記を公開していただくということではないのですね。

瀧本 持ってきたらよかったですね（笑）。

吉川 ローマ字で書かれた秘密の日記だったりして（笑）。

よい恋愛をするには？

Q

恋についての相談です。私は男性から好きになられて付き合うよりも、自分が追いかけて付き合うことが多く、恋を成就させることも大変なのに、せっかく成就しても長く付き合うことができません。友達には、女は好かれて付き合った方が幸せになれるよ、と言われますが、自分が好きになった人と付き合いたいのです。でもつらい別れをすると、次こそは自分を好きになってくれた人と付き合おうと心に決めるのですが、私のことを好きになってくれた人のことを好きになれません。自分が好きになった人と、よい恋愛をするためにどうすればいいでしょうか。

山本 視聴されている中にも、同じような悩みを抱えている方がいるかもしれませんね。恋の相談ということで、まずは吉川くんからお答えいただきましょう。

吉川　私は恋愛のエキスパートでもなんでもありませんが……、ＡＶ監督の二村ヒトシさんが書いた『なぜあなたは「愛してくれない人」を好きになるのか』（イースト・プレス）をご紹介します。「自分が好きになった相手とはいつも付き合えなくて、かついつも逃げられてしまう」というよくある悩みがありますよね。そういう人に対して二村さんは、自分を愛してくれない男を無意識に自分で選んで好きになっているのかもしれないと言います。では、なぜそんな相手を選んでしまうのか。彼は私に何か教えてくれそうとか、全然知らない世界に連れてってくれそうという理由で好きになっているけれど、本当は自分の中に欠落を抱えていて、それを埋めてくれる相手として相手を選んでいるのではないか。でもそれは相手を利用するような関係だから、そう長くは続かないのではないかと。

また二村さんはこのようにも言います。「人間は自分で自分を扱っているようにしか、他人からも扱われない」と。もし自分が大事にされてないんだとしたら、ひょっとしたら自分自身が自分を大事にしていないのかもしれない。この話に一〇〇パーセント同意する必要はないですし、反発を覚える人もいるかもしれません。でも、こうした尖った言葉をもとに、自分で考え始めてみるのにぴったりの本です。

山本　二村さんの言っていることに反発を感じたとしても、自分がどういう考え方をしているのかが、それでわかると。

吉川 そうですね。反発を感じるのも全然ＯＫだと思います。あと、先ほど紹介した『さよなら、俺たち』は男性の恋愛の話なので、この本もいいですね。女性が読んでもいいし、恋人に読ませてもいいかもしれない。

山本 では続いて、瀧本先生。回答順は恋愛経験の量に応じているかもしれません（笑）。

瀧本 私も恋愛については失敗の連続で、全然アドバイスをできない立場にありますが（笑）。一番オーソドックスな答えとしては、趣味を共有できる相手と付き合うといいのではないでしょうか。旅行でもお酒でも、共有できる趣味があるといいかなと思います。かつて恋をした女性とは、文学の読書会で知り合い、お付き合いをした経験があります。

山本 すばらしい展開ですね（笑）。

瀧本 私の実体験からのアドバイスでした（笑）。もう一つの回答としては、恋愛の態度をあらためて考えてみる。好きになった人に対して何も求めない態度も大事なんじゃないか。同一時間、同一空間にいるだけで幸せであると。つまり究極のプラトニックラブですね。ここで紹介したいのが、有島武郎の『宣言』（岩波文庫）です。この中で有島は、最も純粋な恋愛はプラトニッククラブにあると言っています。求めないこと。献身的な態度や、犠牲的な精神。これは近代のエゴイズムを克服する術として、文学の流れでは捉えられています。いわゆる利他的個人主義的な恋愛をしてみようと。

そして、僕が若いころに一番影響を受けたのがデュマ・フィスの『椿姫』（永田千奈訳、光文社古典新訳文庫）です。マルグリットとアルマンの純粋な恋愛が描かれていて、何度読んでも泣けてくる、非常にキュンとくる恋愛物語です。久しぶりに目の汗をかこうと思うと、これがいいんじゃないかなと思います（笑）。『椿姫』は演劇でも有名ですが、小説もおススメしたいと思います。それからやはり誰もが知っている村上春樹の一〇〇パーセントの恋愛小説『ノルウェイの森』（講談社文庫）。京都や神戸など関西も舞台となっていますので、立命館大学の学生さんは臨場感をもって読書できるのではと思います。自分と重ねながら読んで欲しいと思います。

山本　いまご紹介されていた有島の「求めないこと」と、さきほど吉川くんが紹介していた二村さんの相手に何を求めているのか？　という話は、対になりますよね。

吉川　二村さんは求めることを、「恋」と定義し、これは欲望の問題だと言います。恋は悪いわけではない。でも求めずとも、存在そのものを肯定する人もいる。それを「愛」と呼んでいる。そのすれ違いから、恋愛においてはいろんな問題が生じるんだと書いていました。

山本　見事な整理ですね。

さて、瀧本先生と恋愛した方の趣味が同じであるといういい話を伺いましたが、お話を聞きながら思い出したことがあります。夏目漱石が『吾輩は猫である』の中でこんなことを書いていた。これは主人公の苦沙弥先生の言葉です。これからはますます個人主義が進んでいくだろう。でもこのままどんどんそちらのほうへ進んでいくと、どうなるか。苦沙弥先生は詩人に向かってこう言います。そうなると君が作る詩を面白がる人は君以外にいなくなると。そういう人が集まった社会になったら、ひとつ屋根の下に人が一緒に住むこともなくなり、家族もなくなるだろうと。そんな予言めいた話を滑稽な小説で言わせていて、これはけっこう本質をついた話だと思いました。趣味が合うことの重要性はご指摘の通りだなと思ったのでした。

吉川　共有できる趣味は大事ですよね。私がよくお世話になっている「猫町倶楽部」という読書サークルがあります。名古屋や京都、大阪、東京と全国にあるのですが、そこで出会って結婚する人がすごく多いんです。本という共有するものがあるから、仲が深まっていくのでしょう。

山本　そう考えると読書会はいいですね。自分や相手がその本を読んでどう感じたのかということから、お互いの価値観もわかってきますし。

さて、お二人には及ばずながら私も回答してみます。こうした話については、他人の失敗例を見るのも手だと思うんです。その例は瀧本先生がご専門の文学の世界に山ほどあります。もうひとつは漫画です。今回おススメしたいのは、近藤聡乃さん『A子さんの恋人』（ビームコミックス）です。A子さんは日本とニューヨーク、それぞれに恋人がいて、モテモテなのですが、彼女は面白いことに「なぜこの人と私は付き合っているのだろ」と疑問を持ちながら交際を続けている。それからいつも一緒に遊んでいる大学時代の友人のK子さん、U子さんも登場するのですが、それぞれタイプが違っていて面白いんです。U子さんはモテモテで、K子さんはそういうご縁がない。この二人がそれぞれA子さんの言動を見ながら、彼女がいかにダメなのか、なぜそうなっているのか、心の中でツッコミをいれている。さらにニューヨークにいる恋人A君と、日本にいる恋人A太郎、それぞれの違いが比較の中から浮かび上がってくる。このマンガを読みながら、これは上手くいかないなとか、私ならこうするなと、色んなことを考えたくなると思います。全七巻が完結していますので、お楽しみいただけるかと思います。

Q

安心安全な場所のために

みんなが集まる場を安心安全にするためには、どうすればいいのでしょうか。安心安全を謳っている場合においても、やはり裏で攻撃的な悪口などを聞くことになって、つらかった経験があります。一概に「こうだ！」という答えはないのかもしれませんが人ってこういうもんだよねという理解とか、場ってこうだといいよね、というヒントをいただければ幸いです。

山本　これまでとは違う方向からのお尋ねですね。これについて吉川くん、いかがでしょうか。

吉川　まずこの質問、すごくよく分かっていらっしゃる方からのものだと感じました。人間が集まる場所って、本当に複雑です。どれだけ気を配ってお膳立てをしても、なにが起こってもおかしくありません。でもまったくの無策よりは、人間とはどういうものか、人が集まる場とはどのような場所かについての研究があるので、そういった本を読んでみるのがよいのではないでしょうか。

ぴったりの本として、レイ・オルデンバーグの『サードプレイス――コミュニティの核になる「とびきり居心地よい場所」』（忠平美幸訳、みすず書房）があります。サードプレイスとは、第三の場所という意味です。第一の場所は家庭、第二の場所は職場や学校です。多くの場合、ファーストプレイスとセカンドプレイスだけで生活が終わってしまうところがある。しかしやはり人間には第三の場所が必要です。瀧本先生がおっしゃっていた、趣味を人と共有するような場所、あるいは先ほど私が紹介した読書会もそうですよね。人間はそうしたコミュニティを必要としており、人が孤独になりがちな都市生活ではなおさら必要とされます。

このサードプレイスのよいところは、ちょっと逆説的に響くかもしれませんが、重要すぎないところです。ファーストプレイスでは親の介護や子育て、配偶者とのトラブルや生活など、のっぴきならない事情があります。セカンドプレイスは生活費を稼ぐ場所だから、これも気を抜けませんよね。でも趣味のつながりであるサードプレイスは、重大すぎることから離れて、自由に好きなことや自分の好きなものを交換できる場所です。ご質問をいただいた方がつくろうとしている安全安心な場所は、そうしたサードプレイスなのかもしれません。

山本 私が紹介するのは『わたしたちのウェルビーイングをつくりあうために――その思想・実践・技術』（渡邊淳司、ドミニク・チェン編著、ビー・エヌ・エヌ新社）です。ウェルビーイング（Wellbeing）とは、よい生き方という意味で、暮らしやすさや居心地のよさをどうつくるのかについて書かれています。本の構成としては、まずウェルビーイングとは何かからはじまり、自分の、私達の、コミュニティの、インターネット上の……とそれぞれのウェルビーイングの形について書かれています。例えばインターネット上では、毎日ケンカや炎上が起きていますが、居心地よくなるためにはどうしたらいいのか。編著者のお二人は、テクノロジーにも大変詳しくて、人々が悩みを安心安全に共有したり、議論できるアプリケーションを実際に作られてもいます。非常に実践的な本なんです。

この本では、ウェルビーイングの在り方は人によって違っているため、それぞれの居心地のよさをどうやったらいい塩梅でつくれるのかを大事にしています。ご質問に直接役立つ本なのではないかと思います。では瀧本先生いかがでしょうか？

瀧本 最初から酷なことを言うと、まず人と付き合う、あるいは他者との交流の場に行くのには、ある種の覚悟が必要なんじゃないかと思います。他者と交わると傷つくリスクが存在します。そうした覚悟を持つことが重要なのではないでしょうか。

私は、繊細な人が好きです。繊細な心の持ち主は、自己だけではなく他者の心をも思いやることが可能だからです。相手の気持ちを察したり、理解したりすることは、優しさに繋がって行くと思います。優しさを湛えた人間になることが私の生きる目標でもあります。私はどんな時でもいかなる状況下に於いても優しくありたいと願う人間の一人です。が、日常生活に於いてすら残念ながら二四時間いつも優しいということは、とても難しいことだということも経験から知っています。だから現実生活を生き抜くためには、ひとつ、（かふたつ、）自身が最も大切にしている処、そこでだけは繊細に生きるということが重要なのではないかと思っています。後の処は鈍感に生きても良いのではないかと思います。あるいは妥協、非妥協という言葉を使ってもいいかもしれません。ここだけは妥協したくない、貫きたい点を一点確保する。私の場合だと、大学の教員をしていますが、役職（実務）があって、教育があって、研究もあると、残念ながらどれひとつをとってみても妥協の産物でしかありません（笑）。でも私は（研究）論文だけは妥協しないように心掛けています。ここはなんとか、自分の意思を貫徹したい場所です。あとは、情けないのですが、妥協しながら、折り合いをつけながらなんとか生き延びています（笑）。

さて、紹介したいのは、本というより雑誌です。与謝野鉄幹がつくった文芸結社東京新詩社は、一九〇〇年に機関紙『明星』を創刊します。この東京新詩社は非常に自由な空間でした。鉄幹は「新詩社には、社友の交情ありて師弟の関係なし」と述べています。個人の自由を大切にし、男女平等であることを謳ったのです。実際に『明星』からは、山川登美子、与謝野晶子、茅野雅子といった女性の歌人がたくさん輩出しています。この雑誌は、短歌雑誌として知られていますが、美術雑誌でもあり、文学と美術が対等の関係で存在した稀有な雑誌でもあります。このように全ての芸術を対等とみなし、個性や想像力を大事にする。そこに現在のわれわれも見習うべき（規範とすべき）関係や空間が存在しているかと思います。つまり、自由を基底とする理念が内在しているのです。

もう一点、同じ明星派にいた北原白秋、木下杢太郎たちは、「パンの会」という会をつくりました。隅田川のレストランで美味しい料理を食べ、文学や芸術を語り合った。その「パンの会」のメンバーが創刊した雑誌が『屋上庭園』（一九〇九年〜一九一〇年）です。「パンの会」会場にて浪漫派の新芸術を語り合い、その芸術創造の場として雑誌を刊行する。このような行為のなかにかけがえのない空間と時間を共有することの重要性が潜んでいると思います。

私たち一個人はどうやって社会に立ち向かっても、弱い存在でしかありません。現実（社会）は、容赦なく私たちの日常生活を侵食して行きます。そのような状況のなかで、一点だけ守るべきところを失わないようにする。それが北原白秋や木下杢太郎たちにとっては、（比喩的に言えば、）屋上に庭園をつくる行為（文学や芸術の独立性を象徴する場であり、主張する行為）だったのでしょう。社会と一線を画して文学の世界に浸る。白秋や杢太郎たちがそんな場や時間、友人関係を作っていったのも、われわれの参考になるのではないでしょうか。

山本　ありがとうございます。まさにサードプレイスの具体例を挙げてくださいました。

吉川　瀧本先生の、これだけは一つ大切なものを守るというお話から、映画の名匠、小津安二郎の名言を想起しました。「どうでもよいことは流行に従い、重大なことは道徳に従い、芸術のことは自分に従う」と。瀧本先生にとっては論文が、小津にとっての芸術と同じなんですね。

山本 本当にそうだね、フランスの哲学者のデカルトも似たようなことを言ってましたね。どうでもいいことは世間に従っておきたまえ。まさに瀧本先生がおっしゃったように、全方向で全部ちゃんとやろうと思うと、こんなにしんどいことはないから。自分なりの譲れない部分が発見できるといいですね。

「あそび」とSDGs

Q 朝起きると、なんとなくだるくて起き上がれず、一日無駄になります。どうしたらいいですか。

山本 大学生のとき私は毎日そうでした。たぶん吉川くんもそうだと思います。

吉川 妙案はないですね。結構そういうもんだと思っています。ただ少しは抵抗していて、まずスマートフォンのアプリの目覚まし時計を工夫する。いくつかの種類があるのですが、寝息をモニタリングして検知し、ある程度、眠りが浅くなった時間にアラームを鳴らしてくれるアプリがあるんです。

その中でも「Sleep Cycle」というアプリを私は使っています。半信半疑でしたが、けっこういいんですよ。これは手ごろな対策。

もうひとつは、あんまり軽々しくは言えないけれども、うつ病の可能性もあるので、場合によっては専門機関に相談する必要があります。というのも私も経験があって、布団から着替えて外に出るところまではなんとか出来るんだけど、そこから一歩も動けない。会社に足が向かなくて。不思議なことに道端で手を挙げると、車が止まってくれるんですよね。タクシーに乗って、毎日会社まで行っていた。完全にまずい状態です。病院に行って、場合によっては薬をもらって、それで少しだけよくなりました。自分が思っているよりも、症状が重いこともありますから、お気をつけください。思っていたより軽いこともあるけど。

山本　それは「軽かったな」と言って終わればいいからね。瀧本先生いかがですか。

瀧本　私も学生時代はそういう日が多かったですし、今もそういう日があります。こんなに年をとっても、一日無駄に過ごしたなと思う日も多い。なので、これをクリアしていくのは、何人でも難しいんじゃないかな。そういう日は、遊んじゃえと私は思います。それでずっと遊び続けてもいいのではないかとも思っちゃいます（笑）。人間はいつか遊べないときがやってきますので、それまで自由に遊べばよいのではないか。そのように発想を変えて過ごした方が、ある意味健康的だと思います。

森鷗外に「あそび」という小説があります。鷗外は文学者として有名ですが、軍医官僚でもありました。生前さまざまな組織の中で生きづらさを感じてきた人です。鷗外は、文学を「遊び」として捉えています。そして人間にとって「遊び」こそが一番大切なのだとも述べています。「遊び」は、自己を回復し、心を解放していくような行為であると。人それぞれ様々な「遊び」が存在していると思いますので、その「遊び」を共有し、広げて行くような時間を過ごしてみて欲しいなと思います。

山本　今の「あそび」の話は非常に重要ですね。遊びの研究をしたことでも知られるオランダの歴史学者のヨハン・ホイジンガが、『ホモ・ルーデンス』（高橋英夫訳、中公文庫）という「遊ぶ人」を意味するタイトルの本を出しています。ホイジンガが言うには、遊びとは楽しむこと以外の目的を持たない営みです。安心安全な状態でいろいろと試せて、やってもやらなくてもいい。頭を賢くしようとか、得しようとかを考えない状態だと言っているんです。瀧本先生がおっしゃるように、意識して遊ぶ時間をつくってもいいですね。私もそういう日は、起き上がることを断念して、今日はもうダラダラする日と決めていました。でも数日やっていると、何もしないことに飽きてしまって、結局起き上がって何かし始めます。それも難しいのであれば、さっきの吉川くんのアドバイスのように、まずはどこかに相談してみるといいかもしれないね。

吉川　学校には窓口もあるしね。

山本　臆せず遠慮せず、相談してみるのがいいと思います。

Q

ＳＤＧｓについて懐疑的なのですが、先生たちはどのようにお考えでしょうか。『人新世の「資本論」』（斎藤幸平、集英社新書）の影響だと思いますが、今の社会の枠組みを変えるためによい本があれば教えてください。

山本　ＳＤＧｓとは、持続的に社会を運営していくための考え方ですね。このところ流行しているように見えます。さきほど私が紹介した『わたしたちのウェルビーイングをつくりあうために』は、おそらくＳＤＧｓのような企業や国家レベルの大きな話とは別の次元で、ウェルビーイングを達成しようとする試みでしょう。大きなレベルで設定すると、どうしても多様なものを切り捨ててしまうことになります。それに対して、自分の身の回りのレベルでやろうとするのがドミニク・チェンさんたちの発想だと思います。ＳＤＧｓには確かに胡散臭いところがあるかもしれませんが、よいところは活かしつつ、それでは賄えないところは補完していく発想があってもよいかもしれませんね。

吉川　ＳＤＧｓが欺瞞なのかどうなのか、私には正直判断がつかないのですが、山本くんが言ったように、活かせるものを活かしていくやり方しか実際にはないのではないかと思います。

その時にヒントになる本として、カナダの哲学者ジョセフ・ヒースの『啓蒙思想2・0〔新版〕――政治・経済・生活を正気に戻すために』(栗原百代訳、ハヤカワ文庫NF)があります。2・0ということは1・0があったということで、それがフランス革命を生んだ啓蒙思想でした。これによって現在の人権や国家の基礎がつくられたのですが、その前提には、人間は理性的であり、ルールをつくればみんながそれに従ってくれるだろうという理想主義的な想定があった。ところが、近年の進化学や認知諸科学が明らかにしたところによると、実際の人間は理性的どころか、きわめて感情的で偏見まみれで思い込みが激しい。本書は、そうした人間についてのリアルな認識を基礎にして、もう一度政治や経済、生活を考え直そうと提案する本です。基本姿勢を再確認するためには有用だと思います。

山本　瀧本先生はいかがでしょうか。

瀧本　SDGsに懐疑的であるということですね。こういう時は源を訪ねて旅に出るのが、遠回りだけれども一番近道だと思います。例えば、社会と人間との関係を論じた古典的な書物をしっかり読んでみる。アダム・スミスの『国富論』(水田洋監訳、岩波文庫)やカール・マルクス『資本論』(向坂逸郎訳、岩波文庫)。マックス・ヴェーバーの『職業としての学問』(尾高邦雄訳、岩波文庫)。それからルカーチの『歴史と階級意識』(城塚登、古田光訳、白水社)。こういった人たちの硬派な文章に挑戦し、人間と社会との関係性がこれまでどう捉えられて来たのかをベースとして知っておく。そのうえで現代の方にアプローチをしていかないと流行に流されてしまう気がしますね。そして今紹介した本は、物事をどのように捉えるかという思考も教えてくれます。今まで自分とは違った新しい思考を身に着けると、また別の発想も生まれてくるのではないでしょうか。

山本　ありがとうございます。今名前が挙がった本は、通読するのはとても大変な本ばかりですが、読んでみて「難しかったなぁ」と感じるだけでも私は価値があると思います。必要ならまた一〇年後や二〇年後に読み直すチャンスが必ず来ますので、早いうちにいったん手にとってみる、図書館でちらっと見るだけでもいいと思います。ぜひ取り組んでいただければ。

自由な空間を目指して

山本　ということでお時間ですので、私たちのおしゃべりは、一旦ここまでにいたします。
　最後に、一言。いまSNSを見ていると、すごいスピードでニュースが目に入ってきて、すごいスピードで世界が動いているように錯覚してしまいます。そのスピードに流されたり、ついていこうとすると頭がパンクしてしまう。そんな時、本日三人で話してきた本というメディアはかなり便利です。とてもゆっくりと付き合える。速く回転しがちな世の中の中で、ゆっくりとものを考えてみる。そんな時間を一週間の中で少しでもいいのでもってみると、心の安らぎも生まれてくると思います。今日紹介した本を手にして、ぜひそんな時間をすごして欲しいですね。

瀧本　私からは二冊の本を紹介して終わりたいと思います。

今日のお話の中で「遊び」という言葉が出てきましたが、人間は現実生活を生きていくうえで、自由な空間にどれだけいられるのかが大事になってくるかと思っています。では、自由とはどこに存在するのか、学生の方にはぜひ考えていただきたい命題です。ジャン＝ポール・サルトルの『想像力の問題——想像力の現象学的心理学』（平井啓之訳、人文書院）では、想像力を通して自由を獲得する過程が描かれていますので、こうした本などを糧としながら、自由な空間の中で生きること、そして目標に向かって希望を失わないで生きて行って欲しいと思っています。

最後に、森鷗外の『青年』（『鷗外近代小説集第四巻』岩波書店）という小説から、一節を紹介します。

「一体日本人は生きるといふことを知つてゐるだらうか。小学校の門を潜つてからといふものは、一しよう懸命に此学校時代を駆け抜けようとする。その先きには生活があると思ふのである。学校といふものを離れて職業にあり附くと、その職業を為し遂げてしまはうとする。その先きには生活があると思ふのである。そしてその先きには生活はないのである。現在は過去と未来との間に劃した一線である。此線の上に生活がなくては、生活はどこにもないのである。」

学生から社会人になるとより一層凄まじく時間が速度を増して流れて行きます。だからこそ時間を大切にして、自由な空間を確保しながら有意義な「遊び」ができるような大人になって行ってください。私自身もなかなか出来ていないのですが、そういう人間でありたいと思っています。これを学生諸君に贈る言葉とさせていただきたいと思います。どうもありがとうございました。

吉川　とても楽しい時間でした。ありがとうございました。

（構成：山本ぽてと）

※本章は立命館大学教養教育センターが二〇二一年三月七日に開催した「SERIESリベラルアーツ：自由に生きるための知性とはなにか［Session 04］その相談、あの本なら、こう言うね。F/哲学の劇場」（ゲスト：瀧本和成、山本貴光、吉川浩満）を再構成したものです。

⬅イベントの模様を動画で観る
https://youtu.be/1K0qT4_6lEk

トークセッション
PART3
学びを続ける

10

本を読む、ものを書く、編集する

——本づくりの現場から

「本を読む」「ものを書く」という行為とともに、「編集する」という行為をクローズアップし、その重要性や可能性について考えてみたいと思い、書籍や文学に関するプロフェッショナルたちをお招きしました。

登壇者

坂上陽子（さかのうえ・ようこ）

2003年、河出書房新社に入社。シリーズ「池澤夏樹＝個人編集 日本文学全集」など単行本編集を経て、2019年1月より『文藝』編集長を務める。担当書籍に『想像ラジオ』（いとうせいこう、2013年）、『平家物語 犬王の巻』（古川日出男、2017年）、『大阪』（岸政彦、柴崎友香、2021年）など。

瀧本和成（たきもと・かずなり）

立命館大学文学部教授・文学研究科長。専門は日本近代文学。研究テーマは20世紀初頭の文学。共編著書に『明治文学史／大正文学史』（晃洋書房、1998/2001年）、『明治文芸館Ⅰ～Ⅳ』（嵯峨野書院、1999～2005年）、『石川啄木事典』（おうふう、2001年）、『韓流百年の日本語文学』（人文書院、2009年）など。

山本貴光（やまもと・たかみつ）

文筆家、ゲーム作家、ユーチューバー。東京工業大学リベラルアーツ研究教育院教授。著書に『マルジナリアでつかまえて』（全２巻、本の雑誌社、2020/2022年）、『記憶のデザイン』（筑摩書房、2020年）、吉川浩満との共著に『その悩み、エピクテトスなら、こう言うね。――古代ローマの大賢人の教え』（筑摩書房、2020年）など。

吉川浩満（よしかわ・ひろみつ）

文筆家、編集者、ユーチューバー。著書に『理不尽な進化 増補新版――遺伝子と運のあいだ』（ちくま文庫、2021年）、山本貴光との共著に『人文的、あまりに人文的――古代ローマからマルチバースまでブックガイド20講＋α』（本の雑誌社、2021年）など。YouTube／ポッドキャストチャンネル「哲学の劇場」を山本と運営。

2022年3月19日開催

編集とはなにか？

瀧本　第一〇回目のテーマは「本を読む、ものを書く、編集する」です。司会を担当させていただきます、立命館大学文学部・文学研究科の瀧本和成と申します。本日は三名のゲストをお呼びいたしました。

坂上　季刊文芸誌『文藝』の編集長をしております坂上と申します。『文藝』は河出書房新社から出ているいわゆる「五大文芸誌」のひとつで、小説や批評を掲載しています。今日はどうぞよろしくお願いいします。

山本　山本貴光です。物書きの仕事をしています。去年から東京工業大学で、哲学の講義を担当しています。元々はゲームクリエイターの仕事をしていました。

吉川　吉川浩満と申します。私は肩書に「編集者」とありますが、編集の仕事を始めたのは一昨年からで、まだまだ新米です。これまでさまざまな仕事をしてきましたが、今は晶文社という出版社で編集者をしています。ほかにも本を書いたり大学で教えたり、中高生の卓球コーチをしたりしています。

瀧本 本日は、皆様と「編集とはなにか?」というテーマで多角的な視点から自由な討議ができたらと思っていますので、どうか宜しくお願いいたします。

まずは私から、「編集」について簡潔にご説明したいと思います。「編集」の言葉が活字のうえではじめて出てくるのが、一三五六年です。二条良基が編集した『菟玖波集』という中世の連歌集の中で初めて「編集」という言葉が出てきます。それ以降、時代を超えて「編集」という言葉が使われていくことになります。現代は「集」という文字を書きますが、当時は「編輯」という字を多く使っていました。あるいは「編纂」という形で示されている書物もあります。「集」が使われるようになったのは戦後からだと思います。戦後、「輯」が異体字となり、「当用漢字」に入れられませんでした。それで「集」が使われることとなり、現代にいたっています。

私の専門である近代文学を見てみると、優れた文学者が同時に優れた編集者でもあることが多いと感じています。例えば森鷗外は『しがらみ草紙』『めさまし草』『スバル』といった雑誌を創刊し、編集を手がけています。慶應義塾大学の『三田文学』は、永井荷風が創刊しました。与謝野鉄幹は『明星』を編集し、文学だけではなく美術的な側面を備えた優れた雑誌をつくっています。文学者の優れた編集から生まれた雑誌や本はたくさんありますが、同時に文学者は誰しもが自分の中に「編集」の機能を備えていると私は考えています。

それでは、いったい「編集」とはなんでしょうか。そこには五つの働きがあるのではないでしょうか。第一に「集める」こと。第二に集めたものを「並べる」こと。第三にそれを「分類」していくこと。第四に「発見」すること。最後に「育てる」ということです。

こうした五つの働きを行っていくなかで、その行為のなかに自ずとひとつの思想、主張が見えてきます。雑誌や本が世界観を構築して行くベースに、編集の力があると考えています。加えて、雑誌を作るなかで、装飾的な側面や、芸術性もそこに加わります。編集とは、本や雑誌を通した総合的な芸術活動なのではないでしょうか。

ここまで編集の機能についてお話をさせていただきました。それでは、現役の編集者である坂上さんと吉川さんに、編集することと自分が書くことの共通点や異なる点についてお話を伺いたいと思います。

坂上　私が編集部に配属されたとき、すごく尊敬する編集者に「編集者の仕事が九割は謝罪で、あと一割が探し物」と言われました。今思い返してみても、それは本当だったなと感じます。

書くことと編集することの一番の違いは、書くことにはオリジナル性が求められることです。商業的であってもなくても、書く人はその人固有のものを外に向けてどう出すのかを考えます。編集者はそれをあくまでもお手伝いする。不特定多数の人に、そのオリジナルなものをどうやって広めたらいいのか考える、ハブのような役割を背負っていると思いますね。書かれたものは人に読まれることで初めて完成するので、その「読まれる」ためにどうするか、というところをお手伝いするのが編集者だと思います。

吉川　坂上さんと瀧本先生のお話、おっしゃる通りですね。そもそもものを書くときにもなんらかの編集をしている。「意識の流れ」なんて言葉がありますが、本当の意識の流れをそのまま書いても誰にも理解されないので、読めるように編集している。そのような意味では根本的には同じことをしているのでしょう。

瀧本　山本さんは編集のお仕事を直接されてはいませんが、書き手として編集者とお付き合いがありますよね。

山本　先程、坂上さんが「謝罪九割」とおっしゃっていましたが、執筆も謝罪が九割で、私のパソコンでは「お」と打つと、予測変換で「遅れてすみません」が出てきます……。

というのは措いといて、先ほど吉川くんが言ったように、ものを書くこと自体がすでに編集ですよね。どのような順番でどのように文字を並べると読む人にうまく伝わるのかを考えますから。

ただし、自分で編んだものは価値判断が難しいので、どうしても第三者の目が必要になります。私もいろんなタイプの編集者さんとお付き合いをさせていただいていますが、いつも本を書いたり、作ることは、音楽のバンド活動みたいだと感じます。仮に執筆者をボーカルだとすると、編集の方がドラムだったりベースだったり、デザイナーさんがいたり。どの編集者と組むかで、バンドの演奏もかなり変わってくる気がしています。それから、自分が書いた文章を、最初に読むのは編集者であることが多い。そのときその人がなにを言ってくれるかで、そのあとにどんな推敲をするのかも左右されます。書き手のタイプによって違うかもしれませんが、私はドラムがそういうリズムを刻んできたら、こっちはこうするよと、ジャズのセッションのようなつもりでやっております。人と人との間、テキストとテイストとの間にいるのが、書き手からみた編集です。

吉川　バンドのたとえは面白いですね。一般的なイメージでは、書き手はボーカルでしょうか。「ボーカル以外、全パート募集」みたいなイメージがあると思いますが、ボーカルみたいな編集者もいるんですよ。ですから「編集とは」みたいなお話は、原理的にはいくらでもできますが、実際にはバンドのようにそれぞれで、その違いを見るのも面白いと思います。

山本　同じバンド名だけど、メンバーが少し入れ替わるだけで、曲もだいぶ違った感じになったり。

坂上　たまにフィーチャリングもありますよね。

瀧本　なるほど。そうした楽しみ方もあるのですね。

読む、書く、編む

瀧本　普段、学生の皆さんは本を読んだり、あるいはレポートを書いたりしています。そうした読むことや書くことと編集という行為や作業はどう繋がっているのでしょうか。

山本　私がいま思い出したのは夏目漱石のことでした。漱石先生が読書法について述べている文章があります。曰く、本を読む場合、頭からおしまいまで読まなくてもよい、拾い読みでもよい。自分の頭の中に気になっていることがあれば、本を読むうちに「これは」と思う一節に出会ったりするものだ。そうした示唆を得られたなら、その本を読んだ甲斐があったというものだ、と。ものを読むということは、他人が考えて書き記した一〇万字や二〇万字もの文章に付き合うことですよね。それだけ他人の書いたものに付き合ってみると、自分だけでは考えつかないことも思いついたりするわけです。そうした読書で得たものが種やきっかけになって、今度は自分がものを書く。読むと書くの間には、こういうサイクルがある。大江健三郎さんもどこかで読むことと書くことは車の両輪であると言っていたかと思いますが、たしかにそうだなと思います。

これは坂上さんにお聞きした方がいいと思うのですが、ある時期の文芸新人賞の応募作品には、村上春樹さんのコピーのようなものがよく見かけられたという話を聞いたことがあります。それである批評家が、読まずに書くとそうなってしまうのだと指摘しているのをお見かけしました。いろいろなものを読んで頭の中でシャッフルされてこそ、坂上さんがおっしゃっていた「オリジナル」が出てくるのではないでしょうか。

瀧本　ありがとうございます。吉川さんも、書くことをお仕事にされてきて、今は編集者として働かれていますが、やはり共通点はありますでしょうか。

吉川 今の山本くんの話に全面的に賛成です。なにをどう書いても傑作になってしまうような天才は読まずに書いていいのかもしれませんが、ほとんどの人はそうではない。だから九九・九パーセントの人には、読んで書くことをおすすめします。われわれを含めて普通の人間は、やはり読まないと「習慣の奴隷」になるんですよ。そういう意味では「なんだこれ」というようなものも含めて読むのが大切だと思います。思ってもないようなものを読むことによって、頭の中がシャッフルされ、少しは習慣から離れてなにかできるようになる。そういう意味では、書く前に読むというよりは、書きながら読む、読みながら書くというやり方になるのかなと思います。程度の差はありますけどね。

山本 頭の中に異物がないと、手癖で書いてしまいますよね。

瀧本 どうもありがとうございます。坂上さん、今のお二人の話を受けてご意見などございますでしょうか。

坂上 吉川さんが九九・九パーセント、読んだ方がいいとおっしゃいましたけれども、私は九九・九九パーセントかなと。

吉川　さらに多かった（笑）。

坂上　私は主に小説の編集をしていて、作家のデビューにも立ち会う機会が多いのですが、選考委員をつとめるいろんなベテランの作家さんがおっしゃるのは、最初の一冊目、一〇万字は誰でも書けてしまうんです。ただ、仮にその作品でデビューしたとしても、そのあとさらにプロの作家として、新作を定期的に書き続けなければなりません。一生続けていく仕事ですよね。天賦の才能やすでに持っているネタだけを大事にしているだけでは、書き続けることはできません。本を読まない人は頭打ちになってしまうことが多いです。自分だけで持っているものはどこか限界がきます。読むことが一番、書くことの上達につながる。

先程吉川さんがおっしゃっていた「意識の流れ」と言われるような作品を執筆する作家たちも、ただ無邪気に気が赴くままに書いているのではなく、いろんな作品を読んだ上で、何を書くか、書かないか、その選別を頭のなかでして、ある意味自分の作品を編集しながら書いている。その上で出来上がったものがまったくそのプロセスを感じさせないというのが才能だったり、面白さだったりするのです。だから読むことはとても重要。そして編集者としても、読まないと企画のネタが出てきません。

瀧本　編集というのは、出版社に勤めて編集の仕事をするということだけを指すのではなく、私たちが読んだり書いたりするなかにすでに編集という行為が包含されているということがお話を伺っていてわかりました。
さて、視聴者の方から質問をいただいています。

Q 伝えたいことがたくさんあり、文章がまとまらない。短い文で伝わる文章を書くにはどのような編集の視点が必要なのでしょうか。

吉川 この気持ち、よくわかります。私もよく頭の中がワーッとなっちゃう。学生の方におすすめなのは、大学のアカデミックライティング講座です。まとまった文章の書き方がひと通り学べ、かなり役に立つと思います。
アカデミックライティングを学ぶと、ひとつの段落ではひとつのことしか言わないとか、論述の順序はどうするのかとか、具体的なノウハウがわかります。そして、そうやって考えを整理してみると、実は大したことは全然言えないということもわかってくる。ちょっとがっかりしますが、そこから出発して積み上げていくしかないかなと。

山本 私は去年までこの立命館大学大学院でアカデミックライティングの講義を担当していました。おすすめしたい本としては、物理学者の木下是雄さんが書いた『理系のための作文技術』(中公新書)です。吉川くんが挙げてくれたような手法を、トピックライティングというのですが、その方法のエッセンスが手短に書いてあります。

それから、どうやって書くのかは、読むほうからもトレーニングできると思います。例えば人が書いた三〇〇ページなら三〇〇ページの本の文章の要約をしてみる。そのとき、三段階くらいでやってみるとよいですね。まずは三〇〇ページの本を文字数を気にせずともかく要約してみる。それが出来たら次にその要約をもとに、さらに要約する。例えば一〇〇〇字にしてみる。それをさらに三〇〇字で、とチャレンジしてみる。もっと細かく段階を設けてもいいと思います。ともかく、そんなふうにしてもとの文章をどんどん煮詰めていくわけです。こうしたトレーニングを繰り返していると、自分が書く時に今度はその逆をすることができる。つまり、要約したらどのような一文になるのかという観点から広げていくわけです。

瀧本 エッセンスがそこで絞られていくかんじですね。

吉川 それに慣れてくると、その逆もできますよね。エッセンスを一行で書くと、それがトピックになる。そのトピックを書いていくと、パラグラフになり、それを書き続けるとチャプターになって……といくのが理想ですが、そんなにうまくできなくても、今紹介された『理系のための作文技術』を読むと、トピックを並べていけばいいんだと、最初の一歩が踏み出しやすくなります。

伝えたいことがたくさんあって、頭がワーッとなっている時は、一歩目が大変です。書かないままウワーッとなっている状態がつらい。私のパソコンにも"The first step is the hardest."と書いてあります。とにかく、最初の一歩のハードルをなるべく小さくできるように工夫していけば、書きやすくなるのではないでしょうか。

山本　あと私の場合は、人類学者の川喜田二郎さんが『発想法――創造性開発のために』（中公新書）で紹介している「ＫＪ法」もよくやります。名刺ほどの大きさのカードを使い、一枚につき一アイディア、気になっていることを書きます。そのカードの束が出来たらテーブルに広げ、それを眺めながら、「これはこれと一緒」とまとめていく。頭の中にあるものを一度外に出し、手で触っていくイメージです。

瀧本　面白い方法ですね。

吉川　ちなみに川喜田二郎《かわきたじろう》だからＫＪ法というんですよね。近い将来、映画『マイノリティ・リポート』（二〇〇二年）でトム・クルーズがやっていたみたいに、ＶＲとかＡＲでできるようになるかもしれません。

坂上　私もこの悩みは、すごく共感します。企画書づくりが昔から下手なんです。編集部に入りたての頃は、とにかく熱い思いをわかってほしい！　とすごく長い企画書を書いて、たくさんの資料をつけて提出してました。でも、誰も読んでくれないんですよね。よく言われることではありますが、Ａ４一枚でまとめることが重要です。「私はこんなに好き！」と読む相手のことを考えず、自分の気持ち一〇〇パーセントの分量で伝えるよりも、三〇パーセントぐらいにポイントを絞って伝えたほうが、相手が解釈した上で理解する余地が出てくるので、むしろ意図が伝わるような気がします。

吉川　企画書って、いわゆる出版社で編集者にならなくても、いろんな機会に書くと思うんですね。おっしゃる通り、企画書が上手い人は、長すぎない。

坂上　三行で伝わるんですよ。

山本　私が昔ゲーム会社に勤めていたときも同じでしたね。新しいゲームをつくる際、企画書を書くのですが、やはり伝えたいことが多すぎて、熱く、長く、分厚くなってしまう。決裁権を持っている偉い人に見せると「一枚にしてこい！」と突き返される。当時は「理不尽だなあ」と思っていたのですが、結局は一枚で伝わるくらいコンセプト（ゲームの場合、そのゲームで提供したい主要な体験はなにか）を練られているかを問われているんですね。

坂上　経験則ですが、企画書づくりが上手い編集者は、本づくりも上手い気がしています。タイトルや帯のコメントをどうするのかなど、最初のコンセプトがしっかり固まっている人ほど軸にブレがない。

山本　自分で本を書くときの企画書も、ゲーム会社の時と同じやり方で通用しているので、存外同じようなことをしているのだなと思いました。

坂上　キャッチフレーズは前の方にもってくるとか。

山本　そうそう。そこは新聞の文体を見習うといいです。新聞ではニュースを報じるとき、読者が途中で読むのをやめても何が報じられているのかがわかるように書く。本文が八〇〇字あったとして、見出しでどんな事件が起こったのかがわかり、最初の一〇〇字で事件の概要が示されて、ここで読むのをやめても大まかにはわかる。さらに詳しく知りたい人は最後まで読むと。そうした書き方が企画書でも大事だと思いますね。

瀧本　今のお話は、ゼミでレジュメやスライドをつくる時にも活用できますね。

坂上　あと、書いた後、誰か他の人に読んでもらって、意見をもらうのも大切です。一人で悩んでいてもドツボにはまってしまうので。お友達に読んで感想をもらったり、お友達がいなくてもインターネットがあるのでそこに公開してみたり。いろんな方法でいろんな人の意見を聞く方法もあると思います。

もうひとつ、新人の作家さんには、音読することをよくおススメしています。自分が書いたものを、声に出して読んでみる。声に出して読んでみて、自分でわからなかったら、読む人もわからないので。

Q 本やまとまった文章を書くとき、どんなふうに情報収集して、どのように書いているのでしょうか。

山本 これもまた難しいことですね。今は情報取集手段が本当にたくさんあり、情報が見つかりすぎて困るほどです。

自分の場合を振り返ってみると、必要が生じてから調べることもありますが、日ごろなんの目的もないのに、本を買ったり集めて読むことのほうが、役立っている気がしています。自分で蔵書を持つのもいいし、図書館を使うのもいい。書物や論文の集積している場所に馴染みを持つことが重要です。

シャーロック・ホームズは「情報そのものを探しに行くのではなく、どこに探しに行けばいいのかを押さえておけばいいんだよ」と、ワトソンに言っていたかと思います。そのように、日ごろから何の役に立つのかわからないけれど、こういう知識がこういう場所にあると頭の中に大まかなマップが出来ていて、疑問が浮かんだら、あそこに行けばなにかあるのかもと当たりをつけられるといいいんじゃないかな。

吉川 探偵らしい金言ですね。私もシャーロック・ホームズ方式がよいと思います。

坂上 私も「知恵袋を捕まえろ」と編集者の先輩からよく言われました。自分の頭の中からだけでは出てこないので。

自分が興味のある分野であれば、インターネットである程度は深掘りできると思います。ですが、興味がない分野であれば、まずは書店や図書館、古書店といった本のプロが並べた棚の前に行ってみるのがいいと思います。この本の隣の本は見たことないけどおもしろそう、などと、読者を導く導線が見事です。また、この方法の良いところは、インターネットでアクセスできない情報が得られる点です。ネットにはやはり限られた時代の情報しかなく、一九七〇年代や一九八〇年代以前のものはなかなかアーカイブされていません。リアルな書店の方が、様々な時代のものが残っています。棚を見ることで知らない本に出合うことも多いです。

山本 インターネットで調べている間はブラウザの上にタブ（や個々のページ）が並んで文脈もできるけれど、一晩寝たらすぐに失われてしまいます。それに対して、本屋さんや図書館の棚のように、細かくは入れ替わっていくけれども、ここに文芸があって、あちらに哲学があって、そちらに物理学があって、法律学があって……と大きく位置が入れ替わらないような形で馴染みある物理空間があるのは大事かなと思いますね。何度も通ううちに、そうした空間の配置とともに知識のマップも頭に自然と入ったりして。

坂上　そうですね。インターネットは自分が見たいものしか見ていないので、その結果として陰謀論のような、一見わかりやすいけれど間違ったストーリーから抜け出せなくなってしまうこともあると思います。でも世界はひとつの物語で出来ているわけではないですよね。どうしても社会に出ると時間がなく、リアルな書店に行ったり、本を読むことさえしんどくなってしまいます。必ずしも本を買ってほしいと言いたいわけではなく、書店や図書館に行くと、人生の手引き、身の置き場が多様にあるんだとわかるような気がします。

吉川　特にコロナ禍以降、リアルが大切だと強く思うようになりましたね。ネットで調べるとハードルが低いので、誰でもできる。そうすると坂上さんがおっしゃったように陰謀論にはまってしまうかもしれない。普段から気軽に書店に行ったり図書館に行ったりしておいて、ハードルを下げておくのはいいかもしれませんね。

瀧本　情報収集のための自分の居場所（立体的な場空間）を見つけることがとても重要ですね。

Q

本を読む力をつけ、豊かに読めるようになりたいです。どうすればよいでしょうか。

瀧本　まずは私から。学生の皆さんであれば、一〇年以上は文章を書いてきていますから、自分の書いたものを改めて読んでみるのはどうでしょうか。自身の書き方の癖や思考の特徴が分かるかと思います。

　特に日本人の学生のレポートを読むと、帰納法的な思考で書かれたものが圧倒的に多いと感じます。そのような学生さんは、他の思考（例えば演繹的な思考）で書かれた書物を読んでみると良いのではと思います。例えばもっとも演繹的な思考をした思想家ニーチェの『ツァラトゥストラはかく語りき』を読んでみる。一九世紀以降でしたら、ヘーゲルやマルクスによって弁証法的な思考が打ち立てられました。このように自分の思考を変えるような読書をしてみると、多様な捉え方ができるようになり、発想が豊かになっていくと思います。

山本　私のおすすめは母語を異言語のように読むことです。母語は慣れ親しんでいるので、スラスラと読めてしまいますが、そこに罠があり、「読めたつもり」になってしまうのですね。私はぼんやりしているので、大学を出た後に気がつきました。何年か、会社に勤めながら週末に古代ギリシア語を習いに行っていた時期があります。古代ギリシア語は、時代も地域も違えば文化も違う人びとの言語です。文字も文法も語彙も日本語とはまるで違っていて、慣れるまでは辞書を引くのも一仕事でした。慣れない異言語だけに、テキストを読む際にも、文法の知識に照らしあわせながら明確に理解しようと努めるわけです。そうしたトレーニングを繰り返していくうち、他の言語でも、同じように正確であることを目指して読まなければ、と頭が切り替わりました。じゃあ、日本語もギリシア語のように、よくわからない前提で読んでみよう、といちいち突っかかって読むことになった。そうすると読む力が付く気がしますね。

瀧本　「読む力養成ギプス」ですね。バネが物凄く強い（笑）。吉川さんどうでしょうか。

吉川　月並みなことを言いますが、たくさん読むのはいいことだと思います。たとえば、自分の知らない世界について書かれたルポルタージュや伝記を読んでみる。すぐに「〇〇力」みたいな力はつかないかもしれませんが、「こんな場所があるんだ」「こんな人がいるんだ」と読書が楽しくなる。あえて「豊かに」なんて思わなくても、本を読めばなにか考えるものなので、それでいい気もします。

坂上　山本さんや吉川さんがおっしゃったように、海外で書かれたものなど、自分が既に知っている文脈とは異なる作品を読むのはとてもいい気がしています。あとは時代の違うもの。インターネットでは同時代に生きている人がリアルタイムで何を考えているのかがすぐ情報摂取できますよね。それも大事なんですが、全然違う時代や国の本を読むと、多様性に触れられて「こんな人がいたんだ……」ともっと自分の考えを広げることができると思います。いろんな立場や価値観、知らない知識を数時間・数日で得られるのが本の力だと思うので。ちなみに私も最近突然ですが、英語の勉強を始めました。大学を卒業して、英語を勉強できる環境ではなかったのですが、楽しいです。山本さんがおっしゃったように、新しい文章の読み方ができることを発見しています。

山本 加えて二冊ご紹介できればと思います。読むことは、他人の言葉に付き合うことです。要するに、他人の考えたことや書いていることをどう受け取るのか、どう解釈するのかというわけですね。

一冊目はレーモン・クノーの『文体練習』（朝比奈弘治訳、朝日出版社）です。とても奇妙な話で、ある男がバスに乗ってどこかに向かう途中であるというなんでもない出来事の描写を、九九通りの文体で書いています。数学的に書いたり、高校生的に書いたり、同じ内容だけれども文体はこんなに違う。こうした当たり前のことを実感するのが、読むことに繋がっていくのだと思います。

もうひとつは岸政彦さんが編集した『東京の生活史』（筑摩書房）です。東京にゆかりがある人一五〇人に、一五〇人の聞き手が聞き取りをして「あなたはどんなふうに生きてきましたか」とインタヴューをしたものを一万字ぐらいにまとめた、とんでもない本です。読むとめちゃくちゃ面白いし、当たり前だけれども、何より人間は全員違うし、わけがわからないものだということを痛感します。

話を戻すと、文章は基本的に他人が書いたものだから、よくわからないところら出発していくのが大事だなと思いますね。

吉川 まさにそういうことが言いたかった（笑）。

瀧本 お纏めいただき、ありがとうございます。会場にいらっしゃっている方からも質問を伺いましょう。

Q

今日は、はじめに瀧本先生の方から、編集の五つの働きというものを挙げてくださっていました。そこで「発見する」ということも挙げられていた。ここは坂上さんにお伺いしたいのですけれども、編集されていて、いろいろ楽しいことや大変なことがあると思うのですが。これまでどんなことを発見されたのでしょうか。

坂上 「発見する」よりも「発見させられる」ことの方が多いですね。自分で考えて発見したことは、大したことではないことが多いです（笑）。この仕事をしていると、常に新しい原稿をもらいますから、様々なことを発見させられます。また、本が出来るまでには、著者はもちろん、その本を売ろうとする営業部など、様々な人との対話がありますし、細かいところでは原稿のファクトチェックをする校正者さんの指摘によっても、まさに「発見させられる」ことが多くあります。

吉川 坂上編集長の「発見させられる」というのは言いえて妙で、実際にそうなんですよね。「発見する」というと、すごく主体的、積極的なイメージがありますが、実際には向こうからやってくることが多い。自分はなかなか発見できないなと思っている人もいるかもしれませんが、本屋さんに出かけてみるだとか、読書会に参加してみるだとか、「発見させられる」ような環境を見つけたり、身を置いたりすることの方が簡単かつ有効なのではないでしょうか。

坂上 私の会社の大先輩で、阿部晴政さんという永山則夫や佐々木中さんの本をつくった編集者がいてすごく尊敬しています。彼はやっぱりものすごい勢いで本を読んでいますね。そして人に声かけをしてご飯を食べたり、お茶したり、フットワークがとにかく軽い。編集者にとっては本をつくることは著者や原稿を見つけることでもありますが、まずは生活から真似てみようと思いました。吉川さんがおっしゃったように、いろんな環境に自ら飛び込んでみるのが凡人にはいいのかなという気がしましたね。

Q

私は毎日 note で書き続けて五〇〇日ほどになります。それを書くにあたって、最初は気にしていなかったのですが、「人に読まれたいし、評価をされたい」というふうに変わってきました。誰かに気づかれる、読まれるようなきっかけの創出は、どんなふうに意識をすれば、気づかれるようなものを書けるのでしょうか。

坂上 うーん……。

瀧本 難しい質問ですね。

坂上　でも五〇〇日続けて書いてらっしゃるだけでもすごい。先程も申し上げましたが、物書きは続けることがまず一番大事なんですよね。ものを書くと、精神も肉体も削られますから。まず続けていらっしゃることを大絶賛したいです。「どう見つけられるか」って本当に難しいんですよ。特にインターネット上にはいろんなものがあるので。

山本　よく言われることかもしれませんが、続けていることに加えて、もう一つポイントとしては、「この人はこれをやっている」という特定のテーマや観点があるとよいかもしれません。何であってもよいと思うんですよ。例えば、生物統計学者の三中信宏さんが本で紹介していた例に面白いものがあります。お弁当に入っている魚の形をした醤油入れがありますよね。どうやらこの魚型の醤油入れ（正式名称は「魚型たれびん」というそうです）にはいろんな種類があるそうなのです。沢田佳久さんという昆虫学者が長年この醤油入れを集めていて、それを昆虫よろしく分類をして本まで出していま す。こうなると、そのことについて沢田さんは地球上の誰よりも詳しそうな感じがしてくるわけですね。これは一例で、必ずしもそこまで絞る必要もないと思いますが、ずっとこのことが気になっているというものが見えてくると、発見されやすくなるかもしれません。

坂上　そうですね。やっぱり人って、知らないことを知りたいとか、読んだことがない新しいものを読んでみたいという欲望が強いこともあるのか、それこそ小説でもデビュー作が一番届けやすかったりします。だから、他の人が全くやっていないことをやってみたり、書いたりするのはいかがでしょうか。それこそ誰も行ったことのない、あまり情報がない土地に行ってみるとか。そういう「レアさ」を意識なさってもいいかと。もうされていたら恐縮なんですけど。あとは自分のことを本当に率直に書いてみる。ご自身の物語はまさにオリジナリティであり、みんながいちばん読む気になったり、気になるところなので。あとはやはり続けることですよね。まめに更新している方が、フォロワーは増えていくので。あとはなぜこの文章を読んで欲しいのか。読んでもらうために、noteは適した場所なのかを考えてみるのもひとつの手かもしれません。

吉川　noteをやっていて、SNSもやってらっしゃるのであれば、やれることはやってらっしゃるのではないでしょうか。人に注目されたり読んでもらうためには運の要素も大きいと思いますが、でもその「運」はやっていないとめぐってこない。そういう意味では、つづけるのが一番だと思います。

坂上　五〇〇日が五万日になるとすごいことになります。

瀧本　樋口一葉は二五歳で亡くなりましたが、彼女の全集の三分の二は日記です。書き続けることで作品になって行くのですよね。あるいは野上弥生子は九九歳まで生きましたけれど、全集五八巻のうち一七巻が日記です。一九二三年から一九八五年までの六三年間にわたって書き続けたわけです。日記に書かれた断片的なことが、やがて物語になっていく。したがって、今取り組まれていることは重要なのではないかと思います。あまりアドバイスにはなっていないかもしれませんが……。

Q

これまでお三方が手がけられてきた中で一番やりがいのあったお仕事や、やりがいを感じる瞬間を教えてください。

坂上　私、この質問だと一時間くらい喋れる（笑）。手前味噌ですが、『文藝』の編集長という立場になって得た経験は、人生の中でもものすごく大きい気がしています。チームワークの大切さだったり、定期刊行という強制スクロールの中で、どうものを作ることができるのかだったり、今も毎日が非常にスリリングです。

雑誌には「集める」面があります。単行本は、共著もありますが、一人の著者に一冊を頼むような形が多い。しかし文芸誌だと、原稿を依頼して、読んで、ゲラにして……という作業を複数の人間で五〇個ほど同時並行でやっている。それぞれバラバラで動いて、それらが製本されて出来上がった時にめくって初めて「こういうことだったんだ」と見えてくるものがあります。さきほど企画書を作る前にコンセプトをつくろう、と言いましたが、逆に最終形が見えないままスタートする面白さを『文藝』の雑誌づくりで感じています。

私は自分が好きな小説はそこまで売れないし、ましてや文芸誌なんて売れないよな、と最初からあきらめていました。でもちょっとしたきっかけで、ちゃんと売れると、読まれて、届いて、感想が返ってきて、それが励みになって……とそんな健全なサイクルがありえることにびっくりしたんです。「こんなに読む人たちがいたんだ」と驚いた。こんなに作品に感情を揺さぶられ、ＳＮＳに投稿する人たちがいっぱいいるんだと。自分が小説を舐めていたな、と反省しました。読者と直接に話したことはないですが、そういった感想の循環が言葉のキャッチボールをしているなという感覚はあって、この仕事をやってよかったなという気持ちになっていますね。

吉川　私もいろいろありますが、先日、私が担当した本の著者が新聞でインタビューを受けたんですね。そうしたら数日後、大学時代に同じサークルだった憧れの先輩からメールが来たんだそうです。新聞読んだよって。それ以来、毎日 Zoom で話をしているそうです。

坂上　素敵。

吉川　そういう話を聞くと、「本が世の中でちゃんと生きて動いているな」という感じがする。そういうことが起こるのはいいですよね。

Q　実際に編集者を目指そうとしています。そこで、やっておいた方がいいと思うことがありましたら、ぜひ教えていただきたいです。

坂上　そうですね。なぜ編集者になりたいのでしょうか。編集者といっても、私は小説に関わっていますが、吉川さんのように人文書を担当される方もいます。実用書や絵本、写真集、様々な種類の本がある。文庫や新書でもそれぞれ細分化されています。その中でどんな本に関わりたいのか。
入社前にやっておいた方がいいのは、誰にも負けないと思えるような特技をつくっておくことでしょうか。さっきのお醤油の入れ物もそうですし、たくさん海外に行ったとかでもいいと思います。そうした方が、著者と話す時に雑談や作品づくりのきっかけのネタになるし、企画に活かせるかもしれません。自分をどのように捉えて、どうプレゼンしていくのかを考えてみるといいでしょう。あとは月並みに、本を沢山読んで、映画やいま出てきている様々な新しい表現物をたくさん見たほうがいいというのもありますが。

瀧本　自信のあるところを持っておくことが大事ですね。

坂上　そうですね。もちろん、のちのちになってその特技に自信を失うこともあると思いますよ。でもそれが杖になっていくことはあります。時間があるときにそういうことを見つけておくと後が楽かなと思いますね。

吉川　坂上さんと同意見ですが、もうちょっと手っ取り早いことを申し上げると、学生さんだったら、ゼミや卒論、研究を頑張るのがいいと思います。自分の興味や研究のどこが面白いのかを他人に語れるくらいまで打ち込むのは大事なことだと思います。社会人の方であれば、自分の好きなことや得意なことをもう一度見直してみてもいいかもしれませんね。あとは求人情報をしっかり確認する。この業界は古くて、求人情報もシステマティックではなく、急にポンと出たりします。Twitter で求人情報や出版社の検索結果を保存しておいて、いつでもチェックできるようにしておくこともけっこう重要です。

瀧本　とても具体的なアドバイスをいただき、ありがとうございます。

Q

最近、小説よりも漫画や動画の方が楽だなと感じます。大学生に限りませんが、こういった人たちが増えていると思いますが、これに関して何かご意見ありますでしょうか。

坂上　私も最近 YouTube ばかり観てますし、全然いいと思いますよ（笑）。これからもっと社会において動画コンテンツが占める割合が大きくなっていくでしょう。でも動画と小説で得られる体験は違います。本と映画でも全然違いますよね。本は一対一で、自分の時間軸でじっくり向かい合える面白さがあると思います。また同じ一本の映画でも、映画館で見るのと配信で見るのとでは体験がちがうように、それぞれに固有のおもしろさがあるので、いろんな楽しみ方のチャンネルを持っておいた方が良いのではないでしょうか。

山本　私もよくゲームをします。坂上さんがおっしゃるように、それぞれのメディアで特徴や伝わるものが違います。例えば、「この一〇分の動画で二〇冊分の知識を得られる」なんていう売り文句があったとして、本当にそうなら素晴らしいし、本はいらなくなる。でも、実際はそうじゃない。一〇分の動画を見て得られるのは一〇分の動画に表現されていることだし、仮に一冊一〇万字の本を二〇冊読んで得られる経験とはまるで違うわけです。メディアや表現の仕方によって、それぞれどこが違うのかをチェックするのは大事でしょうね。

吉川　内容やテーマが同じであっても、それぞれのメディアならではの表現がありますよね。例えば、私が好きなニコライ・ゴーゴリという一九世紀ロシアの作家に「鼻」という小説があります。自分の鼻がなくなって困るという話なんですが、どこに行ったと探していたら、なんと鼻が馬車から降りてくるんです。これ、映像化しようとすると鼻を実際に描かなければならなくなるので、ぜんぜん違ったものになりますよね。坂上さんや山本くんが言うように、それぞれで得られる体験が違うということでしょうね。

Q

作家になりたくて、物語を書いています。ほぼ完全に独学で全く定石などがわからない状態です。どのようにして勉強すればいいでしょうか。

山本　教えて！　編集長！

坂上 難しいです……。まずは先程も申し上げたように読むことがいちばんです。多読がよいとも限らなくて、一冊の本を精読するとか、好きになった作家の作品を全作読むとか。海外の場合は大学の創作科に通って、そこで編集者やエージェントとつながってデビューする、といったことがあるのですが、日本の場合は大学に行かなくても、誰でも応募できる新人賞が他国と比べてもたくさんあり、とても自由です。まずはいろんな新人賞に応募してみるのもよいかと思います。弊社の「文藝賞」もお待ちしております(笑)。落選したからといって気にすることもありません。小説は、そのとき読んだ編集者が面白いと思わなくても、他に読んだ人が面白いと思う可能性もあります。実際、文藝賞は受賞しなかったけれど、その後デビューして成功されている作家さんもごまんといるので。定石というのはないですが、自分の作品を読んでもらうためにはどうしたらいいのか、具体的なステップを探ってみることが一番だと思います。

山本 「理系でも小説家になれますか」という質問も寄せられていますね。なれます。円城塔さん、松崎有理さんのように、理系のご出身でバリバリ小説家の方もいらっしゃいます。

吉川 星新一、ルイス・キャロルもそうですね。

坂上 小説には、いろんな角度の考え方が反映されるのも魅力です。文系・理系といった単なるカテゴリーは関係ありません。理工系の知識を活かした日本の小説はまだまだ少ないですから、目立つという意味ではチャンスになるかと。

瀧本 明日本学は卒業式を迎えます。本企画は、立命館大学の卒業記念企画でもあります。最後に社会に飛び立とうとする学生さんに向けて、お三方からお薦めの本の紹介をしていただきつつ、メッセージをいただければと思います。

吉川 多くの学生さんはこれから仕事をされるであろうと勝手に忖度して持ってきたのが、エリック・ホッファーの『波止場日記――労働と思索』（田中淳訳、みすず書房）です。ホッファーは沖仲仕《おきなかし》、湾岸労働者として働きながら、日記を書いていました。私もそうでしたけれど、働きながら文章を書いていたので、読んでいるとなにかしら思うところがありました。もちろん境遇は違うと思いますが、いろいろと思うところがあると思います。すごく当たり前のことを言うと、本には始まりがあって、終わりがあります。でもSNSやウェブは無限です。ちょうどいい分量で終わるのが本のいいところです。しかも何年かしてまた読むことができる。SNSではもう一度読むのは難しいですからね。またシモーヌ・ヴェイユの『工場日記』（田辺保訳、ちくま学芸文庫）という本もあります。これも全然違う境遇の中で書かれたものですが、読むたびに毎回印象が変わる一冊です。

山本 私からは、アイザック・アシモフの『黒後家蜘蛛の会』（池央耿訳、創元推理文庫）というミステリー小説です。全五巻で日本語訳が出ています。友人同士である弁護士、暗号専門家、作家、化学者、画家、数学者という専門家たちが月に一回集まってご飯を食べる会をやっているんですが、それが「黒後家蜘蛛の会」という名前なのです。その会に毎回一人だけゲストがやってきて、謎を提供するというルールがあるんです。すると、会員のメンバーたちが、それはこういうことじゃないかと意見を出し合う。要するに、謎解きに挑むわけです。みんなそれぞれもっともらしい推理を披露するんだけど、結局いつも最後に正しい答えを出すのは黒後家蜘蛛の会が開催されているレストランの給仕さんのヘンリーなんです。専門家たちが間違った推理をするところ、ヘンリーは過たず的を射貫く。そういう構造の短編集です。

なぜこの本を持ってきたのか。問題について考えるとき、一人で試行錯誤するのも大切ですが、同時にいろんな人と議論することも大切です。加えて、特に皆さんは、この先就職なさったりして、それぞれの場所でいろいろな問題に遭遇して悩むこともあると思います。そんなとき、いつも心にヘンリーを置いておくとよいと思うのですね。ちょっと引いたポジションでものを見るような人物を頭の片隅においておく。そうすると、出口を見つけやすいこともありますから。私は中学生の頃から繰り返し読んで、いつもヘンリーに助けられています。

坂上　タイトルオチですが、アメリカ文学の代表的な作家であるチャールズ・ブコウスキーの『勝手に生きろ！』（都甲幸治訳、河出文庫）を。ブコウスキーの二〇代の頃の自伝であり、無職で、仕事についてもすぐクビになり、女性にフラれて、ひたすら酒を飲んで酔っ払って……といったことを小気味いい文章で書いています。実際のブコウスキーは、郵便配達員を三五歳までまじめにやっていたんです。でも「破天荒」と言われる小説を書き続けた面白い作家です。この本では「抑圧の中でどう生きるのか」についても書かれてます。今の日本の社会には有形無形問わず、世間からの抑圧があり、日本という国は経済的にも環境的にもしんどく、男女格差も解消されないままです。その状況の中で生き抜くためには、自分の感情、自分の倫理を一番大事にした方がいい、とこの本は教えてくれるのです。ぜひ勝手に生きてください。

瀧本 吉川さん、山本さん、坂上さん、ありがとうございます。最後に私からも紹介させていただきます。私は勉強や学問をするうえで、本物と出会うこと、本物を摑むことが大切だと考えています。そこでヴァルター・ベンヤミンの『複製技術時代の芸術』（佐々木基一編集・解説、晶文社）を推薦いたします。君たち現代の若者たちはコピー文化に溢れた社会のなかで生きていると言えるかも知れません。コピーの世界で私たちはどう生きるのか。どんな可能性があるのか。ベンヤミンは映画の鑑賞などを通して、複製技術と芸術との関係を深く考察しています。コピー文化の社会のなかでコピーとどのように付き合っていくのかを考える良い機会となるのではないでしょうか。また一方で、私は学生さんたちにやはり本物に触れるような生活をどこかで送ってほしいと切に願っています。文学研究で言いますと、初出の雑誌や初版本を手にすることが大事かと思います。作者の生前中に刊行された雑誌や単行本を手にすることは、当時の時代や文化に触れることに繋がります。今日は太宰治の『人間失格』（筑摩書房）、井伏鱒二の『黒い雨』（新潮社）、村上春樹の『国境の南、太陽の西』（講談社）などの初版本を持参いたしましたので、会場に来られた方は、終了後お時間の許す限りご覧ください。こうしたものに実際に触れてみて、装丁や帯を見る。たとえば本の臭いも嗅いでみる。そうした行為を通じて、あらためて私たちが生きている現代社会との懸隔と連続性を考えてみることも大事だと考えています。また、本学の図書館には「白楊荘文庫」など貴重な雑誌もたくさん所蔵されていますから、時代に触れるような形で雑誌や初版本に接してみてはいかがでしょうか。

最後に、もう一冊ご紹介させていただきます。谷崎潤一郎、川端康成、三島由紀夫など優れた作家が、文章について語った本は多くあります。そのなかで私がとくに推薦したいのは、井上ひさしの『自家製 文章読本』（新潮文庫）です。この書は何より文章を読んだり書いたりする楽しさを再発見させてくれます。それだけではなく、実際に文章が上手くなる術も教えてくれます。さらに言葉の歴史や変遷についても知ることができ、とても有意義な本です。読んだ方は必ず文章力が付くと確信しています（笑）ので、ぜひ読んでいただけたらと思います。

それでは、お時間が来ましたので、本日の会を終了したいと思います。どうも皆さん、最後までお聞きいただき、ありがとうございました。

（構成：山本ぽてと）

※本章は立命館大学教養教育センターが二〇二二年三月一九日に開催した「SERIESリベラルアーツ：自由に生きるための知性とはなにか［Session 10］本を読む、ものを書く、編集する」（ゲスト：坂上陽子、瀧本和成、山本貴光、吉川浩満）を再構成したものです。

⬅イベントの模様を動画で観る
https://youtu.be/BYxKpp0F3zI

おわりに

　本書の出発点は、二〇二〇年五月二四日のオンライン・シンポジウム「自由に生きるための知性とはなにか?」です。このシンポジウムは当初、立命館創始一五〇年・学園創立一二〇周年記念企画として、東京の渋谷ヒカリエホールで開催する予定でした。しかし二〇二〇年三月、新型コロナウイルス感染症のパンデミックにより緊急事態宣言が発令されます。テレビに映る白昼の渋谷スクランブル交差点は、廃墟のように静まりかえっていました。ヒカリエでの開催は断念せざるを得ませんでしたが、オンライン開催に切り替えて参加を呼びかけたところ、国内外から一〇〇〇人以上の申し込みがありました。予想を超える反響でした。

　この頃の私たちは、突如としてＳＦ映画のスクリーンの中に放り込まれたようでした。感染防止という公共の利益のため、私たちは外出を厳しく制限され部屋にこもることになりました。前例のない事態への対応に日々追われながらも、コロナ禍を現実として受け止めきれず、先の見えない不安の中にありました。そのような状況もあって、オンライン・シンポジウムに参加した人々の間には、「自由に生きるための知性とはなにか?」というテーマが切実な問いとして共有されていたように思います。

このシンポジウムから確かな手応えを得て、オンライン企画「SERIESリベラルアーツ：自由に生きるための知性とはなにか」がスタートしました。本書には、これらの記録が収められています。みなさんが抱える「モヤモヤ」に、「知性」を通して形を与えるてがかりを提供することが本書のねらいです。たとえば、第1部の熊谷晋一郎氏の基調講演では、唯一無二の「わたし」を対象とする障害者自身による「当事者研究」が「わたし」を知ることを可能とし、「わたし」の自由につながっていくことを、自身の体験を重ねながら伝えています。健常者を人のあるべき姿の標準とみなす社会や親の監視のもとで、生まれつきの身体障害をもつ熊谷氏は健常者とは違うからだを否定され続けてきました。しかし、障害者の自立生活運動に励まされ一人暮らしを始めたとき、「自分自身のからだの輪郭」がはっきりしてきた、自分も世界もクリアに見えてきた――これが熊谷氏が実感した「自由」だったと言います。「健常者並みに振る舞えることが障害者にとっての幸せ」という社会の「物語」を書き込まれ、自己否定を強いられて苦しんでいた人が、障害者運動からうまれた「社会モデル」を新しい「物語」として上書きし自分を取り戻す過程は、「自由に生きるための知性」の大切さを教えてくれます。

「自由に生きる」とはなにか、それは誰にとっての自由か、「自由」や「自由に生きるための知性」を可能とする条件とはなにか、という問いは社会や文化の構造に組み込まれており、さらに過去から未来に向けて変化しています。また常に様々な考え方が存在し、せめぎ合っています。どうせ時代と共に変化するのならば、「自由に生きる」とはなにか、などと考えても労力の無駄でしょうか。価値観は人それぞれだから、なにが正しいか正しくないかなどと争うのは意味がないのでしょうか。

その主張の正当性は全ての場合に有効でしょうか、それとも特定の条件のもとでなら有効なのでしょうか。「自由に生きるための知性とはなにか」などと考えても無駄、という考えに意味を持たせるには、「自由に生きる」とはなにか、なにがより正しいとなにを根拠に言えるのかを説明する必要があり、逆説的に「自由に生きるための知性とはなにか」という問いに立ち返らざるをえなくなります。

また「自由に生きるための知性」は、自由を制限する権力と表裏一体であったという逆説もあります。本書のテーマである「自由に生きるための知性とはなにか」は、「リベラルアーツ」から来ています。リベラルアーツが日本の教育に本格的に導入されたのは、旧制高等学校でした。旧制高等学校は男性のみが入学を許されるエリート養成校であり、リベラルアーツはそのエリートが身につけるべき教養でした。さらにリベラルアーツの源流は古代ギリシャのポリスにまで遡ります。参政権をもてるのは自由市民である成人男子のみであり、リベラルアーツは彼らが自由に考えるための技法でした。一方、女性は家政を担う者とされ公的な権利が制限されていました。自由を享受できる特権者を男性としたのは、女性を生まれながら男性に従うべき存在として定義したこととセットでした。特権者たるべき男性像は、ジェンダーのほかにも階級、人種や国籍、障害の有無などによって画定されてきました。排除されたカテゴリーに属する人々に対しては、単に自由を制限するだけでなく、自由を享受するにふさわしい能力がない、したがって資格がないという特権者による物語が押しつけられました。その物語のなかで生きざるをえない人々は「自由に生きるための知性とはなにか」と問うこと自体、許されなかったのです。そこから自由を獲得していく困難は想像を絶しますが、生き延びるためにその困難に挑戦し、その挑戦が新たな課題を生んで別の挑戦がはじまる――人間の歴史はその連続といえます。

現在、大学の門は多様な人々に開かれています。大学が多様な構成員による探究の場になっているように、リベラルアーツの概念も変化しています。さらに、地球環境問題や情報化・国際化の進展、生命操作技術の高度化など、科学・技術と社会の関係の再構築が問われるなかで、総合知としてのリベラルアーツが改めて注目されています。教養科目、基礎科目、専門科目と単線的に進むのではなく、専門的な学びや研究と並行して、自分の専門性を外部から捉えなおすリベラルアーツの意義が再評価されています。一方で、国家試験や資格試験合格を目標とし、限られた期間内で膨大な専門知識や技術を習得する必要がある人、またGPAを高めるために効率重視で単位を取りたい人、あるいは専門的な研究に専念したい人のなかには、リベラルアーツは二の次という人もいるかもしれません。それぞれの学生の目標に応じて優先順位が違ってくるのは、当然です。ただし学生のみなさんに知っておいてほしいのは、目標に邁進していたとしても、かならず「モヤモヤ」に遭遇するときが来ること、その解決のためには往々にして、自分の目標の前提となる枠組みには収まらない概念や考え方や技術を必要とすることです。そんなときに、大学の文化資源・社会資源としてのリベラルアーツを経由しておくと、役に立ちます。ここでいうリベラルアーツは履修科目としてだけではありません。大学の研究所や研究センターの活動、図書館やデータベースの情報、学部・大学院等での様々な企画、そして本書を副読本とするみらいゼミなど大学を起点に広がる知的なネットワークのすべてに、総合知としてのリベラルアーツへの可能性が秘められています。

最後に「方法」の大切さに触れておきます。大学では様々な専門分野での研究を基礎として、問いを立て結論を導くための方法を教えます。専門によって方法が異なり、それぞれの方法が問いの立て方や研究対象を決めるといってもいいでしょう。自分がなにをしたいのか、なにに向いているのかを知るには、まずは異なる専門の「方法」にとことん付き合ってみることです。リベラルアーツを入り口として、専門的な研究の世界にぜひ足を踏み入れてみてください。

松原洋子

◎イラストレーション　umao
◎ブックデザイン　小川 純（オガワデザイン）
◎企画　牧野容子、川﨑那恵（学校法人立命館）
◎校正　石川義正
◎組版　山口良二
◎編集　吉川浩満（晶文社）

自由《じゆう》に生《い》きるための知性《ちせい》とはなにか

――リベラルアーツで未来《みらい》をひらく

2022年9月10日　初版

編　者　立命館大学教養教育センター
著　者　熊谷晋一郎、上田紀行、隠岐さや香、山下範久、松原洋子、坂下史子、南川文里、小川さやか、美馬達哉、飯田豊、富永京子、瀧本和成、柳原恵、横田祐美子、北山晴一、新山陽子、大﨑智史、小寺未知留、加藤政洋、原口剛、熊澤大輔、田中祐二、山本貴光、坂上陽子、吉川浩満
発行者　株式会社晶文社
東京都千代田区神田神保町1-11　〒101-0051
電　話　03-3518-4940(代表)・4942(編集)
U R L　http://www.shobunsha.co.jp
印刷・製本　株式会社太平印刷社

ISBN978-4-7949-7321-4　Printed in Japan